Facetten des Fremden

Argon

Facetten des Fremden

Europa zwischen Nationalismus und Integration

Herausgegeben von

Michael Haerdter
Peter Sauerbaum
Kurt Scharf
Olaf Schwencke
Beate Winkler

Argon

Dieser Band dokumentiert den Kongreß
»Kulturelle Vielfalt Europa«, der im
November 1990 in Berlin stattgefunden hat.
Veranstalter waren: Haus der Kulturen der Welt,
Arbeitsstab der Beauftragten der Bundesregierung
für Ausländerfragen, Künstlerhaus Bethanien,
Kulturpolitische Gesellschaft e. V. und die
Senatsverwaltung für Kulturelle Angelegenheiten.

© 1992 Haus der Kulturen der Welt, Argon und die Autoren

Satz: Mercator Druckerei GmbH Berlin
Druck und Bindung: Clausen & Bosse GmbH, Leck

Umschlaggestaltung: Jürgen Freter

Argon Verlag GmbH
Potsdamer Straße 77—87
W-1000 Berlin 30

ISBN-Nr. 3—87024—192—6

Vorwort

Im Zeichen der Perestroika haben die Völker Osteuropas zu neuer Selbstbestimmung gefunden. Deutschland ist nach 40jähriger Trennung wieder vereint. Europas Völker fühlen stärker als in den Jahren zuvor ihre Zusammengehörigkeit und — dies ist kein Widerspruch — besinnen sich dennoch stärker auf ihre Identitäten.

Eine treffende Kurzformel für Europa lautet: Einheit in der Vielfalt.

Die großen Städte Europas sind Schmelztiegel der Völker und Kulturen. Diese Mischung tendiert zur Einheit. Doch es haben sich unter den jeweiligen lokalen, regionalen und ethnischen Bedingungen im Laufe der Jahrhunderte unterschiedliche Kulturen entwickelt, die erst in ihrer Gesamtheit die Identität Europas darstellen. Dieses Europa umfaßt nicht nur den Westen, die Mitte und den Süden, sondern ebenso selbstverständlich den Osten und den Südosten unseres Kontinents.

Der Reichtum dieser Multikulturalität will bewahrt sein, die Vielfalt fordert Pflege. Dies wird eine der zentralen Aufgaben einer wie auch immer politisch und administrativ harmonisierten Gesellschaft Europas sein. Dies wird auch eine der zentralen Aufgaben für die Gestaltung von Politik und Gesellschaft in einem vereinigten Deutschland sein.

Der Weg in dieses neue Europa ist nicht frei von Risiken. Die Zunahme von Rechtsradikalismus, Fremdenfeindlichkeit und Antisemitismus ist eine reale Gefahr. Wachsender Nationalismus in der Bundesrepublik und zum Beispiel auch in Frankreich findet Entsprechung in nationalsozialistischen und fundamentalistischen Bewegungen in Ost-, Süd- und Südosteuropa, nicht zuletzt in verständlicher Reaktion auf Stalins fatalen »Internationalismus«. Für uns Europäer hängt viel davon ab, ob es gelingen wird, diese kulturelle Selbstbestimmung gegen bislang aufgezwungene Ideologien in den Werdegang zur parlamentarischen Demokratie in Europa einzubinden. Eine weitere Gefahr ist die Abschottung Europas gegen die sogenannte Dritte Welt.

Diese aktuelle Lage beschäftigte uns und einen Kreis internationaler Gäste auf dem Kongreß »Kulturelle Vielfalt Europa«. Der

Berliner Kongreß konzentrierte sich insbesondere auf folgende Aufgaben:

— Bilanz der Ursachen des Nationalismus in Europa, um Mittel der Immunisierung gegen den Virus auszumachen;

— die gesellschaftlichen und politischen Voraussetzungen für ein multikulturelles Zusammenleben in Europa und in der Bundesrepublik zu untersuchen und konkrete Vorschläge daraus abzuleiten;

— ein Bewußtsein von der wechselseitigen Abhängigkeit zwischen Norden und Süden und der Verantwortung für die Länder der »Dritten Welt« zu schaffen.

Europäische Identität und die friedliche Koexistenz unterschiedlicher Kulturen müssen dann keine Utopie bleiben, wenn es gelingt, Schritt für Schritt jene tolerante multikulturelle Gesellschaft aufzubauen, die Europas Chance ist.

Die Herausgeber

Zum Kongreß

Kulturelle Vielfalt ist von jeher ein Charakteristikum europäischen Geistes und seiner Kultur gewesen. Die Abwesenheit großer, schwer zu überwindender natürlicher Barrieren hat diese Weltgegend schon immer zu Offenheit und Durchlässigkeit gezwungen: damit wurde Europa einerseits ein reiches kulturelles Erbe beschert — andererseits aber auch endlose Kriege und, in neuerer Zeit, die Perversion der kulturellen Vielfalt, die chauvinistischen Partikularismen und die primitivste aller Reaktionen auf Fremdes, der Rassenwahn. Unsere Erfahrungen, unsere gemeinsamen Erfahrungen müßten uns also eigentlich sicher machen angesichts der neuen Herausforderungen, der notwendigen Integration fremder Menschen und fremden Kulturgutes. Sicher sind wir uns aber in gar keiner Weise. Das Schlagwort von der »multikulturellen Gesellschaft« ist noch nicht viel mehr als eine leere Worthülse.

Wir befinden uns alle auf der Suche, und zwar unter hohem Druck: Das Problem brennt und wird den inneren Frieden unserer Gesellschaften sehr stark in Bedrängnis bringen.

Günther Coenen
Generalsekretär Haus der Kulturen der Welt, Berlin

★

Vor 150 Jahren von Georg Herwegh formuliert: *Die Freiheit der Welt ist unteilbar.* Dieser Satz hat noch keine Wirklichkeit gefunden. Auf der Tagesordnung bleibt, nach dem Scheitern des von Lenin eingeleiteten Versuchs, den Juden Marx zu widerlegen, und vor der Verwüstung des Planeten durch die Industrie, der Grundsatz der Pariser Commune *keiner oder alle.* Die Alternative ist das Prinzip Auschwitz, die Selektion.
Was die Intelligenz des implodierenden Ostens in das neue, vorläufig westlich dominierte Europa einbringen kann, ist die Erfahrung des Scheiterns. Die Erfahrung der Unfreiheit, Besitz ganzer Bevölkerungen, kann gebraucht werden für einen verbindlicheren Umgang mit der immer noch geteilten Freiheit. Vorausgesetzt,

die Zwänge der Ökonomie lassen die Zeit für Trauerarbeit, die das Trauma heilt. Der sowjetische Block löst sich auf in einen Wirbelsturm seiner Teile, Europa verwandelt sich in eine Zone der Unsicherheit, Feindbilder sind gefragt. Keine Zeit für Polemik. Was Europa braucht, ist ein Programm der Bescheidenheit. Das Feindbild zeigt der Spiegel, und ich rede nicht von einem Nachrichtenmagazin. Ich wollte, wir könnten schon mit Hans Henny Jahnn sagen: *Allmählich ist die Liebe unser Eigentum geworden.* Sagen können wir, mit Hölderlin: *Wir sind nichts, was wir suchen ist alles.*

Heiner Müller
Präsident der Akademie der Künste zu Berlin

★

Die historischen Ereignisse der letzten Monate oder, genauer gesagt, des hinter uns liegenden Jahres haben eine historische Epoche, die Epoche der Nachkriegszeit beendet. Die Konfrontation hängt nicht mehr wie ein Damokles-Schwert über Europa, die Zeit des kalten Krieges und vor allen Dingen die Zeit des Denkens in militärischen Blöcken ist beendet. Wir leben heute in einem neuen, in einem freien Europa, und wir sollten diese Gelegenheit nutzen.

Im Moment haben wir noch keine konkrete Vorstellung davon, was das bedeutet, und ich glaube, es stehen uns auch noch nicht die Begriffe zur Verfügung, die die neue Situation fassen können. Wir wissen, was geschehen ist, von den äußeren Abläufen her, aber wir müssen uns neu orientieren, und das beunruhigt. Es ist eine Situation der Unübersichtlichkeit, der neuen Unübersichtlichkeit, der Orientierungslosigkeit. Es steht uns erst noch bevor, neue Maßstäbe für ganz Europa zu finden; wir sind mitten in dem Prozeß der Aufarbeitung und der Orientierung.

Die Westintegration war das wesentliche Moment der Nachkriegsgeschichte, insbesondere der Bundesrepublik Deutschland. Jetzt ist diese Nachkriegszeit abgeschlossen, Europa wird sich in Richtung Osten öffnen, da die zukünftigen Aufgaben und Herausforderungen dort liegen — nicht nur ökonomisch, nicht nur politisch, nicht nur gesellschaftlich, sondern auch kulturell. Wer über Jahrzehnte hin in eine Richtung geblickt hat, nämlich vorrangig nach Westen, der wird Schwierigkeiten haben, eine andere Perspektive anzunehmen. Berlin kann — aufgrund seiner geographischen Lage in der Mitte Europas und als eine Metropole großer kultureller Vielfalt und Offenheit auch schon in der Vergangenheit — zur Drehscheibe zwischen den Kulturen Ost- und Westeuropas werden. Diese Offenheit und Vielfalt haben immer für West- wie für Ost-Berlin gleichermaßen gegolten. Die Addition oder, wie man neu-deutsch sagt, die synergistischen Effekte, die dadurch entstehen können, sind das, was man nutzbar machen kann und soll in dieser Stadt.

Wenn wir uns die großen Veränderungen ansehen, die sich vollziehen, von der westlichen Seite, dann wissen wir: Die kulturelle Entwicklung Westeuropas und die Kultur Westeuropas war immer auch durch die Konfrontationspolitik und den kalten Krieg mitbestimmt. Das war nicht ihr wesentliches Element, hat aber das kulturelle Selbstverständnis mitbeeinflußt. Mit den Veränderungen in Osteuropa wird auch die Kultur der Länder und Völker Osteuropas wieder aktiv mitbestimmender Bestandteil der kulturellen Landschaft Europas werden. Das, was für die deutsche Kultur gilt, gilt sicherlich auch für Europa insgesamt. Der Zusammenschluß bedeutet nicht nur bloße Addition, sondern es wird etwas anderes, etwas qualitativ Neues entstehen. Die gegenseitige Beeinflussung wird mehr verändern, als wir uns im Moment vielleicht klar machen. Dabei kann Kultur im Prozeß der politischen und gesellschaftlichen Neuorientierung eine wesentliche Hilfe sein: Sie hat schon in der Zeit, als die beiden feindlichen Blöcke Europas sich gegenüberstanden, nicht nur den Kontinent zusammengehalten, sondern immer auch deutlich gemacht hat, daß die beiden politischen Blöcke Teil eines kulturellen Kontinents waren. Die Vielfalt dieser kulturellen Landschaft liegt nun offen vor uns. Sie wurde nicht allein durch die großen Metropolen London, Paris, Berlin, sondern genauso durch Warschau, Prag, Moskau, Budapest geprägt und vor allen Dingen auch durch die unterschiedlichen Regionen, durch unterschiedliche Identitäten. Diese müssen bewußt und nutzbar gemacht werden. Erst das Bewußtsein von unterschiedlichen ethnischen, sprachlichen und regionalen Elementen der Kultur Europas kann helfen, nationales Bewußtsein produktiv zu nutzen und vor neuem Nationalismus zu schützen. Denn wir erleben es jetzt in Deutschland wie auch in anderen Ländern Osteuropas, daß nationalistische, chauvinistische Bestrebungen das Haupt wieder erheben. Ich denke, wer sich der eigenen Kultur bewußt ist, der wird auch andere Kulturen in ihrer Eigenart anerkennen und akzeptieren können.

Einheit in der Vielfalt, das muß die Zukunftsperspektive Europas sein; Europa — dazu gehört auch die Selbstbestimmung und die Selbstbehauptung dieses alten Kontinents. Ich bin der Meinung, daß es für uns in Deutschland eine große Chance ist, die positive Wirkung, die sich durch den Zusammenschluß beider deutscher Teilstaaten ergibt, nutzbar zu machen und zu erhalten. Dies ist die nationale Aufgabe, vor der wir stehen und die sich letzten Endes in Haushaltsplänen und in Zuschüssen niederschlagen muß. Diese Chance sollten wir nutzen.

Walter Momper
Regierender Bürgermeister von Berlin (1989 - 1991)

★

Bei Arthur Rimbaud, einem Repräsentanten kultureller Vielfalt in Europa, heißt es:

Es gibt in Europa nur eines, das mich erschüttert, der Tümpel, auf dem in der Abendglut ein Knabe mit seinem Schiffchen herumspielt und frohgemut den Hunger vergißt und die Fischkinder füttert.

Der zentraleuropäische Expressionist Zech ignorierte in seiner Übersetzung — ebenso wie es Celan in seiner Übertragung von Rimbauds »Das Trunkene Schiff« getan hat — die Metapher »le papillon de mai«, eine Metapher, die einen niederländischen Lyriker, als dieser sich um eine Übertragung desselben Textes bemühte, zu dem Begriff der Freiheit inspirierte.

Sehen wir, wie schnell sich die Züge der Vielfalt bilden: Ein genialer Dichter aus Frankreich, den man darüber hinaus als einen multikulturellen Abenteurer beschreiben könnte, neben einem ehemaligen Bergwerker und (Berliner) Bibliothekar, der Gedichte überträgt und selbst Lyriker zentraleuropäischer Herkunft ist. Beide sind Arbeiter aus dem Industriegebiet der Intelligenz, gleichzeitig lassen beide in ihrem Nebeneinander die mit dem Europa-Gefühl verbundenen Paradoxa aufscheinen: So, wenn es um Freiheit geht, wenn von Identität und Interpretation die Rede ist, aber auch, wenn es um die Nähe oder Distanz zwischen verschiedenen Kulturen geht.

Der Europarat ist sich vollständig im klaren über die kulturelle Verschiedenheit Europas und die Paradoxa, die aus dieser Verschiedenheit entstehen. Eine eingehende Auslegung der Begriffe »multikulturelle Gesellschaft«, »europäische kulturelle Identität« und »neue Dimensionen der europäischen kulturellen Zusammenarbeit« finden sich in einem Dokument des Europarates (CMC (90)6). Der Ansatz — aufgezeigt in diesem Dokument —, wird jedoch nicht völlig von allen Regierungen getragen. Der Rat bemüht sich immer noch um eine Charta über Sprachen der Minderheitsgruppen, nachdem die Parlamentarische Versammlung diesen Vorschlag vor zehn Jahren eingebracht hat.

Die Öffnung Europas in großem Maßstab hat jedoch diesen Aktivitäten sowie der kulturellen Zusammenarbeit Vorschub geleistet. Ich benutze den Begriff Kultur im weitesten Sinne, d. h. für alles was Bezug hat zur Qualität des täglichen Lebens. Der Kultur- und Bildungsausschuß der Parlamentarischen Versammlung, dem ich vorstehe, hat Initiativen ergriffen für das, was wir früher als Ost-West-Zusammenarbeit bezeichnet haben: im audiovisuellen Bereich (Orvieto 1988, Prag 1990), im Bereich der Jugendförderung (Gespräche am Runden Tisch in 1988), im Bereich der Minoritätensprachen (Warschau 1989) und zum Schutz des kulturellen Erbes. Seit mehr als einem Jahr sind Parlamentarier aus Ländern Zentral- und Osteuropas an unseren Arbeiten als »besondere Gäste« beteiligt (Bulgarien, Tschechoslowakei, DDR, zeitweilig Ungarn, Polen, UdSSR und Jugoslawien). Im zwischenstaatlichen Bereich genügt es, darauf hinzuweisen, daß die meisten dieser Staaten im Prozeß der Zusammenarbeit bereits gleichwertige Partner sind, auf der Grundlage der Europäischen Kulturkonvention (Tschechoslowakei, Ungarn, Polen, Jugoslawien). Auf diese Konvention werde ich später näher eingehen.

Der Europarat bietet deshalb einen Rahmen für die kulturelle Zusammenarbeit, der sich zunehmend seinem Äquivalent, dem »Korb III« des KSZE-Prozesses, annähert. In diesem Zusammenhang können wir beobachten, wie sich die Strukturen entwickeln.

Unbestreitbar besteht die Notwendigkeit, den Staaten Zentral- und Osteuropas zu helfen, den Rückstand zum Westen aufzuholen, damit diese Länder ihren Beitrag zur Zusammenarbeit leisten können. Die Parlamentarische Versammlung betont die Zusammenarbeit in den Bereichen Bildung und Wirtschaft.

Der Europarat hat bereits mit den Programmen »Demosthenes« und »For East« reagiert. Aber wir verkennen auch nicht, daß diese Programme nur ein kleiner Beitrag sein können, verglichen mit der massiven Hilfe, die von einigen Mitgliedstaaten auf bilateraler Basis sowie von der Europäischen Gemeinschaft geleistet wird.

Es ist wichtig, zwischen solchen Hilfsprogrammen und dem Aufbau einer gesamteuropäischen kulturellen Zusammenarbeit zu unterscheiden. In diesem Zusammenhang möchte ich zuerst einige Schwierigkeiten aufzeigen:

— Wir sprechen von einer europäischen kulturellen Identität, die jedoch durch ihre Vielfalt bestimmt wird.
— Wir sprechen über eine interkulturelle Zusammenarbeit und eine multikulturelle Gesellschaft, versuchen aber gleichzeitig, die verschiedenen individuellen Identitäten zu unterstützen.
— Das Erbe Europas liegt nicht nur in der Vergangenheit, sondern zeigt sich ebenso in der Gegenwart und in der Zukunft (Bewahrung und Kreativität) und ist unser eigener Beitrag zur Geschichte.
— Die Demokratisierung der Kultur muß mit kultureller Demokratie einhergehen.

Tatsächlich müssen wir versuchen, sowohl das Gesamtbild zu sehen als auch die vielen verschiedenen Steine zu berücksichtigen, aus denen das »Mosaik Europa« gebildet wird. Vor allem müssen wir die historischen Vorteile nutzen, die sich aus der Eröffnung einer echten, gesamteuropäischen Perspektive der kulturellen Zusammenarbeit ergeben.

Die Diskussion über Kultur und Demokratie und — damit einhergehend — über kulturelle Rechte, ist eine noch junge Diskussion. In der Zeit zwischen dem Ersten und Zweiten Weltkrieg war

Kultur ein Thema von nur allgemeinem und globalem Interesse. Kulturell war die Welt lediglich in Kontinente aufgeteilt, die als geschlossene und daher starke und nicht angreifbare Einheiten gesehen wurden. Seinerzeit suchte der Völkerbund Gemeinsamkeiten, um zur Abwendung des Krieges Rechtsstrukturen sowie wirtschaftliche und soziale Stabilität zu stärken — in »Mein Kampf« war allerdings deutlich eine europafeindliche Kulturkonzeption nachzulesen. Die Universelle Menschenrechtserklärung (Artikel 22) erwähnt erstmals kulturelle Rechte — ohne diese weiter zu definieren und ohne Bezug auf geschichtlichen Hintergrund oder auf das, was Rimbaud beispielsweise mit den folgenden Sätzen meinte: *Pas une famille d'Europe que je ne connaisse. J'entends des familles comme la mienne - qui tiennent tout de la Declaration des Droits de l'Homme.* Und auch nicht unter Berücksichtigung dessen, was Rimbaud mit *changer la vie* und *réinventer l'amour* ausdrücken wollte, und ohne Berücksichtigung seiner in die Zukunft weisenden Perspektive: *Et à l'aurore, armés d'une ardente patience, nous entrerons aux splendides villes.* Erst 1954 läßt sich eine Formulierung wie »gemeinsames kulturelles Erbe« finden, und zwar im Text der Europäischen Kulturkonvention. Der Begriff Europa wird in dieser Konvention genauso vage formuliert: »Die Vergangenheit, die Gegenwart und die Zukunft der Menschen, die in der geographischen Region leben, die sich vom Nordkap bis zum Mittelmeer, von Island und Kap Roca bis zum Ural erstreckt; diese Definition beschränkt sich nicht auf die Mitgliedschaft in irgendeiner europäischen Organisation.« Sind die Begriffe »bis zum Ural« und »irgendeiner europäischen Organisation« nicht ausgefeilte diplomatische Euphemismen?

Zu Beginn der achtziger Jahre tauchte plötzlich das Konzept der »Europäischen kulturellen Identität« auf, hervorgegangen aus dem bereits etablierten Konzept des »Europäischen kulturellen Erbes«. Dieses Konzept heißt »Einheit in der Vielfalt«. All diese diplomatischen Euphemismen sind Widerspiegelungen des politischen »Rheumatismus« des Kalten Krieges.

Mitte der achtziger Jahre, zu einer Zeit also, als die neuen Ost-West-Beziehungen in Erscheinung traten, erhielt die Dimension Kultur im Gedankengut der sogenannten »Europäischen Organisation«, nämlich der Europäischen Gemeinschaft der Zwölf, eine andere Bedeutung: »Jede Kultur«, wie es hier ausgedrückt wird, »ist nur so stark wie ihre wirtschaftlichen Grundlagen«. Dies war der neue Slogan, der in Brüssel vorgestellt wurde, der darauf ausgerichtet war, die Chancen der kulturellen Entwicklung an die Direktiven zu binden, die für den Aufbau des neuen europäischen Marktes aufgestellt wurden. Mit anderen Worten: Die Kultur als Fahne wird zur Dekoration von wirtschaftlichen Erfolgen.

Die Logik, »jede Kultur ist nur so stark wie ihre wirtschaftlichen Grundlagen«, stand in Beziehung mit der Notwendigkeit der wirtschaftlichen Reform in den Ländern Zentral- und Osteuropas. Wer wäre so zynisch, dies kommentieren zu wollen?

Der strukturelle Wandel und die sozialen Auswirkungen der Wirtschaftsreformen haben natürlich eine menschliche Dimension, die »das tägliche Leben« berührt — und »das tägliche Leben« ist die Definition der Kultur im weitesten Sinne: selbstverständlich besteht eine Beziehung zwischen Kultur und Wirtschaft, aber eine Abhängigkeit ist nicht nachzuweisen.

Eine universitäre Einrichtung wäre notwendig, die sowohl Studiengänge über die europäischen Abkommen über Zusammenarbeit als auch die kulturellen Menschenrechte berücksichtigt. Um diese Notwendigkeit aufzuzeigen, habe ich versucht, den Rahmen abzustecken, in dem ein solches Institut die vielfältige europäische Struktur unterstützen könnte. Ohne die Errichtung eines solchen Institutes können wir Rimbauds »vorsichtige Jungfrau« nicht davon abhalten, die Bühne zu besetzen und das Gedicht Kavafis »Awaiting the barbarians« immer wieder aufzusagen. Diese Chance sollten wir nutzen.

Nicolaus Tummers
Parlamentarische Versammlung des Europarates, Den Haag

Perspektiven, Gefährdungen, Chancen –
Gedanken zu einer neuen europäischen Gesellschaft

Györgi Konrad

Die Melancholie der Wiedergeburt

Die Systemveränderungen sind — vielleicht weil die eschatologische Erwartung untrennbar mit ihrem Wesen verbunden ist — notwendigerweise desillusionierend. Irgendeine hoffnungsvolle Stimmung hatte sich ausgebreitet: Alles würde besser werden, sollte die Parteiherrschaft erst einmal durch eine parlamentarische Regierung ersetzt sein. Der Mensch möchte gern glauben, in seinem Land zuhause sein zu dürfen.

In der Diktatur geben wir uns der Vorstellung hin, daß selbst die Farbe der Blätter an den Blumen eine andere sein würde, sollte diese Regierung einst nicht mehr existieren. Wenn das Land ein bewachtes Lager ist, wenn der Eiserne Vorhang keine Lücke hat, dann ist auch deine Wohnung eine Zelle. Und jetzt, da der Vorhang nicht mehr existiert, blickst du dich um in der Wohnung. Nun ja, hier muß unbedingt renoviert werden.

Was ist geboten? Radikale Reformen? Systemwandel? Stille Revolution? Schocktherapie? Ach, der Mensch ist beunruhigt, des Stillstands ist er überdrüssig, doch die Unsicherheit macht ihm Angst.

Das Land war auch bisher so wie wir, und vermutlich wird das in Zukunft nicht anders sein, denn Staat und Bevölkerung sind wechselseitige Spiegelbilder.

Nehme ich mein Allgemeinbefinden unter die Lupe, dann fühle ich mich alles in allem besser als früher, als das SYSTEM, so in Großbuchstaben, noch Bestand hatte. Interessant, jetzt gibt es kein System mehr. Damals existierte eines, jetzt nicht. Damals kritisierte ich das System, jetzt einzelne Dinge. Die einzelnen Dinge sollen nicht wieder zu einem System zusammenwachsen, dem gilt mein Bestreben.

Ich habe weniger Grund zur Angst, von einem Phantom bin ich zu einem normalen Bürger geworden, ich bin an meinem Platz.

Inwieweit ich den Wandel genieße? Meine Schwierigkeiten mit der Zensur gehören der Vergangenheit an, meine Texte können ohne die assoziativen Begleitmomente von Verbotensein und Geheimsein gelesen werden, für meine Publikationen finde ich ein Forum. Jeder, der auch nur ein bißchen und auch der, der nicht schreiben kann, hat reale Chancen, veröffentlicht zu werden.

Genehmigungen für die Aus- und Wiedereinreise brauche ich nicht mehr, die Grenzbeamten von immer mehr Ländern winken mich einfach durch, wenn ich meinen Paß hochhalte. An der Grenze werde ich nicht gefilzt, meine Manuskripte kann ich ebenso bei mir haben wie meine Strümpfe. Also im Ancien Régime war das nicht so, obwohl auch dieses seine Freuden kannte.

Vielen war das eigenartige Gefühl der Erleichterung vertraut, sobald sie ihren Fuß über die Landesgrenze in Richtung Westen gesetzt hatten. Hinter uns der Stacheldraht und die Wachtürme, hier konnten sie einen nicht mehr erwischen, den Reisepaß, der nicht uns, sondern ihnen gehörte, konnten sie einem nicht mehr abnehmen.

Wir sind in ihrer Hand, alles ist vorstellbar, alles können sie machen mit uns, in diesem Gefühl bestand das Wesen des Systems. Das Personal der Diktatur konnte sich Launenhaftigkeit erlauben. Durch ständige Angst vor Bestrafung wird die Mehrheit gelähmt. Diese Lähmung, diese Erstarrung war ja gerade das Ziel. Loyale Beklommenheit — sie war das kollektive Hauptwerk von Staat und Bevölkerung. Bald wird auch dieses der Vergangenheit angehören.

Noch ist das Land nicht zusammengebrochen. Von allem ist etwas vorhanden— hier Vornehmheit, da Vulgarität: eine Balzac-Ära; etwas Ähnliches scheint hier im Aufbruch zu sein wie Ende vergangenen Jahrhunderts schon einmal in Budapest, wieder erlebt die bürgerliche Entwicklung einen Aufschwung. Sauber ist kein Synonym von bunt.

Die Preise sind gestiegen, die Armut hat zugenommen, es wächst die Zahl der Obdachlosen, auf der Straße aber sind meist leidlich oder gut gekleidete Menschen zu sehen. Die auffälligen und ärmlichen osteuropäischen Charakteristika der Stadt werden noch lange erhalten bleiben, dennoch unterscheidet sich das Budapester beispielsweise von dem Wiener Straßenbild nicht mehr so dramatisch.

Die Stimmung des Aufgebens und der Vernachlässigung, der Depression und der Regression gehören der Vergangenheit an.

Viele meiner Bekannten haben sich auf neue Projekte eingelassen, um mich herum sehe ich aktive und vielbeschäftigte Leute, die früher allgemein verbreitete Klage über die Sinnlosigkeit der Arbeit ist nicht mehr zu hören.

Ich spüre eine leichte Entkrampfung, auf den Gesichtern entdecke ich manchmal ein verborgenes Lächeln. Es darf gearbeitet werden. Auf der Straße werde ich häufig angesprochen, das ist neu für mich, man grüßt mich, nickt mir zu, sagt mir etwas Freundliches. Ich weiß, für wen ich schreibe, ich sehe meine Leser.

Von der bürgerlichen Entwicklung über Faschismus und Kommunismus zur bürgerlichen Entwicklung. Dazwischen lag ein dummes Intermezzo, ein aggressiver hysterischer Anfall, angehalten hat er von 1914 bis 1989, 20. Jahrhundert wird er genannt. Es lohnt nicht, viele Worte darüber zu verlieren.

Eigenartig, daß ich die sich anbahnende Beruhigung kaum noch erwähne, daß es einen Ost-West-Krieg in Europa, in unseren Städten vermutlich nicht geben wird, daß die Panzer per Eisenbahn unser Land verlassen, was nicht zuletzt der blockerodierenden Arbeit der autonomen Bewegungen in Osteuropa zu verdanken ist, irgendwie also auch uns selbst.

Wir sind zum Tor des imaginären Vernichtungslagers hinausgetreten, ungläubig betasten wir uns, die Wahrscheinlichkeit, daß wir eines natürlichen Todes sterben werden, nimmt zu, obwohl der Tod niemals natürlich ist. Jetzt werden wir aus eigener Kraft ruhig oder unglücklich sein. Die Gefahr verringert sich, die Verantwortung wächst.

Die amerikanische und die russische Elite ist zur Zusammenarbeit verurteilt, und das ist für Europa gut. Gut für jene Gesellschaften, die sich schon ausgetobt haben, die ihre eigene nationale, religiöse, ideologische Hysterie bereits überwunden haben. Früher oder später wird einzig derjenige militärische Einsatz zu rechtfertigen sein, für den der Sicherheitsrat der UNO eine Ermächtigung erteilt. Aktionen einer Weltpolizei gegen Mafiaorganisationen, die die internationale Rechtsordnung verletzen, gegen Diktatoren, die die Toleranzschwelle überschreiten. Egoistisch, jedoch ein bißchen verunsichert fügen wir hinzu: hoffentlich nicht in unserer Nähe.

Den Weltkriegen, dem Imperialismus, den Diktaturen kehren wir den Rücken, es kommt das Ende der Geschichte, das universale Goldene Zeitalter der kapitalistischen Demokratien. Schon sannen wir nach über die neue Sezession, über das Ende der oppositionellen Kultur. Da entflammte im Persischen Golf ein Brand. Sollte das 20. Jahrhundert doch noch nicht zu Ende sein? Sollte es etwa in das 21. hineinragen?

1989, das war das Jahr Osteuropas. Der Durchbruch ist geschehen, wir haben gewählt und unsere Meinung kundgetan. Von den Titelseiten der Zeitungen werden wir jetzt verdrängt. Daß wir mit dem Kommunismus immer weniger zu tun haben wollen, ist längst keine Sensation mehr. Die Welle des Wandels schwappt über uns hinweg, weiter nach Osten. Das Krachen und Bersten der Obrigkeitsstaaten ist bis hierher zu hören. Mit jedem weiteren Vordringen der Kameras tauchen auch die Touristen und Geschäftsleute auf. Nach Mittel-Osteuropa kommen nun der Balkan und der sowjetische Raum an die Reihe, jetzt wird das eigentliche Osteuropa zum Schauplatz dramatischer Veränderungen. Nährboden für die Geburt neuen nationalen Selbstbewußtseins. Durch das Reich war es unterdrückt worden, doch jede unterdrückte kollektive Gesinnung drängt an die Oberfläche.

Eine bürgerliche Gesellschaft wollen wir, was letztlich heißt, daß wir nicht wirklich Bürger sind. Um so mehr zögern wir, uns mit dem Kapitalbesitz zu identifizieren, zumal wir darüber nicht verfügen. Zweifellos ist der Kapitalismus der Preis für die Demokratie, das akzeptieren wir, der eine begeistert, der andere weniger begeistert.

Es würde mich nicht wundern, wenn der heimische Kapitalismus nach dem überaus wissenschaftlichen Sozialismus eher auf Wissenschaftlichkeit als auf Profit bedacht wäre, weil die Staatsintellektuellen auch in der jetzigen kapitalistischen Entwicklung mehr Mitspracherecht haben als die unabhängigen Unternehmer.

Alles Sozialistische erhält jetzt eine schlechte Note. Bedrohliche Erklärungen versetzen die Kommunisten von gestern in den Zustand der prinzipiellen Schuld. Wer gestern noch von der Reform der sozialistischen Planwirtschaft sprach, ist inzwischen ein gläubiger Monetarist und ein unversöhnlicher Gegner jeglicher sozialistischer Idee geworden. Was die Armen angeht, so ist sein Standpunkt diesbezüglich unverändert, nach wie vor ist er gezwungen, sie aus seinen Betrachtungen auszuklammern.

Haben die sozialistischen Werte noch Geltung? Besteht der Anspruch zu Recht, daß niemand hungern darf, selbst wenn er ein Tagedieb ist? Daß jeder ein Recht auf Bildung und ärztliche Versorgung hat, auch wenn er arm ist? Westlicher Sozialismus ist nichts anderes als ein in den Kapitalismus gesetzlich eingebautes Korrektiv, ein Sicherungssystem, das die Gemeinschaft dem Individuum gegen die Gefahr sozialer Verelendung bietet.

Es gibt einen westlichen Sozialismus, auch wenn er nicht so genannt wird. Er bedeutet nicht eine aggressive Expansion der zentralen Staatsmacht, sondern eine weitgehende Selbstverwaltung. Obenan in der Werteskala steht nicht das Staatsinteresse, sondern ein angstfreies Leben des Einzelnen, selbst wenn er im Wettbewerb nicht gewinnen kann.

Ungarn, ein Land zwischen Sozialismus und Kapitalismus. Da sind wir nun, so eine Art sozialkapitalistischer Mixtur, Zwischenvarianten in Anbetracht unserer Schwerkraft. Tag für Tag ist hier zu hören, der Sozialismus sei tot, ich aber habe eher den Eindruck, daß er lebt. Zumindest das, was gestern noch als real existierender Sozialismus bezeichnet wurde.

Es lebt das instinktive Bestreben der Zentralmacht, möglichst alle Machtpositionen an sich zu reißen und kulturell, durch eine kollektive Weltanschauung, miteinander zu verschmelzen. Der Kapitalismus hier ist gegenwärtig mehr Hoffung als Erfahrung. Als die Menschen noch begeistert vom Sozialismus sprachen, ahnten sie kaum, worum es eigentlich ging. Sie verstrickten sich vollkommen im Etatismus, was nicht allzu schwer war, und jetzt versuchen sie, sich herauszuwinden, was ziemlich kompliziert ist.

Eine Periode geht zu Ende, die Zeit der Innerlichkeit, die ebenso zur höfischen Welt des Staatssozialimus dazugehörte, wie das Dissidententum. Jene Zeit, da viele tranken, fluchten und resigniert abwinkten, es hätte keinen Sinn, es würde sowieso nicht gehen, du dürftest dich nicht in etwas hineinsteigern, jene Zeit vergeht. Viele haben das Gefühl, daß sie jetzt zeigen können, was in ihnen steckt.

Die Menschen haben weniger Zeit füreinander. Früher unterhielten wir uns in den Wohnungen über Dinge, von denen in den Zeitungen nichts zu lesen war: eine Art Gegenwelt. Die sichtbare Welt verliert allmählich ihre Zweideutigkeit, die Menschen sind so langweilig, wie sie sind.

Die Modefiguren der vorangegangenen Epoche werden zusehends hilflos. Nach und nach werden sie von ihren angestammten Plätzen verdrängt, manch einer wird in den Schmutz gezerrt, Anspruch wird auf ihre Posten, ja sogar auf ihre Wohnung erhoben. Eine solche Wende, in deren Verlauf die neuen Herren in die Wohnungen der alten ziehen, würde ich nicht begrüßen. Derartiges mußte ich schon mehr als einmal mitansehen, eine ziemlich häßliche Szenerie.

Der überall lauernde Neid funktioniert, es erregen sich die Rachsüchtigen. Irgendwie ähneln sich die Menschen eines neuen Kurses, der auf einen Systemwandel folgt. Nicht einmal sie selbst verstehen, wie das alles eigentlich passiert ist, wie es möglich war, daß ihnen die Macht in den Schoß gefallen ist. Jetzt passen sie sich an ihre Rolle an, sie werden sich dessen bewußt, daß es nicht anders hat kommen können, Rang und Titel waren ihnen vorbestimmt.

Parteimitglieder, die gestern noch mit Leib und Seele der »Mutter«-Partei verbunden waren, ziehen sich nach ihrer Ablösung beleidigt und desillusioniert aus der Politik zurück. Hämisch beobachten die Führer von gestern ihre Nachfolger, gespannt verfolgen sie deren Assimilation. Sie lehnen sich im Armsessel zurück und üben sich in den Phrasen des Ausgestoßenseins, der inneren Emigration, die gestern noch von denen artikuliert wurden, die nunmehr ihrerseits zu den Modefiguren der Gegenwart avanciert sind. Ein halbes Jahrhundert lang habe er einer schlechten Sache gedient, sagt ein lebhafter alter Herr. Was kann man dazu sagen? Ein andermal sollten Sie möglichst bald keiner schlechten Sache dienen!

Was in den Menschen gesteckt hat, das kann jetzt aus ihnen hervorkommen — aber hervorkommen kann aus ihnen nur das, was in ihnen vorhanden war. In der Mehrheit sind die normalen und gesunden Menschen keine Gesinnungslumpen, sondern Schwämme. Sie saugen sich voll mit dem, was kommt und sind fest überzeugt davon, schon immer das gedacht zu haben, was sie jetzt sagen.

Die kommunistische Rhetorik ist in sich zusammengebrochen, mit sich hat sie auch die Sozialdemokratie in den Strudel hinabgezogen, die Partie wird zwischen den Neokonservativen und den Liberalen ausgetragen. Da das Pendel der Politik nach rechts ausschlägt, ist die Frage danach, wer sich auf der äußersten Linken befindet, nicht zeitgemäß. Diesen Platz meidet ein jeder wie der Teufel das Weihwasser. Wer richtig denkt, der weiß, daß es sich gehört, der gemäßigten Rechten anzugehören. Der Bedarf an rechtsradikaler Rhetorik ist vorläufig gering.

Die Gesellschaft versucht, die Erinnerung an die Anpassung von gestern zu verdrängen. Aus dem zuverlässigen Kommunisten ist ein zuverlässiger Nationalist geworden. Um diesen Eindruck zu erwecken, müssen viele Schlagworte benutzt werden. Es gibt Leute, die in jeder an der Macht befindlichen Partei einen Sekretärsposten ergattern. Kein Text, der sich nicht erlernen ließe. Mit Fingern zeigt der ewige Sekretär anklagend auf seinen ehemaligen Kollegen, der es nicht geschafft hat, sich rechtzeitig der neuen herrschenden Partei anzuschließen.

Sogar ein Loblied auf die Wendehälse war schon zu hören. Sich immer treu zu bleiben, sagte ein kluger Mensch, sei die Tugend der Dummen. Wer nicht imstande sei, sich zu wandeln, der sei verkalkt. Die Moral geht mit Poltern und Krachen einher, der Wetterhahn dagegen dreht sich leise im Winde. Der geschmeidige und intrigante Günstling gleitet unaufhaltsam aufwärts. Das haben wir schon sehen können. Banal wiederholt das Leben seinen faulen Zauber. Dieses Gesicht haben wir doch schon gesehen, und auch diese Stimme haben wir schon gehört, von ihr kannst du alles hören, je nachdem, was gerade gefragt ist.

Wenn jemand einen Obrigkeitsstaat will, jetzt, da das sowjetische transnationale Reich in Auflösung begriffen ist, muß er sich gezwungenermaßen an die Idee des Nationalen halten und sich daran sozusagen klammern, weil es für die bestehende Herrschaft eine geeignetere Rechtfertigung nicht gibt.

Ein besonderer Vorteil besteht für ihn darin, daß der kommunistische Obrigkeitsstaat umgeschmolzen werden kann, wie auch durch die kommunistische Machtübernahme das Gegenteil bewiesen worden ist.

Die ungarischen Neulinge haben noch gar nicht begriffen, was es heißt, in einer parlamentarischen Demokratie der Rechten zugerechnet zu werden. Im vergangenen Jahr wußten ihre Aktivisten noch nicht einmal, daß sie von nun an die Rechte bilden würden. Waren sie doch unlängst oppositionelle Demokraten. Unruhig geworden üben sie nun ihre Rollen ein. Diese amalgamierte Rechte ist noch nicht in separate Strömungen zerfallen, und die am Rand stehenden Gruppierungen haben sich noch nicht zu einer Bewegung formiert.

Sollte östlich des ehemaligen Eisernen Vorhangs eine Neigung zu einer Renaissance der radikalen Rechten bestehen? Sollten die verstreut auftretenden Demagogen in der Lage sein, eine Bewegung zu organisieren, und sollten sie es schaffen können, die Bewegung regierungsfähig beziehungsweise systemfähig zu machen? Sollte es möglich sein, daß die in Osteuropa vom Kommunismus befreiten Geister nunmehr zu einem radikalen Nationalismus umschwenken?

Viele haben Angst vor einer Wiederholung der Diktatur in anderer Gestalt. Und davon hatten sie schon genug, sie haben keine Sehnsucht nach einem neuen Paternalismus. Die wirkliche Bedeutung schönklingender Worte können wir nur in ihrem Alltag kennenlernen, wenn wir die Gesichter dazu sehen, die sich dieser Worte bedienen. In der kommunistischen Phraseologie kannten wir uns schon aus, jetzt machen wir Bekanntschaft mit der christlich-nationalen Phraseologie. Beide erheben sie den Staat, ja die Staatsidee über das Individuum. Der aufmerksame Bürger kann nicht überzeugt sein davon, daß das Auswahlprinzip meritokratischer wäre als in den vorangegangenen Jahren. Bei Ernennungen ist die ideologische Treue auch heute ein wichtigerer Faktor als die Fachkompetenz.

Der Systemwandel ist den grauen Existenzen von gestern gewogen, bevorzugen sie doch verständlicherweise gegenüber der Opposition die Regierungsparteien, denn für die verletzten Seelen ist ein bißchen Macht heute eine bessere Medizin als etwa morgen. Das soll keineswegs heißen, daß die Oppositionsparteien keinen Anteil an dieser Schicht hätten.

Das Selbstvertrauen Ungarns und das ihm entgegengebrachte Vertrauen sind gewachsen. Und das hat es auch verdient, denn es ist ein tüchtiges Land, das sich trotz seiner heftigen Diskussionen und oftmals großen Worte mit derartigem Erfolg zu Disziplin und gewaltfreier Selbstverteidigung bekannt hat, daß eine gewaltige gesellschaftliche Umwälzung bis auf den heutigen Tag kein einziges Menschenleben gekostet hat.

Die Leidenschaften schlagen hohe Wellen, jeder beleidigt jeden, Angehörige desselben Lagers, ja desselben Stammes ziehen den Säbel, um sich gegenseitig zu bekämpfen. Den größten Teil der aufbrausenden Gemüter halte ich für theatralisch, ja sogar für possenreißerisch, was sich aller Wahrscheinlichkeit nach nicht vermeiden läßt und wodurch die Bürger ihre Wortführer finden. Genauer gesagt nur die Hälfte der Bürger, denn die andere Hälfte ist der parlamentarischen Redeschlachten überdrüssig, ja versteht sie vielleicht nicht einmal und beobachtet in düsterer Stimmung lediglich die von Woche zu Woche steigenden Preise.

Als Liberaler kann ich mich über das Vordringen der konservativen Rechten nicht freuen. Der neue Kitsch bereitet mir kein größeres Vergnügen als der alte, ich bedaure, daß die konservative Phantasie so wenig kreativ ist. Jedenfalls versuche ich, den ungarischen Rechtsruck im Kontext mit den Veränderungen des gesamten mittel- und osteuropäischen Raumes zu betrachten.

Wenn es mit Jalta vorbei ist, wenn Deutschland-Ost nicht länger existiert, wenn das Sowjetreich zerfällt, wenn die Slowenen und Slowaken ebenso von einem autonomen Staat träumen wie die Litauer oder die Armenier, warum sollte dann die politische Landkarte unseres Erdteils unangetastet bleiben? Wenn nicht einmal der Eiserne Vorhang tabu ist, warum sollten dann andere von Politikern auf der Landkarte eingetragene Grenzen tabu sein?

Parallel zur europäischen Integrationsbereitschaft entfaltet sich im östlichen, dem postkommunistischen Teil des Kontinents eine ethnisch-religiös-nationale Renaissance großen Stils. Durch die blockstaatliche Rhetorik des sowjetischen Imperiums ist dies bisher verhindert worden. Wenn aber der Block seinem Ende entgegengeht und allmählich vielleicht auch die Sowjetunion, dann nimmt die Wahrscheinlichkeit zu, daß in Osteuropa bis hin zum Ural und darüber hinaus nationalistische Nationalstaaten mit Nachdruck von sich reden machen werden.

Als Erbe werden sie das Schicksal der Nationalstaaten in dieser Region erleiden: Entweder werden sie wegen ihrer vom Mutterland getrennten Minderheiten unzufrieden sein oder aber deshalb, weil sie nicht in der Lage sein werden, einen homogenen Nationalstaat zu bilden, und der vermeintliche Separatismus der Minderheit für die Mehrheit beunruhigend sein wird.

Nationalstaaten, die gern homogen wären, erkennen die Wirklichkeit, daß sie eigentlich multinationale und multikulturelle Gebilde sind, nicht gern an; um sich nicht einem besonnenen Denken unterwerfen zu müssen, suchen und finden sie genügend Gründe, weshalb sie beleidigt und mißtrauisch sein können.

Ungeklärte, jedoch ungestüme Identitäten treten plötzlich aus dem stummen Hintergrund hervor. Jeder neue Bühnenheld trägt zahlreiche Verletzungen in sich, angesichts des unterdrückten Grolls sind sie alle leicht erregbar.

Die sich in jüngster Zeit zu Wort meldenden kollektiven politischen Subjekte grenzen sich meist voneinander ab. Ihr Selbstbewußtsein beziehen sie aus der beharrlichen und entschiedenen Feindseligkeit gegenüber einer benachbarten Nation oder Minderheit. In den Augen der Welt scheinen sie zänkische Zwillingspaare zu sein, miteinander verstrickte Feinde, deren Konflikte aus der Nähe betrachtet tragisch sind, aus der Ferne aber absurd.

Alle Länder in unserer Region sind multinationale Staaten. Das auf ein Drittel seines Territoriums von vor dem Ersten Weltkrieg zusammengeschrumpfte Ungarn weniger, die größer gewordenen oder neu geschaffenen Nachbarstaaten mehr. Wer an der nationalen Staatsidee festhält, der gerät in Konflikt mit der territorial-ethnischen Wirklichkeit. Aus der Perspektive des Verlierers ist das leichter einsehbar als aus dem Blickwinkel des Gewinners.

In diesen ethnisch gemischten Landstrichen ist der Nationalist gezwungen, sich an historizistische Konstruktionen zu klammern, es gilt den Beweis anzutreten, daß seine Vorfahren als erste in dem umstrittenen Gebiet gesiedelt haben.

Der nationale Fundamentalismus ist ein Fieberwahn, wer davon erfaßt wird, der kann sich nur schwer davon befreien, dessen Verstand wird durch und durch benebelt von der Psychose des kollektiven Grolls, derart, daß ihn schier alles an sein Verletztsein erinnert. Er habe es schon immer gesagt, so sein triumphierender Argwohn, daß die andere national-ethnische Gemeinschaft etwas Schlimmes ausheckt!

Formale Logik befremdet den nationalen Fundamentalisten, auf die ihm gestellten Fragen gibt er ausweichende Antworten, seine Dialogbereitschaft ist nur geheuchelt. Nie gibt es eine gemeinsame Sprache, denn die Durchsetzung der Sonderinteressen steht weit über dem Anspruch, einen Ausgleich herbeizuführen. Nicht nur, daß er den anderen nicht versteht, er will ihn auch gar nicht verstehen. Verständnis für den anderen macht ihm Angst, das könnte ihn verunsichern. Dann ist es ihm schon lieber, stetig wiederkehrend die verbrecherischen Neigungen der anderen Gemeinschaft nachzuweisen.

Reife Nationen haben den fieberhaften Egozentrismus schon überwunden. Junge Nationen haben diesen Entwicklungsprozeß noch hinter sich zu bringen. Die Symptome sind bekannt: Plötzlich blasen sie sich auf und glauben religiös fanatisiert an ihre unvergleichliche Berufung. Vielleicht findet sich gerade ein erfolgreicher Demagoge, ein zukünftiger Diktator, der schmeichelhaft vor ihren Augen den Traum von der eigenen Größe aufscheinen läßt.

Die großen europäischen Nationen haben sich bereits ausgetobt. Jede von ihnen glaubte, was sie nicht mehr glaubt, daß sie dazu berufen seien, die gesamte Region zu beherrschen, gleichzuschalten und als Reich zu organisieren. Nach den Großen kommen die Kleinen. Jawohl, zwischen dem Nationalismus der großen und der kleinen Völker sind Parallelen zu sehen, wie sich auch der Egoismus des Wolfs und des Lamms ähnelt, beide wollen sie leben.

Untereinander allerdings sind diese kleinen Nationen schon nicht mehr so sanftmütig. Was einzuverleiben war, das versuchten sie sich einzuverleiben, wer zu verraten war, den verrieten sie. Die Geschichte des 20. Jahrhunderts hier in Osteuropa ist ziemlich trostlos: Wechselseitige Invasionen mit Genehmigung der Großmächte. Behördliche Beschränkungen und Benachteiligungen der Minderheiten. Die Ermordung von zwei Dritteln des europäischen Judentums war nicht nur das Werk der Deutschen. Die faschistischen Bewegungen der gesamten Region haben dabei mitgewirkt. Es hatte den Anschein gehabt, als würden Mehrheit und Minderheit ohne Schwierigkeiten miteinander auskommen, dann folgten plötzlich mit unerklärlicher Grausamkeit Lynchjustiz, Pogrome und Deportationen.

Völker gibt es in dieser Region, deren strategische Optionen ziemlich unglückliche Entscheidungen waren und sie in häßliche Schuld und Sühne verstrickten. Die Unterentwicklung der politischen Souveränität in diesem Raum zwischen deutschen und russischen Landen erklärt die fehlerhaften Entschlüsse, ohne sie allerdings zu rechtfertigen.

Wer keine Souveränität besitzt, der ist ein Satellit. Das heißt, er bekennt sich nicht zu seiner Verantwortung, sondern er wälzt sie immer auf einen anderen ab, auf seinen Vorgesetzten, auf eine Großmacht, die seine Interessen in Form einer Schutzherrschaft wahrnimmt. Auf diese Weise also unterbleibt die Vergangenheitsbewältigung in unseren Landstrichen in der Regel.

Die verschiedenen Formen des europäischen Faschismus waren allesamt die Artikulation nationaler Bestrebungen, die nach der Natur der Sache teils echte Interessen und teils Fieberphantasien waren.

Damit uns der Kult und das Theater des Nationalstaats nicht völlig entnerven, sollten wir einen Blick auf zwei andere Strömungen werfen, auf die Anpassung unseres Landes an den größeren Gesamtrahmen, weiterhin auf die Emanzipation kleinerer Landstriche und Regionen.

Hinsichtlich der Demokratisierung Osteuropas kann die Erringung der Unabhängigkeit der lokalen Selbstverwaltungen von den Machtzentralen, von der Mehrheitsregierung des Nationalstaats gar nicht hoch genug eingeschätzt werden. Die effektiven und auf Dauer bestehenden Organisationen sind lokaler Art. Der Anspruch auf territoriale Autonomie wirkt sich sowohl auf die kommunistische wie auch auf die nationalistische Konsolidierung negativ aus.

Keinerlei sanktionierte Grenzregulierung vermag die Leute davon abzubringen, sich selbst verwalten zu wollen. Es ist nicht wahrscheinlich, daß die Forderung nach territorialen Autonomien sowie nach einem konföderativen Vertrag für die Minderheiten auf Dauer abgelehnt werden kann. Denn diese Vorstellungen entsprechen den besonderen und komplizierten Verhältnissen der Menschen in unserem Landstrich.

Von Berg-Karabach bis nach Koszovo, vom Szeklerland bis in die Südslowakei wird das Verlangen nach Selbtverwaltung laut, und die Hoffnung auf Selbstbestimmung liegt nicht in astronomischer Ferne. Es wimmelt von Trugbildern eines Staatenbunds am Horizont, Grenzabbau gelangt auf die Tagesordnung der Geschichte.

Liselotte Funcke

Gesellschaftliche Einheit
durch politische Mitsprache

Grenzen haben ihre alte Bedeutung verloren. Die Grenzen zwischen Ost und West sind weitgehend gefallen.

Europa befindet sich in einer neuen, nie vorgestellten aber erhofften Situation. Die Eisblöcke sind aufgetaut, die alten ideologischen Gegensätze sind geschrumpft, vielleicht gar fast überwunden. Ost und West sind heute mehr eine geographische Beschreibung als ein politischer Standpunkt.

Unsere Gesellschaften befinden sich in einem tiefgreifenden Umbruch. Nicht nur die sozialen Veränderungen, sondern gerade der Fall der Mauern schafft Unsicherheit. In einer konturenlos erscheinenden Gesellschaft wächst die Orientierungslosigkeit. Da wird es entscheidend darauf ankommen, wie wir mit dem Abbau der Grenzen umgehen. Denn einmal besteht die Gefahr, daß neue Grenzziehungen versucht werden, national wie international, die es zu bewältigen gilt. Zum anderen muß in der Grenzenlosigkeit und Vielfalt der eigene Standort gesichert und gefestigt werden, ohne das Fremde, das Andersartige abzuwerten, zu verdrängen oder um sein Selbstverständnis zu bringen.

Unsere Frage ist: Wird es gelingen, die neuen inneren Grenzen zu überwinden, jedenfalls ihnen den abschreckenden Charakter zu nehmen?

Wird es gelingen, Brücken zum Nachbarn zu schlagen und Partnerschaft, Solidarität und neue Formen der Zusammenarbeit zu entwickeln?

Freiheit, Menschlichkeit und Demokratie beweisen sich nicht in Sonntagsreden und gestanzten Formeln, sondern in der gelebten Wirklichkeit. Und dort sicher nicht zuletzt in der Weise, in der Staat und Gesellschaft mit den Minderheiten im eigenen Land umgehen. Angesichts der ausländischen Bevölkerung in der Bundesrepublik Deutschland, die seit langer Zeit im Land lebt, wie angesichts der deutschen Aus- und Übersiedler haben wir Grund, uns den Fragen nach dem Verhältnis der einheimischen Bevölkerung zu den Minderheiten zu stellen.

In der vereinigten Bundesrepublik Deutschland leben heute rund fünf Millionen Ausländer. Sie machen 6,5 % der Wohnbevölkerung aus. Fast drei Viertel von ihnen kommen aus den Mittelmeerländern, aus denen in den Jahren 1955 bis 1973 Arbeitskräfte angeworben wurden. Die übrigen sind entweder Angehörige der benachbarten EG- und EFTA-Länder, oder außereuropäische Flüchtlinge und Asylanten, ausländische Studenten, Ehepartner von Deutschen oder Angehörige sozialistischer Staaten, die in der ehemaligen DDR als Arbeitskräfte mit Zeitverträgen beschäftigt sind. Hinzu kommt seit Beginn des Jahres 1989 eine unerwartet starke Zuwanderung von Deutschen aus der ehemaligen DDR in das alte Bundesgebiet und von deutschstämmigen Aussiedlern aus Polen, der UdSSR und Rumänien. Sie machten 1989 zusammen mit den Flüchtlingen und Asylsuchenden fast eine Million aus, und diese Zuwanderung hält an.

Daraus ergeben sich Ängste, Befürchtungen und auch Aggressionen in der deutschen Bevölkerung, die Antworten erfordern.

Die ausländische Bevölkerung erwartet zunehmend die gleichen Rechte, wie sie für die deutsche Bevölkerung gelten — insbesondere ihre Kinder und Enkel, die zu 80 % in Deutschland geboren und aufgewachsen sind.

Erforderlich ist die Erkenntnis, daß die Zuwanderung aus EG und Drittstaaten unabänderlich ist. Sie ist die Folge des wirtschaftlichen und sozialen Ungleichgewichts in der Welt, ebenso wie der weltweiten Wirtschaftsverflechtung und Arbeitsteilung und der gegenläufigen demographischen Entwicklung im Norden und Süden unserer Weltkugel. Und schließlich ist sie mit dem supranationalen Zusammenschluß in Europa vorgezeichnet und gewollt. Auf diese Entwicklung muß sich die Politik einstellen.

Das heißt auf der einen Seite, daß Regelungen für die Einwanderung geschaffen werden müssen, damit sie für die einheimische Bevölkerung überschaubar bleibt und die vorhandenen Ängste abbaut. Auf der anderen Seite gilt es, die Rechte der Migranten mit zunehmender Dauer des Aufenthaltes zu stärken, sie mehr und mehr denen der einheimischen Bevölkerung anzugleichen.

Hier hat allerdings das Urteil des Bundesverfassungsgerichts von 1990 in der ausländischen Bevölkerung eine große Enttäuschung ausgelöst. Das Gericht hat entschieden, daß das kommunale Wahlrecht für Ausländer, wie es in Hamburg und Schleswig-Holstein eingeführt werden sollte, nicht mit dem Grundgesetz zu vereinbaren sei. Damit hat es den Begriff »Volk« gemäß der Grundgesetzbestimmung: »Die Staatsgewalt geht vom Volke aus« nach herkömmlichem nationalstaatlichem Verständnis interpretiert.

Der Grundsatz der Demokratie ist hinter dem Gedanken der Nationalität zurückgeblieben. In der Tat ist das Grundgesetz zu einer Zeit entstanden, als an supranationale Zusammenschlüsse noch nicht zu denken war und auch nicht an die weltweiten Migrationsbewegungen, die neue Erwägungen auch in der Frage der demokratischen Mitwirkung von Angehörigen der Gemeinschaft und langjährig in einem anderen Land lebenden Angehörigen von Drittstaaten erforderlich machen.

Es ist bezeichnend, daß der Europarat und das Europäische Parlament schon seit geraumer Zeit zu einer Überprüfung der Wahlrechtsbestimmungen für »Inländer mit fremdem Paß« und für Angehörige der Gemeinschaft drängen.

Um noch einmal auf die Enttäuschung der ausländischen Bevölkerung über das Bundesverfassungsgerichts-Urteil zurückzukommen: Die Betroffenen hatten gehofft, nachdem viele von ihnen aus demokratischen Ländern kommen und in einem demokratischen Land leben, endlich demokratische Rechte wahrnehmen zu können. Es gibt nicht wenige, die über 50 Jahre alt geworden sind, ohne jemals haben wählen zu können. Auch junge Menschen sind hier geboren und aufgewachsen und lernen in der Schule, was eine Demokratie bedeutet und wert ist. Aber sie sind von der Mitwirkung ausgeschlossen. Daher ist es erforderlich, das Grundgesetz so zu ändern, daß es für Bürger von EG-Staaten und Drittstaaten nach vieljährigem Aufenthalt in einem anderen Land eine Mitspracherecht auf kommunaler Ebene gibt. Nur so können die Anliegen der ausländischen Bevölkerung ausreichend in der Politik berücksichtigt werden. Der Hinweis, daß die Betroffenen sich ja einbürgern lassen könnten, ist demgegenüber mindestens so lange kein Ausweg, wie Deutschland die doppelte Staatsbürgerschaft nur in besonderen Ausnahmefällen zuläßt. Auch in diesem Punkt erfordert die Perspektive Europa weiterführende Regelungen.

Das Wort »Multikultur« wird vielfach mißverstanden und unterschiedlich interpretiert. Es geht nicht um ein Vermischen, sondern um ein Nebeneinander in gegenseitigem Respekt vor der Eigenart der jeweils anderen. Diese Vielfalt gilt es zu bewahren, niemand soll jemandem seine Identität, seine Wurzeln nehmen wollen. Darum dürfen auch die muttersprachlichen Sendungen in den Medien nicht eingeschränkt, sondern müssen verstärkt werden, und zwar auf Kanälen, die überall einwandfrei empfangen werden können. Denn auch Nichtdeutsche bezahlen Gebühren. Vielfalt bedeutet aber auch Begegnung, und das ist für alle Teile wichtig und wertvoll. Monokultur, wenn es sie je gab und gibt, führt zu Radikalismus: Wir erleben das in vielen Teilen der Welt, wo hartnäckig und blutig darum gekämpft wird. Vielfalt der Kulturen dagegen gleicht aus, gibt Anstöße zur Fortentwicklung der Kulturen, bewahrt vor Erstarrung und ist in diesem Sinne eine Bereicherung. Außerdem lehrt sie uns Toleranz.

Europa hat eine große Erfahrung gemacht, die uns Hoffnung gibt. Die gewaltlosen Freiheitskämpfe im Osten geben uns Vertrauen in die Zukunft — denn sie haben uns erfahren lassen, daß es möglich ist, Konflikte friedlich auszutragen und auszuhalten und ideologische und politische Grenzen zu überwinden. Nun brauchen wir in Europa eine Politik, die den Reichtum der geistigen und kulturellen Vielfalt bewahrt, zugleich aber auch die Einheit in dieser Vielfalt sichtbar macht.

Frage: Sie haben mit Recht auf das Verfassungsgerichtsurteil hingewiesen, das uns alle, die an der multikulturellen Vielfalt interessiert sind, sehr betroffen gemacht hat. Wie schätzen Sie die Chancen ein, in der kommenden Legislaturperiode im Rahmen der Grundgesetzänderung eine Veränderung herbeizuführen?
Liselotte Funke: Ja, da erwarten Sie prophetische Gaben von mir. In den Niederlanden ist es gelungen, nach längeren Vorbereitungen und der Möglichkeit, die Sache in einigen Provinzen auszuprobieren, das Parlament zu überzeugen und mehr oder weniger einstimmig eine entsprechende Regelung zu treffen. Das müssen wir auch versuchen. Jede Möglichkeit sollte genutzt werden, dar-

auf hinzuweisen, welche Empfindungen in der ausländischen Bevölkerung bestehen und welche Nachteile — auch für unser demokratisches System — damit verbunden sind, wenn Menschen ihr ganzes Leben lang von dieser demokratischen Mitwirkung selbst in den Bereichen der unmittelbaren Betroffenheit in der Gemeinde ausgeschlossen sind. Und so werde ich alles daran setzen — wir brauchen viele Helfer, um die Einstellung innerhalb der Parlamente, innerhalb und quer durch alle der Parteien dahingehend zu beeinflussen —, daß schließlich eine 2/3-Mehrheit zustandekommen kann. Ob das sehr schnell gelingt, ist schwer zu sagen, denn sicherlich ist es so, daß mancher Angehörige einer Partei, die in Brüssel oder Straßburg zustimmt, dann hier zögerlich oder gar ablehnend ist.

Nun hoffen wir, daß die Europäer einmal aus ihrer etwas erweiterten Sicht heraus auch in die Parteien hineinwirken, um einen Sinneswandel zu bewerkstelligen. Vielleicht kann es sogar gelingen, innerhalb des europäischen Parlaments und der Kommission und schließlich über den Ministerrat als ersten Schritt zu erreichen, daß die Angehörigen der Gemeinschaft untereinander eine solche Möglichkeit schaffen. Wenn es in Europa beschlossen wird, dann müssen sich die nationalen Parlamente bewegen und eventuelle Hindernisse aus der Verfassung ausräumen. Vielleicht kann bei der Gelegenheit auch deutlich gemacht werden, daß es in den Gemeinden keinen nennenswerten Unterschied von der politischen Aufgabenstellung her gibt zwischen einem Angehörigen der europäischen Gemeinschaft und einem anderen, der genauso lange in dieser Stadt wohnt. Ich hoffe, daß wir diese wichtigen Ziele erreichen, aber ich kann keinen Zeitpunkt angeben: es muß probiert werden.

Vishnu Khare

Indiens Position nach der Wende in Osteuropa

Die Ähnlichkeiten, die zwischen Europa und Indien bestehen, haben mich beeindruckt. Diese Ähnlichkeiten beziehen sich nicht auf das gemeinsame arische Erbgut, sondern darauf, daß Indien im Jahre 1947 durch die Engländer in zwei Nationen geteilt wurde — Indien und Pakistan. Später wurde Pakistan in zwei Nationen aufgeteilt — Bangladesch und Pakistan. Nach 44 Jahren fand Ihre Wiedervereinigung statt. Aufgrund dieser Wiedervereinigung gibt es Bestrebungen in Indien, Indien und Pakistan ebenfalls wiederzuvereinen. Aber während die deutsche Teilung künstlich und aufgezwungen war, fand die indische Teilung aus religiösen Gründen — gleichsam mit unserer Zustimmung — statt. Es scheint kaum Aussicht zu bestehen, daß Indien, Pakistan und Bangladesch jemals wiedervereint sein werden, wenn nicht eine ideologische Revolution in diesem Subkontinent stattfindet. Zur Zeit gibt es einige semi-faschistische Parteien, die an die Überlegenheit des Hinduismus glauben und die Indien und Pakistan nur aus dem Grund vereinen möchten, um die Überlegenheit der Hindus über die Moslems zu erreichen.

Eine weitere Ähnlichkeit besteht für mich in dem Schlagwort »Einheit in der Vielfalt«. Diese Phrase wurde in Indien zu einem überstrapazierten Klischee. Alle sprechen von indischer »Einheit in der Vielfalt«. Aber ich befürchte, daß diese Einheit in Indien nicht möglich sein wird. Es ist möglich, daß Inder andere Inder umbringen. Denn Indien steckt zur Zeit in einer sehr ernsten Krise. In einer kleinen Stadt, in Uttar Pradesh, wurde von einem moslemischen Führer eine Moschee errichtet, und zwar an derselben Stelle, an der früher ein Tempel einer unserer Hindu-Götter stand. Die Inder wollten diese Moschee zerstören und einen neuen Tempel bauen. Die Moslems wollen und sollten dies nicht zulassen. Aber eine faschistische Hindu-Partei rief zum Kampf gegen diese Moschee auf, und letztendlich starben 100 Menschen — Hindus, die die Moschee gewaltsam besetzen wollten.

Ein zusätzliches Problemfeld in Indien besteht im Kasten-System. Unser neuer Premierminister, Mr. Singh, wollte den niederen Kasten mehr Rechte zugestehen, worüber die Hindus der oberen Kasten sehr bestürzt waren. Es gab einen Aufstand der Kasten, und 70 Jungen und Mädchen haben sich aus Opposition gegen diese neuen Rechte für die niederen Kasten selbst verbrannt. Wenn ich deshalb die Phrase »Einheit in der Vielfalt« höre, bin ich sehr bestürzt, denn es bedeutet, daß in der Gesellschaft, die diese Phrase kreiert hat, einiges nicht in Ordnung ist.

»Einheit in der Vielfalt« — Indien ist natürlich vielfältiger, als Europa es je sein kann. Mit wenigstens 25 Hauptsprachen und mehr als 2000 Dialekten, hunderten von Kasten, sich bekämpfenden Religionen wie Hinduismus, Islam und Sikhismus ist Indien ein Land, das zu verschiedenartig ist. Wir wünschen uns, etwas von Europa zu lernen. Ob wir lernen werden? Ich weiß es nicht. Denn während Europa sich vereint, sind wir uneinig. Die Sikhs wünschen eine eigene Nation, ebenso die Muslime aus Kaschmir und die Meiosis aus Ostindien. Es gibt zur Zeit in Indien mindestens vier große Bewegungen, die danach streben, eigene Nationen zu bilden. Max Müller, der große Indien-Kenner, schrieb im vergangenen Jahrhundert: *Was können wir von Indien lernen?* Zur Zeit können die Europäer von Indien überhaupt nichts lernen. Aber vielleicht können wir Inder etwas von Europa lernen, wenn es erfolgreich ist.

Die europäische Vereinigung kann für uns kein rein kulturelles Problem sein. Für den gesamten Süden, für die gesamte »Dritte Welt« bzw. die Entwicklungsländer ist die Vereinigung Europas nicht grundsätzlich ein kulturelles Problem, sondern ein ziemlich ernstes wirtschaftliches Problem. Für Europa mag vielleicht ein kulturelles Problem bestehen, für uns jedoch stellt sich die Existenzfrage — über 20 oder 30 Jahre.

Aufbau eines »neuen« Europa: Schwierige Zeiten für den Süden

Europa — das neue oder das alte — was bedeutet es aus der Sicht der Entwicklungsländer? Man kann voraussetzen, daß Mexiko und Südamerika als Teil der europäischen Diaspora eine gemeinsame Betrachtungsweise der Geschehnisse nördlich des Mittelmeerraumes besitzen, aber reagieren die Länder des Nahen Ostens, Afrikas südlich der Sahara, Asiens und des Fernen

Ostens, wenn sie überhaupt reagieren, auf die Geschehnisse in Europa auf dieselbe Art? Die Antwort fällt nicht leicht. Die meisten der sogenannten »Dritte-Welt«-Länder waren Opfer des (europäischen) Kolonialismus und Imperialismus, und ihre Vorstellung von Europa wurde davon beeinflußt, was ihre ehemaligen Kolonialherrscher ihnen antaten, und später, als sie die Unabhängigkeit erreicht hatten, von ihren Beziehungen als mehr oder weniger souveräne Staaten zu ihren früheren Kolonialherren zur Europäischen Wirtschaftsgemeinschaft und zu anderen europäischen Nationen. So wie kein einzelner das Recht für sich beanspruchen kann, für das neue Europa insgesamt zu sprechen — zumindest nicht in naher Zukunft —, so kann sich auch niemand als alleiniger Vertreter des Südens ausgeben. Die Entwicklungsländer sind — jedes Land separat gesehen — in ihrer Gesamtheit komplex genug, und im Zusammenhang gesehen stellen sie ein verwirrendes Konglomerat von verschiedenen Gesellschaften, politischen Ideologien, Systemen und Kulturen dar.

Sicher, so wie die Entwicklungsländer ähnliche Erinnerungen an Sklaverei und Ausbeutung haben und jetzt dieselben Probleme der Armut und der Rückständigkeit in allen Bereichen teilen, ist es möglich, daß die Beurteilung der neuesten Entwicklung in Europa aus meiner südasiatischen Sicht letztlich zum Teil von anderen Ländern der »Dritten Welt« geteilt wird. Ich gestehe jedoch ein, daß ich mich kaum für qualifiziert genug halte, irgendwelche Kommentare über die europäische Gesellschaft — ob alt oder neu — abzugeben. Ich bin kein Experte der europäischen Geschichte, Soziologie, Zivilisation oder Kultur, und sogar ein über zweijähriger Aufenthalt in der Tschechoslowakei, gefolgt von mehr als einem Dutzend Besuchen in verschiedenen Ländern Europas, macht mich nicht zum Europa-Kenner. Ich war sieben Jahre alt, als die Briten Indien verließen, so daß ich kein eigenes Wissen und keine Erinnerung an den europäischen Kolonialismus in meinem Land besitze. Die britischen Kolonialherren lehrten keine anderen europäischen Sprachen und Kulturen außer der englischen, und — ausgenommen einige besondere Kultur- oder Bildungsinstitutionen in den indischen Hauptstädten — ist dies so geblieben. Bis zu meinem 30. Lebensjahr war Englisch deshalb die einzige europäische Sprache, die ich beherrschte. Ich las nur englische Geschichte, schlechte englische Geschichte, geschrieben von unlesbaren englischen Autoren — das wenige, was ich über europäische Geschichte lernte, sah ich deshalb durch britische Augen. Indische Literatur wurde als minderwertig bezeichnet — als echte und einzige Literatur galt die britische Literatur, geschrieben im Englisch »Ihrer Majestät«.

Nicht ohne eine gewisse Ironie kommt noch hinzu, daß zum Teil britische Erziehung und Bücher (geschrieben auf Englisch oder in diese Sprache übersetzt) die Flamme der kulturellen Renaissance, des Nationalismus und der Freiheit in den Köpfen der Inder entfacht haben. In den Westen zu gehen — besonders nach England —, zum Studium oder um das Leben der »High Society« zu genießen, wurde zum Traum oder zum Zeitvertreib, ob man es sich leisten konnte oder nicht. Die Welt- und Kontinentalreisen solcher kulturellen und politischen Helden wie Rabindranath Tagore, Jawaharlal Nehru und Subhash Bose vergegenwärtigen Indien das geopolitische Wesen genannt Europa. Unerwarteterweise war es jedoch die englische Sprache, die als Brücke zwischen Indien und Europa fungierte, und voraussichtlich wird diese Funktion weiterhin Bestand haben.

Wenn auch die Zweckmäßigkeit des Gebrauchs der englischen Sprache in Indien nicht in Abrede gestellt wird, ist Englisch zum Nachteil der großen einheimischen Sprachen gleichsam zur offiziellen Sprache in Indien erhoben worden. Lehren und Erlernen anderer europäischer Sprachen ist nur in wenigen Hauptstädten möglich, und sogar dort ist die Anzahl der Studenten dieser Sprachen verschwindend gering gegenüber denjenigen, die Englisch aus beruflichen Gründen oder für die berufliche Laufbahn erlernen müssen. Europäische Geschichte — wenn sie im Lehrplan überhaupt enthalten ist — ist eines der unbeliebtesten Themen im sekundären und tertiären Bildungbereich.

Die indische Regierung zeigt sich, soweit es Europa betrifft, hauptsächlich an Entwicklungshilfe und Handel interessiert. Politische Führer, Regierungsvertreter, Akademiker und Intellektuelle fühlen sich wohler und sicherer unter englischsprechenden Ausländern in englischsprachigen Ländern. Die meisten Inder, gebildet oder nicht, die in einem fremden Land arbeiten möchten, werden zuerst ein englischsprachiges Land wählen, und zwar in dieser

Reihenfolge: USA, England, Kanada, Australien und Neuseeland. Westeuropäische Nationen sind ebenfalls sehr begehrt, aber eine Sprache wie Deutsch, Französisch oder Italienisch empfinden die zukünftigen Migranten als schwierig.

Ohne Übertreibung kann man behaupten, daß der Durchschnittsmensch Südasiens im Grunde keine genaue Vorstellung von Europa oder den Europäern hat. Die einzigen beiden Nationen, die ihnen aus Westeuropa bekannt sind, sind Großbritannien und Deutschland. Wo immer sie jedoch einen Weißen sehen, bezeichnen sie ihn als »Angrez« – als Engländer. Der Durchschnittsinder dürfte fähig sein, zwischen Engländern und Deutschen zu unterscheiden, aber er hat keine Vorstellung von einem Franzosen, weniger noch von einem Spanier, Portugiesen oder Italiener – außer daß es sich um eine andere Art Engländer handelt. Dem Durchschnittsbürger in Südasien ist Deutschland nicht wegen des Wirtschaftswunders in der Nachkriegszeit bekannt, sondern aufgrund der beiden Kriege gegen England, in denen tausende indische Soldaten ebenfalls getötet oder verwundet wurden. Er bewundert Deutschland für die Art und Weise, wie es nach 1939 fast ganz Europa besetzte, bis die Ereignisse eine Wende brachten. Unzählige Südasiaten, die meisten hochgebildet, verehren Adolf Hitler für seine Siege in Europa als Helden. Während der Zeit von 1939 bis 1945 unternahmen die Menschen Indiens alle Anstrengungen, um die britische Herrschaft zu stürzen. Sie sahen in Hitler einen Supermann, dem es gelungen war, London zu bombardieren, und sie hielten ihn für fähig, der Nation, die sie beherrschte, großen Schaden zuzufügen.

Über die Analphabeten oder Halb-Alphabeten kann hinweggesehen werden, aber was ist zu tun mit dem Halbwissen, das viele gut ausgebildete Inder bezüglich Europa besitzen? Sie wissen, daß Europa aus verschiedenen Nationen besteht, sie kennen einige der großen Städte, aber sie wissen kaum etwas über Europas Geschichte, Gesellschaft und Kultur. Der gebildete Inder hat sich eine touristische Sichtweise, eine Postkarten-Ansicht von Europa zu eigen gemacht. Europa ist für Studenten, Arbeitssuchende oder Exporteure ein Land der Möglichkeiten. Für den durchschnittlich gebildeten Inder hat Europa verschiedene Funktionen, es wird jedoch nicht als Wesenheit gesehen.

Deshalb ist für die meisten gebildeten Inder der Begriff eines »alten« oder »neuen« Europa bedeutungslos, denn — ganz abgesehen von den durch Gorbatschows »Glasnost« in Gang gesetzten revolutionären Entwicklungen — Europa galt in indischen Augen bereits als mehr oder weniger vereint und eingebunden. Es gibt anscheinend wenig Bewußtsein und noch weniger korrektes Verständnis für die Geschehnisse in jüngster Vergangenheit in den ehemaligen Ländern des sozialistischen Blocks. Die Vereinigung Deutschlands, ein Ereignis von tiefer Bedeutung für das neue Europa und die übrige Welt, berührte die meisten Inder nicht — erstens weil sie absolut nichts darüber erfuhren, und zweitens weil Deutschland immer als vereint galt — die Berliner Mauer wurde als eine Art europäischer Fehltritt angesehen und ihr Abriß konnte nicht die symbolische Bedeutung erlangen, die besonders Deutsche und Europäer im allgemeinen in diesem Abriß erkannten. Die Interesselosigkeit und der Wissensmangel des durchschnittlichen Inders bezüglich Nazi-Deutschlands führt dazu, daß er blind zu sein scheint für die Konzentrationslager und den Holocaust, die schrecklichen Ereignisse während des Zweiten Weltkrieges und die Konsequenzen, die sich daraus ergeben haben. Die meisten Deutschen sind sprachlos vor Entsetzen, wenn sie hören, daß sogar hochgebildete Inder Adolf Hitler loben und verehren. Ein Beispiel, wie Hitler sogar heute noch in Indien ohne Scheu angeführt wird, gibt eine Anzeige in der Zeitschrift »Market«, die besagt: »Der Krieg, den er versäumte. Der größte Krieg tobt heutzutage auf Indiens Markt. Schnell, unbarmherzig, von nichts und niemandem aufgehalten: Die Computer-Kriege, die Snack-food-Kriege, der Cola-Krieg, der Bau-Krieg, Kriege, die alle die Brillanz und das große Risiko von Kriegsoperationen in sich bergen: Intelligenz, Subversion, Strategie ...«. Inder empfinden in dieser Hinsicht keine Gewissensbisse. Und außerdem ist »Market« eine englische Zeitschrift. Keine Hindi-Zeitschrift würde sich dafür hergeben.

Es mag unglaublich erscheinen, aber es ist so, daß einige Politiker, Experten und Mitarbeiter der Medien - besonders in Südasien — keine genaue Vorstellung von den weitreichenden Konsequenzen der »neuen« Europäischen Gemeinschaft des Jahres 1992 für Südasien und die anderen Länder der »Dritten Welt« besitzen, die durch den Zerfall des Sowjetischen Regimes und die Vereinigung Deutschlands noch verstärkt werden. Es ist nicht der Fall, daß einige hundert Experten, Diplomaten und Akademiker sich nicht darüber im klaren sind, welche Überraschungen das neue Europa für die Entwicklungsländer bereithält (oder eher nicht bereithält). Die akuten Probleme, die sich daraus ergeben, waren durchaus Diskussionsgrundlage verschiedener Seminare und Inhalt von Leitartikeln seriöser Zeitungen. Aber im allgemeinen scheint es, daß die verschiedenen Regierungen der »Dritten Welt« sowie die Intellektuellen die bevorstehenden schwierigen Zeiten in seliger Ahnungslosigkeit oder, wie der Vogel Strauß, die aufkommende Wirtschaftskrise ignorieren, oder aber sie finden sich in fatalistischer Resignation damit ab, arm und unterentwickelt zu bleiben. Auf den Süden bezogen, werden die ersten Folgeerscheinungen des neuen Europa wirtschaftlicher und (deshalb) politischer Art sein, da die neue europäische Gesellschaft hauptsächlich in wirtschaftlicher und politischer Hinsicht »neu« wird, während die soziale und kulturelle »Neuheit« — wenn überhaupt — erst nach einiger Zeit zum Tragen kommen wird. Mit Einschränkungen ist zu sagen, daß nicht nur Europa »neu« wird, denn der gesamte Norden befand sich während der letzten zwei Jahre in einem tiefgreifenden politischen und wirtschaftlichen Wandel, und möglicherweise wäre es angebrachter, ebenso über den neuen Norden zu sprechen.

Der Aufbau des neuen Europa oder der Wirtschaftsgemeinschaft 1992 kann nicht isoliert gesehen werden, damit einher geht die historisch bedeutsame Tatsache, daß mehrere osteuropäische Länder sich ebenso für die freie Marktwirtschaft entschieden haben. Geographisch, kulturell und (jetzt) politisch ist Osteuropa näher an die Europäische Gemeinschaft herangerückt. Die »Dritte Welt« befürchtet deshalb nicht ganz zu Unrecht, daß die EG den sogenannten »engsten Verwandten aus der Nachbarschaft« mehr Aufmerksamkeit schenken wird als den armen, weiter entfernt lebenden Verwandten. Das »Goldene Kalb« aus der Bibel wird für den »verlorengeglaubten« osteuropäischen Sohn geschlachtet.

Inzwischen gibt es bereits ein Angebot zur Einsetzung eines Marshall-Planes für Osteuropa. Die Europäische Bank für den Wiederaufbau und die Entwicklung Osteuropas mit Sitz in London, ausgestattet mit einem Gründungskapital von zwölf Milliarden Dollar, ist so gut wie funktionsfähig. Im Mai letzten Jahres unterzeichnete die EG Meist-Begünstigte-Übereinkommen mit der Tschechoslowakei, Bulgarien, Rumänien und der ehemaligen DDR. Bulgarien, die Tschechoslowakei und Ungarn wünschen eine offizielle Assoziierung in der Gemeinschaft. Diese Entwicklungen führen letztlich in eine Freihandelszone, die Zentral-, West- und Osteuropa umfaßt. Die Wahrscheinlichkeit, daß selbst die Sowjetunion diesem Beispiel folgt, kann nicht ausgeschlossen werden.

Aus dem Blickwinkel der sogenannten »Dritten Welt« wird im Bereich der Entwicklungshilfe die erste schmerzhafte Kürzung erfolgen. Der Wiederaufbau der osteuropäischen Wirtschaft ist eine außerordentlich schwierige Aufgabe und bringt einen beträchtlichen Kapitaltransfer für die nächsten zehn Jahre mit sich. Und natürlich wird deshalb jede zusätzliche Entwicklungshilfe — wenn es überhaupt zusätzliche Hilfe gibt — zuerst in die osteuropäischen Länder fließen. Ein Teil der bereits für die Entwicklungshilfe vorgesehen Mittel könnte ebenfalls nach Osteuropa umgeleitet werden.

Der Süden wird auch benachteiligt sein, wenn die *Comecon*-Staaten ihrerseits beginnen, in ihre eigene wirtschaftliche »Perestroika« zu investieren. Je schonungsloser die unerbittliche Logik der freien Marktwirtschaft voranschreitet, desto stärker werden auch die sozialistischen Staaten wie Kuba, die Mongolei und Vietnam sowie die sozialistisch beeinflußten Staaten wie Angola, Benin, Äthiopien, Guinea-Bissau, Mozambik, Myanmar (Birma) und der Südjemen sowie andere Entwicklungsländer wie Indien, Indonesien, Malaysien und Pakistan die nachteiligen Auswirkungen in unterschiedlicher Stärke zu spüren bekommen.

Obwohl die Länder der »Dritten Welt« Handelspräferenzen der EG in unterschiedlichem Maße erhalten haben, ist es offensichtlich, daß die Grundlage des Präferenzsystems auf eine eher geopolitische als wirtschaftliche Basis ausgerichtet ist. Es ist deshalb auch zu erwarten, daß die Länder Osteuropas all die Vorteile, vom Zugang ohne jegliche Tarifbarrieren bis zur vollen EG-Mitgliedschaft, erhalten werden. Obendrein ist das Netz der Begünstigungsmodelle der EG so weitmaschig, daß die Länder an der

Peripherie meist keinen Gewinn für sich ableiten können. Wenn den Ländern Osteuropas neue Präferenzen zugestanden werden, werden die Länder Asiens und Lateinamerikas letztendlich die Verlierer sein. Die Exporte der Länder Osteuropas und die der »Dritten Welt«, die unter das Allgemeine Präferenzsystem der EG fallen, weisen eine ähnliche Struktur auf, jedoch sind die Staaten Osteuropas — schon allein durch die geographische Nähe und durch großzügige Präferenzen — auf lange Sicht die klaren Gewinner.

Der Export von sogenannten »sensiblen« Produkten wird trotz der ohnehin dürftigen Begünstigungen für die Länder des Allgemeinen Präferenzsystems durch Exporte der Staaten Osteuropas absolut neutralisiert. Wenn zum Beispiel Textilien aus Osteuropa tariffreien Zutritt zur EG erhalten sollten, wird die Textilindustrie in einigen Entwicklungsländern in ernsthafte Schwierigkeiten geraten. Dies könnte Anlaß für unvorhersehbare politische Probleme sein. Wenn die EG besondere Vergünstigungen für den Export landwirtschaftlicher Produkte aus Osteuropa gewährt und die Länder Osteuropas bald den westeuropäischen Produktionsstandard erreichen, ist zu erwarten, daß der Export solcher Produkte aus Afrika, der Karibik und der Pazifik-Staaten stark gefährdet sein wird.

Als Land, das zur sogenannten »Dritten Welt« gehört, wird Indien ebenfalls unter den genannten wirtschaftlichen Auswirkungen zu leiden haben, aber es gibt in der indischen Wirtschaft einige Bereiche, die vom neuen Europa besonders stark betroffen werden. Die EG möchte die produktbezogenen Standards angleichen, was die Zulassung bzw. Ablehnung eines Produktes in der gesamten Gemeinschaft bedeuten würde. Einige Exporteure befürchten ungeachtet der daraus entstehenden Vorteile, daß durch die Angleichung von Standards letztendlich die EG neue Importschranken gegen solche Entwicklungsländer errichten wird, die technisch noch nicht so weit fortschritten sind wie die EG-Mitgliedstaaten. Die Einheitliche Europäische Akte, durch die versucht wird, die höchsten Standards in der EG auf dem Gebiet des Verbraucherschutzes, der Sicherheit, Gesundheit und des Umweltschutzes zu verallgemeinern, hat in der »Dritten Welt« zusätzlich zu Befürchtungen geführt. Wenn indische Produkte den europäischen Mark erobern wollen, müssen sie den EG-Standard erreichen.

In der EG hat eine ausländische Firma mit einer Tochtergesellschaft in einem Mitgliedstaat grundsätzlich dieselben Rechte wie eine EG-Firma. Jedoch wird die EG ihren Dienstleistungsmarkt vermutlich nicht für Länder wie Indien öffnen, ohne ähnliche wechselseitige Vorteile zu erhalten. Der EG-Vorschlag für eine zweite Richtlinie über Bankdienstleistungen macht die reziproke Grundlage zur Bedingung für die Öffnung des EG-Marktes für ein Finanzinstitut eines Staates, der nicht der EG angehört. In Indien wirken diese Gegenseitigkeitsklauseln der EG total beeinträchtigend auf die Freizügigkeit von Dienstleistungen und Kapital, weil die in Indien bestehenden Wirtschaftsgesetze sowie die fiskalische Logik diese Art von Vereinbarungen nicht erlauben.

Für Indien bestehen auch im Bereich der privaten Investitionen aus der EG schlechte Aussichten. Mit der ökonomischen Integration Europas wird sich auch das Potential für Investitionen in Indien erhöhen, aber eine Unabhängigkeit, die die Wirtschaft Osteuropas bereits in wenigen Monaten erreichen wird, kann sich Indiens Wirtschaft nicht einmal für die nächsten Jahre erhoffen. Private Investoren aus der EG werden sicherlich die nahen, aufstrebenden Märkte Osteuropas vorziehen.

Hinzu kommt, daß Investoren aus den Industrieländern außerhalb der EG es vorziehen werden, in die verheißungsvollere, größere Europäische Gemeinschaft nach 1992 zu investieren und folglich die »Dritte Welt« zum Teil von den dringend benötigten Investitionen in harter Währung auszuschließen.

Die EG- und EFTA-Staaten bewegen sich auf einen Europäischen Wirtschaftsraum Mitte 1993 zu. Malta und Österreich haben die EG-Mitgliedschaft beantragt, und Zypern und die Türkei unternehmen alle erdenklichen Anstrengungen für einen Beitritt. All dies wird Auswirkungen auf Indiens Wirtschafts- und Handelsbeziehungen mit diesen Ländern haben. Nachdem die Länder Osteuropas sich zunehmend am Westen orientieren und sich um eine »familiäre« und wirtschaftliche Partnerschaft bemühen, wird in Indien ein vorsichtiges, doch schnelles und drastisches wirtschaftliches Umdenken erforderlich sein, um die bestehenden lebenswichtigen »traditionellen«, bilateralen und reziproken Handels- und Zahlungsvereinbarungen mit diesen Ländern zu erhalten, wenn nicht sogar zu verbessern.

Beispielsweise bestehen mit der UdSSR, der Tschechoslowakei, Polen und Ungarn Übereinkommen, in denen die Rupie als Zahlungsmittel gilt — diese wird es jetzt nicht mehr geben. Diese Länder werden Zahlungen in Dollar von uns erwarten — die wir nicht leisten können. Und wenn wir einen Markt wie die UdSSR verlieren, wird die indische Wirtschaft für wenigstens die nächsten drei Jahrzehnte in ernsthafte Schwierigkeiten geraten.

Während die wirtschaftlichen Konsequenzen des neuen Europa ernst genug sind, kann man nicht sicher sein, ob die politischen Konsequenzen sich nicht noch schwerwiegender auf die »Dritte Welt« auswirken. Absolut unerwartete Geschehnisse in der UdSSR und in Osteuropa brachten es mit sich, daß die sogenannte »Zweite Welt«, die den Ländern der sogenannten »Dritten Welt« materielle, politische und moralische Unterstützung gewährte, nahezu verschwunden ist. Dank der Freundschaft zwischen den ehemaligen sozialistischen Ländern und den Entwicklungsländern erhielten Staatsmänner der »Dritten Welt« wie Jawaharlal Nehru, Josip Broz Tito, Gamal Abdul Nasser, Nkwame Nkrumah, Sokarno, Nyerere und Jomo Kenyata weltweites Gehör und beeinflußten in zum Teil entscheidender Weise den Kurs der Weltpolitik. Die meisten Länder der »Dritten Welt« hatten wenig gemeinsam mit den Ländern des ehemaligen Sozialistischen Blocks, sie unterstützten sich jedoch gegenseitig bei Foren wie z.B. den Vereinten Nationen beim Kampf gegen den Neokolonialismus sowie gegen die Monopolisierung und Kartellisierung des Welthandels und sprachen sich für eine gleichmäßige Verteilung des Wachstums aus.

Jetzt jedoch stehen die Entwicklungsländer vor der verblüffenden Tatsache, daß ihre früheren »Waffenbrüder« sich an den wohlhabenden Nationen orientieren. Weder wirtschaftliche noch politische Unterstützung oder Hilfe, die zuvor als beinahe selbstverständlich hingenommen wurde, kann jetzt noch erwartet werden. Der Kampf gegen den offensichtlichen oder versteckten Imperialismus und Kolonialismus hat einen erheblichen Rückschlag erlitten. Die Entwicklungsländer werden nicht länger auf die Unterstützung ihrer ehemaligen Verbündeten bei Themen wie Zolltarifen, Handelsbedingungen, Schuldenlasten und Technologietransfer hoffen können.

In politischer Hinsicht wird das jüngste Streben der vormals sozialistischen Länder nach einem freien und aussichtsreichen Lebensstandard von den Entwicklungsländern gutgeheißen, während die Entwicklungen im neuen Europa für sie selbst kein Grund zum Jubeln sind, und kein Hoffnungsschimmer am Horizont zu sehen ist. Vielleicht werden einige Länder der »Dritten Welt«, die jetzt von einer Einheitspartei oder Militärjunta regiert werden, inspiriert von den Geschehnissen in Osteuropa, mit der Demokratie experimentieren. Jedoch ist dies nur ein kleiner Schritt — die nachfolgende Aufgabe des Aufbaus einer Nation, in einer Welt, die so offenkundig in Arme und Reiche aufgeteilt ist, ist extrem vielschichtig.

Indien befindet sich bei der Neuverteilung der Weltordnung in einer wenig beneidenswerten Position. Die Sowjetunion galt als »traditioneller Verbündeter«. Indien hat den sowjetischen Standpunkt bei fast allen geopolitischen Streitigkeiten unterstützt, möglicherweise deshalb, weil die Sowjetunion Indiens Standpunkt in der Kaschmir- und Goa-Frage verteidigt hatte. Auf den Sitzungen der nationalen Parlamente und bei internationalen Foren wie den Vereinten Nationen unterstützte Indien die sowjetischen Aktionen in Ungarn, der Tschechoslowakei und letztlich auch in Afghanistan mit einem Eifer, der eher einem sowjetischen Satellitenstaat zustehen würde als einem freien Land der »Dritten Welt«. Die kontinuierliche Militärhilfe der USA für Pakistan ist einer der Hauptgründe für Indiens Freundschaft mit der Sowjetunion gewesen. Mit der Umorientierung in Richtung auf eine freie Marktwirtschaft entläßt die UdSSR ihre Satellitenstaaten aus der scheinbar ewigen Sklaverei, bekennt Reue für die Aktionen wie in Ungarn, der Tschechoslowakei, bewegt sich immer näher auf das neue Europa und die USA zu, und Indiens Unterstützung bei sowjetischen Unterlassungs- und Handlungsschritten ist nicht mehr erforderlich. Es wird sich zeigen, ob die indische Regierung das Najibullah-Regime in Afghanistan weiterhin auf dieselbe Art unterstützt. Auf jeden Fall wird Indien angesichts der neuen, umfassenden geopolitischen Wirklichkeit die Außenpolitik radikal und drastisch ändern müssen.

Indiens gesamte Provinz Kerala wird bis heute von den Kommunisten regiert, die bereits zehn Jahre an der Macht sind. Der Kommunismus existiert in Indien also immer noch.

Die Kapitulation der UdSSR und der Aufbau des neuen Europa sind deutlicher Beweis der bitteren Realität, daß — aus welchen Gründen auch immer — der sogenannte Kapitalismus über den sogenannten Kommunismus gesiegt hat. Die Lehren Marx', Lenins, Maos und Ho Chi Minhs und ihre unzähligen brillanten Deutungen haben sich als falsch erwiesen. Für Millionen Menschen, ob alt oder jung, die gegen die sozialen und wirtschaftlichen Ungleichheiten in der »Dritten Welt« kämpften, war dies ein niederschmetternder ideologischer, politischer und moralischer Schlag. Der Kommunismus oder Marxismus — mit seinen lokalen Abwandlungen — wurde als die Ideologie der Entwicklungsländer gesehen. Was immer auch im Namen des Kommunismus in der UdSSR und China verbrochen und als begrenzter, vorübergehender Auswuchs hingenommen wurde — in jedem Land der »Dritten Welt« gab es eine linksgerichtete Partei oder einen Führer, der leidenschaftlich daran glaubte, daß echter Kommunismus unter den lokalen Gegebenheiten möglich wäre. Die Marxisten der Entwicklungsländer betrachteten das Phänomen Gorbatschow einerseits mit Bestürzung, andererseits mit amüsierter Überheblichkeit. Aber als Polen, die DDR, die Tschechoslowakei, Ungarn und Rumänien sich von dem sowjetischen Joch befreiten, die gigantischen Monumente zu Ehren der »Großen Glaubensgenossen« von ihren hohen Podesten stürzten und die »unfehlbare« Sowjetunion dem Bann der freien Wirtschaft erlag, vergossen idealistische und der Sache verschriebene Parteiarbeiter bittere Tränen. Das Traumgebilde einer gleichen und gerechten Gesellschaft, ohne Ausbeutung und Entfremdung, regiert von der Arbeiterklasse und den Kleinbauern, war zerstört.

In der »Dritten Welt« setzt eine zweifache Ernüchterung ein. Die Marxisten in den Entwicklungsländern wurden oft kritisiert — zu Recht oder zu Unrecht —, einen Feind zu verteidigen: die Ideologie Europas. Ihre Kritiker behaupteten, daß diese Ideologie — obwohl brillant und teilweise stichhaltig — unter den lokalen Gegebenheiten nicht umsetzbar wäre. Die Befürworter des Marxismus schworen jedoch auf ihr »unfehlbares« universelles System. Ihre Kritiker stellen jetzt die Frage, wie eine Ideologie, die sogar in der Gesellschaft versagt, die sie erschaffen hat, in einem gänzlich anderen soziokulturellen Milieu standhalten kann. Eine Schwierigkeit liegt jedoch darin, eine Ersatz-Ideologie auszumachen und zu etablieren. Es ist wahr, daß die meisten Länder der »Dritten Welt« unter selbstverschuldetem Mißmanagement leiden, aber eine freie Marktwirtschaft und eine multinationale Machtübernahme durch den freien und ungebändigten Kapitalismus kann die Krankheiten, die die Entwicklungsländer plagen, nicht heilen. Besteht die Möglichkeit, daß in einigen Entwicklungsländern ein modifizierter, einheimischer Marxismus doch triumphieren wird? Oder sollte die Fata Morgana des Marxismus aufgegeben und das europäische Modell übernommen werden? Oder gibt es einen rein nationalen Weg bzw. einen asiatischen, wie zum Beispiel den japanischen Weg?

Durch seine Ideologien, seine politischen, administrativen und juristischen Modelle sowie seinen wissenschaftlichen und technischen Einfallsreichtum scheint Europa bzw. der Westen das Leben und das Geschick nahezu aller Menschen zu beeinflussen und zu lenken. Doch wird Europa als geistiger oder kultureller Führer der Welt von den Entwicklungsländer nicht wahrgenommen. Die Tatsache läßt sich nicht bestreiten, daß die europäische Kultur auf die übrige Welt einen starken Einfluß ausgeübt hat und immer noch ausübt; der faszinierendste Aspekt von Kultur bleibt jedoch ihre grenzenlose, proteische Vielfalt: man kann auf der Ebene einer »Weltkultur« beginnen; Kontinente und Subkontinente erheben ebenfalls Anspruch auf eine eigene ausgeprägte Kultur; dann besitzt jedes Land seine eigene, individuelle Kultur; letztendlich ist jeder Mensch ein unabhängiges, kulturelles Wesen. Kultur bedeutet beides — Verschiedenheit und Einheit der Menschheit.

Der Begriff Kultur ist auf verschiedene Weise definiert worden, und innerhalb einer bestimmten Kultur bestehen weitere Auf- und Unterteilungen. Kulturen werden bezeichnet als alt oder modern, hochstehend oder niedrig, städtisch oder ländlich, stammesbezogen oder primitiv. Kultur wird von der Religion stark beeinflußt — in einigen Gesellschaften gilt die Religion selbst als Kultur, aber was heute im allgemeinen als Kultur bezeichnet wird, ist jeder Religion bzw. jedes Dogmas beraubt. Jede allgemein akzeptierte Kultur muß ganz besonders weltlich ausgerichtet sein.

Europäische Kultur — ein Gemisch von verschiedenen nationalen Kulturen — wird als modern empfunden, möglicherweise als die einzige moderne Kultur der Welt. Aus der Art und Weise, wie Europa sich erneuert und wirtschaftlich und politisch immer mehr gedeiht, kann die Schlußfolgerung gezogen werden, daß die europäische Kultur — oder zumindest ihr äußerer Ausdruck wie Kleidung, Benehmen, Gewohnheiten und soziales Verhalten den Süden bzw. die Entwicklungsländer weiter beeinflussen wird. Es ist allerdings ein kurioses Paradox, daß die Übernahme des europäischen Lebensstiles in den meisten Ländern Asiens und Afrikas als Treubruch gegenüber der eigenen Kultur und Tradition gesehen wird. In Ländern mit einer brüchigen lokalen Kultur hat die europäische bzw. westliche Kultur bereits tiefe Spuren hinterlassen. In einigen Regionen ist durch den starken Einfluß der europäischen Kultur die eigene ländliche bzw. stammesbezogene Kultur nahezu ausgelöscht.

Jedoch bleibt die Tatsache bestehen, daß die hochstehende, europäische Kultur, obwohl von einigen Gesellschaften in der »Dritten Welt« zum Teil geschätzt und weiterentwickelt, keinen Einfluß auf hochstehende und intakte Kulturen (von Entwicklungsländern) nehmen konnte und ein Auslöschen verhindert wurde.

Es gibt beispielsweise in Indien kein Philharmonisches Orchester, auch gibt es dort kaum Übersetzungen europäischer Literatur. Der europäische Gesangsstil wirkt auf die Menschen Indiens befremdlich. Sie können sich nicht vorstellen, wie Menschen so singen können. Sie können nicht verstehen, wieso ein Tanz in »Ballettform« notwendig ist. Den durchschnittlichen Inder reizen diese Dinge zum Lachen. Die klassische Musik Europas kann sich zum Beispiel niemals einen großen Einfluß auf die klassische indische, chinesische oder balinesische Musik erhoffen. Ähnliches trifft auf die klassische Oper, das Ballett oder den Tanz des Westens zu, der keinen Einfluß auf ähnliche Kunstrichtungen in den Entwicklungsländern Asiens und Afrikas nehmen wird.

Es ist Europas materieller Reichtum und Wohlstand, der die »Dritte Welt« am meisten fasziniert. Europa, zusammen mit den

USA und Japan, ist der Wunschtraum für den Durchschnittsmenschen in den Entwicklungsländern. Der ansteigende Wohlstand in Europa wird weiterhin große Menschenmassen zur Auswanderung in das Europa des Jahres 1992 veranlassen. Nicht ohne Grund warnte Margaret Thatcher die Gemeinschaft vor einer bevorstehenden Belagerung durch Immigranten. Nur ein Narr kann erwarten, daß sich das neue Europa eine großzügige Ausländerpolitik zu eigen machen wird — auf jeden Fall nicht hinsichtlich der in ungeheurer Zahl hereinströmenden Menschen aus den Ländern Asiens und Afrikas. Natürlich werden die Beschränkungen, auf die angehende Immigranten aus der »Dritten Welt« stoßen werden, Anlaß zu einem weitreichenden politischen, intellektuellen und kulturellen Antagonismus geben.

Die Konsumgüter-Kultur des Westens stellt die größte wirtschaftliche, soziale und kulturelle Bedrohung für die Entwicklungsländer dar. Obwohl die Schuld teilweise auch der korrupten und inkompetenten Art zugewiesen werden kann, mit der viele Länder der »Dritten Welt« regiert werden, hat die aggressive Zurschaustellung eines Lebensstiles in Wohlstand, räuberisch verpackt und vermarktet durch ein multinationales Konglomerat, zur Folge, daß die Menschen des Südens sich nicht nur in materieller, sondern auch in kultureller Hinsicht rückständig fühlen. So übermächtig ist das Gefühl ihrer Minderwertigkeit, daß sie beginnen, ihre eigene Rasse, ihre Hautfarbe, ihre Kultur und ihr Land zu hassen.

Eine indirekte Konsequenz des neuen Europa, das alle Aufmerksamkeit auf Osteuropa konzentriert, wird sein, daß sowohl innerhalb als auch außerhalb der Gemeinschaft immer weniger Mittel für die Kulturarbeit zur Verfügung gestellt werden. Letztendlich wird die EG zweifellos ihre Ausgaben zur Förderung der Auslandskulturarbeit — vornehmlich in der »Dritten Welt« — einschränken. Ich kann dies aus eigener Erfahrung bestätigen. Sogar solche neuen europäischen Länder wie Ungarn und die Tschechoslowakei beschneiden ihr kulturelles Engagement in Indien. Der Mitarbeiterstab wird reduziert, die Programme werden gekürzt. So sehen wir nur, daß die europäische Kultur in Indien kein »Gesicht« hat. Was wir erbitten ist, daß die europäische Kultur wenigstens die Präsenz beibehält, die sie bis heute in Indien und im Süden besitzt. Ansonsten werden wir jeglicher »Export-Kultur« beraubt.

Vorhersehbar sind ähnliche finanzielle Schwierigkeiten auch in den Entwicklungsländern, die gezwungen sein werden, ihre Gürtel enger zu schnallen im Hinblick auf die zu erwartenden nachteiligen wirtschaftlichen Konsequenzen der EG des Jahres 1992. Tragische Ironie dabei ist, daß sehr viele Länder der »Dritten Welt« bereit sind, Milliarden Dollar für Waffen an europäische und amerikanische Händler zu zahlen, während weniger als zwei Prozent ihres Jahresetats für die Kulturarbeit ausgegeben werden.

Konsumismus ist nicht nur der Dämon der »Dritten Welt«, sondern ein Krebsgeschwür, das auch die Lebenskraft der Gemeinschaften des Westens schwächt. Die zwanghafte Suche nach materiellem Aufstieg, angespornt durch grandiosen Nationalismus, ist die Ursache von Massenhysterie und individuellen Neurosen — aber möglicherweise weiß dies niemand besser als die Europäer selbst. Der Marxismus schlug fehl, weil er nicht in der Lage war, die zögernden Gefolgsleute von der Wirksamkeit der freiwilligen Zurückhaltung zu überzeugen. Umsonst haben bis jetzt alle großen Weltreligionen gemahnt, einer gesunden Neutralität gegenüber materiellem Wohlstand den Vorzug zu geben. Menschliche Wesen sind natürlich irdische Geschöpfe, aber gegenseitige Abhängigkeit unter den verschiedenen Völkern und Nationen spielt eine so große Rolle für das menschliche Dasein auf diesem Planeten, daß weder der einzelne noch die Nation nur den eigenen, kleinen Vorteil sehen darf. Ein Kollektivkampf gegen den selbstmörderischen Konsumterror muß in allen Ländern ausgerufen werden.

Die Zeit scheint jetzt gekommen, zu überlegen, ob nicht ein umfassendes Forum von Denkern und Praktikern aus allen Lebensbereichen und aus den »Drei Welten« eingesetzt werden sollte — nicht um das professionelle, weltenbummelnde, verbrauchte Ego von Intellektuellen zu pflegen, sondern zur ernsthaften Beobachtung und Beratung der Menschen in denjenigen Handlungsweisen, die entscheidend sind für die Verbesserung der menschlichen Lebensqualität und für das menschliche Leben selbst. Vielleicht wird der Tag kommen, an dem jedes Land zur »Ersten Welt« bzw. zum Norden oder zu einer umfassenden Europäischen Wirtschaftsgemeinschaft gehört. Aber innerhalb dieser »Ersten Welt« wird es immer eine »Zweite Welt« geben, und zwar für diejenigen, die eine Gesellschaft infragestellen, die allein von materiellen Idealen geleitet wird. Eine wirklich neue Europäische Gesellschaft wird keine Kritiker nötig haben; sie wird der eigenen gesunden Kritik folgen und Andersdenkende positiv mit einbeziehen. Vielleicht können Autoren, Künstler, Philosophen, Wirtschaftswissenschaftler, Forscher, Technokraten und Intellektuelle aller Fachgebiete ein Forum schaffen, auf dem der Fortschritt des neuen Europa diskutiert und analysiert werden kann, ebenso die Perspektiven und Leistungen sowie die Beziehungen mit und das Ansehen in der übrigen Welt. Dieses Forum könnte später zu einer weltweiten Einrichtung werden. Kulturelle Belange sind im Grunde genommen Belange der menschlichen Existenz. Und diese Belange sind zu wichtig, um sie nur Politikern, multinationalen Gesellschaften und Kultur-Institutionen zu überlassen.

Standortbestimmung:
Multikulturelle Gesellschaften andernorts

Nadia Amiri

Auch Immigranten sind Europäer

Sehr lange haben in Frankreich eine ganze Reihe von Einwandererorganisationen die unterschiedlichen Aspekte des Phänomens Einwanderung dargestellt. Herausragende Fachleute, Ethnologen, Forscher und Intellektuelle haben sich zur Einwanderungsproblematik geäußert. Wir Einwanderer haben nun beschlossen, unser Schicksal selbst in unsere Hände zu nehmen. Wir wollen nicht mehr den anderen das Wort überlassen, sondern wir wollen selbst sagen, was es heißt, zwei Kulturen zu besitzen und ein französischer Staatsbürger zu sein. Den Begriff der Staatsbürgerschaft in diesem Zusammenhang besonders hervorzuheben, ist in Frankreich etwas vollkommen Neues, da bisher jeder das Recht auf unterschiedliche Lebensformen betont hat. Dieses Recht auf Unterschiedlichkeit wollen wir nicht mehr. Wir lehnen es ab, da das Recht auf Unterschiedlichkeit eine Unterschiedlichkeit der Rechte bedeutet. Und diese Unterschiedlichkeit der Rechte führt dazu, daß die Leute in Ghettos leben, die Kinder in der Schule versagen, daß die Jugendlichen durch Kriminalität und Nichteingliederung an den Rand der Gesellschaft gedrängt werden. Eine ganze Reihe von Prozessen haben dazu geführt, daß von Generation zu Generation ein gewisser Teil der Bevölkerung in Ghettos gesperrt worden ist. Wir wissen, wovon wir sprechen, denn wir erleben dies täglich in unserem Alltag. Und so sind wir zu der Überzeugung gelangt, daß wir systematisch von der französischen Staatsbürgerschaft sprechen müssen. Wir sprechen von der Gleichheit der Rechte mit den Kindern französischer Herkunft. Auf dieser Grundlage sind wir die Botschafter einer Bevölkerungsgruppe, die in aller Munde ist. Und das ist die Gruppe unserer Eltern. Niemand kann besser für sie sprechen als wir, ihre Kinder. Seit fünf Jahren arbeitet »France Plus« in diesem Sinne im Rahmen der ökonomischen, politischen und sozialen Realität.

Zum Zeitpunkt unserer Gründung, vor sechs Jahren, hatten wir eine Reihe von Kampagnen zur Einschreibung in die Wahllisten gestartet. Heute gibt es in Frankreich mehr als fünfhundert Stadtverordnete, deren Eltern nach Frankreich eingewandert waren und die sich nun in ihren Stadtverwaltungen dafür einsetzen, den Gedanken der Integration voranzubringen. Heute gibt es in Frankreich zwei weibliche Abgeordnete, die im Europäischen Parlament sind. Das zeigt deutlich die dynamische, aufstrebende Entwicklung der aus der Einwanderung hervorgegangenen jungen Frauen. Man kann davon ausgehen, daß dies entscheidende Faktoren sind. Die politische Realität erfordert nicht nur eine Teilnahme am politischen Leben, sondern auch die Durchsetzung der Forderung, daß nicht stets und ständig auf den Umstand der Einwanderung Bezug genommen wird.

Ein junger Mensch, dessen Eltern nach Frankreich eingewandert sind und der nun in verantwortungsvolle Positionen gewählt worden ist, bleibt nicht in seinem Ghetto eingeschlossen, auch wenn er sich mit den Fragen der Einwanderung beschäftigt.

In Europa gibt es drei Rechtsprechungen: Es gibt die Justiz der Reichen, die Justiz der Armen und die Justiz der Einwanderer. Wir aber wollen die Justiz der europäischen Bürger.

Ich bin fest davon überzeugt, daß in Frankreich eine Dynamik entwickelt werden muß, die es ermöglicht, daß die Kinder der Einwanderer, die europäische Bürger sind, nicht nur die Vertreter, sondern vor allem die Botschafter der Einwanderung sind. Sie sind durchaus in der Lage, selbst für ihre Probleme einzutreten. Der Islam ist in Frankreich die zweitstärkste Religion. Da in Frankreich Kirche und Staat getrennt voneinander existieren, hat »France Plus« sich gegen das Tragen des Schleiers ausgesprochen und sich bei dieser Gelegenheit auch gegen zahlreiche Organisationen und Leute gewandt, die sich mit dem Satz »Wir müssen die Kultur der anderen respektieren« ein ruhiges Gewissen verschaffen wollen. Wir dagegen wollen die Gleichberechtigung zwischen Mann und Frau. All denen, die sich das Hirn mit dieser Anerkennung der Kultur des anderen vernebeln und noch nicht einmal wissen, was das eigentlich ist, die Kultur des anderen, sagen wir: Das ist unerträglich! Alle jungen Mädchen von »France Plus« haben dafür gekämpft, den Schleier nicht mehr tragen zu müssen. Wir dürfen nicht zulassen, daß diejenigen, die sich ein ruhiges Gewissen verschaffen wollen, die Pseudosozialisten, linken Pseudointellektuellen und diejenigen, die auf Kosten der Einwanderer »auf Dritte Welt machen«, in unserem Namen sprechen!

Ich weiß, daß man sich überall in Europa der gleichen Vorgehensweise bedient. Wir treten gegen das Tragen des Schleiers, aber für die Respektierung der Religion des anderen ein. Wie will man verhindern, daß die Fundamentalisten immer mehr Anhänger bekommen, wenn man eine so große Religion wie den Islam mißachtet? In Frankreich gibt es drei Moscheen, die diesen Namen verdienen. Alle, die nicht dorthin gehen können, verrichten ihre Gebete in Kellern, in ausrangierten Gebäuden. Das darf man nicht länger dulden! Doch man verschließt die Augen und gibt den Fundamentalisten die Möglichkeit, immer stärker zu werden. Daß ihr Einfluß größer wird, ist nur natürlich, denn wohin wendet sich der Mensch, wenn man seine Würde antastet? Religion ist Opium für das Volk. Doch noch schlimmer ist, daß die vielen Jugendlichen, die keine Ideologie mehr haben, die keinen Bürgersinn mehr besitzen, die sich im politischen Leben Frankreichs nicht wiedererkennen, in eine geistliche, religiöse Richtung gedrängt werden. Das ist verständlich, denn sie werden ganz systematisch von allem ausgeschlossen. Nur wenn man den anderen in seiner Ganzheitlichkeit, mit seinem Personaldokument, seinem europäischen Paß anerkennt, wird man erreichen, daß er sich zurechtfindet, daß er Freude am Leben empfindet, weil er sich anerkannt fühlt. Das ist unsere Haltung zu dieser Frage, wir betrachten sie im Rahmen des weltlichen Charakters des Staates, wobei gleichzeitig allen Religionen Existenzrechte eingeräumt werden müssen. Jeder kann in eine Bibliothek gehen und dort seine Muttersprache sprechen, jeder soll auch in seiner Religion leben können. Wir meinen, daß jedem Bürger die Möglichkeit der Entfaltung gegeben werden und daß man gegen soziale Ungleichheit kämpfen muß.

In diesem Zusammenhang hört man in Frankreich nunmehr neue Töne. Wir sagen, daß der Rassismus nicht nur in Frankreich und nicht nur in Europa existiert, sondern daß es überall Rassisten gibt. Doch es geht dabei vor allem um die sozialen Ungleichheiten.

Bis jetzt war Frankreich durch die Entstehung zahlreicher antirassistischer Organisationen geteilt. »France Plus« ist keine antirassistische Organisation. Im übrigen gibt es gar keine Rassisten oder Antirassisten: Es gibt Leute, die zu Rassisten werden, es gibt

Unwissende, die politisch ausgenutzt werden. Genau dieser Mechanismus funktioniert in Frankreich: Man bedient sich systematisch des Rassismus, um das eine Europa gegen das andere Europa aufzustacheln. Dabei erlebt ein Deutscher oder ein Franzose, der in einer Ghettosiedlung lebt, der seit zwei Jahren arbeitslos ist und eine vielköpfige Familie zu ernähren hat, die gleichen Schwierigkeiten wie ein Einwanderer. Deshalb muß man die sozialen Unterschiede beseitigen.

Wir wollen erreichen, daß man einem Einwanderer kein Etikett mehr aufklebt, das ihn als einen anderen Bürger ausweist, nur weil es unerträglich ist, einen Armen anzuschauen! Denn weil sein Anblick unangenehm ist und man auf die mit ihm zusammenhängenden Problembereiche keine Antwort weiß, erfindet man den Vorwand der unterschiedlichen Hautfarbe, der unterschiedlichen Religion, der unterschiedlichen Kultur. So sieht die politische Realität aus! Es ist höchste Zeit, sich darüber klar zu werden, daß es junge Leute gibt, die Betriebe gegründet haben und die es geschafft haben, sich in Europa durchzusetzen, daß es junge Leute gibt, die an der Universität unterrichten, wie unser Präsident, Arezki Dahmani, der Dozent für Politische Wissenschaften ist. Auch das Beispiel von zwei großen Wohnvierteln beweist meine These: In Neuilly, wo die Saudis und Kuwaitis schon immer lebten und leben, gab es niemals irgendwelche rassistischen Ausschreitungen, denn diese Einwanderer leben in Luxusvierteln und können sich das leisten; auf der anderen Seite steht Courneuve, wo 90 % der Bevölkerung Einwanderer sind und es Probleme gibt, denn das Leben ist schwer, wenn man kein Geld hat, wenn man nicht als vollwertiger Bürger angesehen wird.

Warum also »France Plus«? Wir betrachten uns als ein Plus für Frankreich. Es ist immer besser, zwei Kulturen zu besitzen und nicht nur eine einzige. Ein Dummkopf ist, wer die zweite Kultur verweigert. Je mehr Kulturen man besitzt, desto interessanter, reicher wird das Leben. Doch Frankreich ist auch für uns ein Plus, so wie Europa ein Plus für uns darstellt. Ein in Frankreich geborenes Kind wird in jedem Fall ein Franzose. Das ist äußerst wichtig, denn das bedeutet, daß Frankreich keine jungen Algerier, keine jungen Marokkaner usw. über mehrere Generationen hinweg hervorbringt. Hier muß etwas für die Angleichung der europäischen Gesetzgebung getan werden, damit die Kinder, die in Frankreich und in Europa in die Schule gehen und am gesellschaftlichen Leben teilnehmen, die Nationalität und die Staatsangehörigkeit ihres jeweiligen Landes erwerben können. Der Zugang zur Nationalität muß jedem gewährt werden, verwehrt man jemandem dieses Recht, erkennt man ihn nicht als vollwertigen Bürger an, sondern sieht in ihm einen Bürger zweiter Klasse. Auf diese Weise setzt man die Probleme der Segregation und des Rassismus fort. Jedes europäische Land stellt in bezug auf die Einbürgerung einen Fall für sich dar. Das Wahlrecht, die Frage der politischen Flüchtlinge, die ökonomischen, politischen und sozialen Rechte — all das sind Themen, die diskutiert werden müssen. Die Ökonomen und die Finanzexperten haben ebenso wie die Banken ihre europäische Einigung schon vollzogen. Wir sind bereit, mit ihnen zusammenzuarbeiten, doch wir wollen auch mit all denen zusammengehen, die das soziale Europa zu gestalten haben.

Es gab in Frankreich eine Zeit, wo alle drei Monate ein junger Nordafrikaner ermordet wurde. Bis heute werden die antirassistischen Gesetze, auch die von 1974, noch immer nicht angewandt. Für einen Polizisten, der jemanden umbringt, gibt es nach wie vor eine Woche, drei Monate, vielleicht ein Jahr mit Bewährung. Die Justiz wird nicht auf alle in gleicher Weise angewandt. Wenn ein junger Nordafrikaner ein Fahrrad stiehlt, bekommt er zwei Jahre mit Bewährung.

Wir von »France Plus« sind Realisten. Deshalb setzen wir uns nicht für das Wahlrecht der Einwanderer ein. In Frankreich hat man den Rechtsextremen auf die Beine geholfen, indem man die Fahne des Wahlrechts für die Einwanderer geschwungen hat. Erstens hat man die Einwanderer gar nicht gefragt, was sie eigentlich davon halten. Und zweitens haben sich die politischen Parteien der Einwanderer bedient. Vom Wahlrecht spricht man immer vor den Wahlen, niemals danach. Man spricht vorher davon, weil man damit Reaktionen hervorrufen kann. Reaktionen seitens der Leute, die sich ihr Gewissen beruhigen wollen, die sich als ausgesprochene Humanisten sehen und die alles von der Einwanderung wissen. Und dann hilft man der Front National. Natürlich, das Wahlrecht für die Einwanderer wäre ideal. Wir jedenfalls meinen, daß das ein Ideal ist, doch keiner beschäftigt sich wirklich mit der Durchsetzung des Wahlrechts oder mit der Veränderung der sozialen, ökonomischen und politischen Bedingungen. Was wir brauchen, ist ein wirklicher politischer Wille. Wir wollen zeigen, daß wir wie alle sind: Wir sind nicht nur Vergewaltiger, Drogensüchtige, Kriminelle. Eine Minderheit solcher Leute bewirkt, daß dieser Eindruck für uns als Gruppe entsteht. Einer meiner Freunde — auch ein Einwandererkind — erzählte mir neulich: Ich wäre gern einmal ein Liebhaber, einfach etwas anderes als ein Übeltäter. Er spielt Theater und dreht Filme, und für ihn reserviert man stets die Rollen von Kriminellen. Denn hat man so ein Ausländergesicht wie er, dann wird man natürlich diese Rolle mit einer solchen Leichtigkeit bewältigen, daß jeder darüber staunt, selbst die Regisseure. Auf dieser Grundlage versuchen wir, vernünftig zu sein: Kein Wahlrecht im Moment, aber alle Rechte, die es ermöglichen, einen geistigen Boden vorzubereiten, damit nicht nur die Immigrantenkinder echte politische Multiplikatoren werden, sondern damit sie auch ganz bewußt für ihre Eltern sprechen.

In Frankreich gibt es Tausende von Organisationen von Marokkanern, von Tunesiern, von Menschen aus Zaire. Da gibt es den Marokkaner, der für den König ist, und den Marokkaner, der gegen den König ist. Es gibt Leute, die für den Islam, den Fundamentalismus, die Weltlichkeit eintreten, und jeder vertritt eine andere Richtung. Sie alle haben nur eine Gemeinsamkeit: das Interesse an Subventionen. Und das ist unerträglich!

In Frankreich gibt es ein echtes Problem: ein kollektives Verdrängen des Algerienkrieges. Zu keinem Zeitpunkt war man in Frankreich ehrlich genug, vom Algerienkrieg wie von einem Krieg zu sprechen, der tatsächlich stattgefunden hat. Sprach man von ihm, hat man die Dinge stets vereinfacht. Ich denke dabei z. B. an die Lehrpläne der Schulen. In Frankreich — und ich weiß, daß ähnliches auch in Deutschland existiert — hat man die Lehrpläne nach völlig veralteten Vorstellungen gestaltet.

Eine Modernisierung der Lehrprogramme ist unerläßlich, und diese Modernisierung kann nur in Zusammenarbeit mit denen geschehen, die dort leben, die aktiv zu dieser Modernisierung beitragen können. Die Lehrpläne müssen darauf abzielen, die Geschichte der Kulturen und die Geschichte der Religionen zu unterrichten, damit jedes Kind sich in seiner Schule angesprochen fühlt. Wenn man von ihm wie von einem Wilden spricht, wie soll es da Lust bekommen, sich ganz in eine Gesellschaft einzubringen?

Die Lehrpläne für Geschichte sind die eine Sache, die Sprachen sind eine andere. Manche Länder, z. B. Belgien, verpflichten die Kinder, die Sprache ihrer Eltern zu erlernen. Warum drückt man uns ein Etikett zur Bewahrung der Kultur der Eltern auf? Wir sind erwachsen genug und wissen, was wir wollen. Wenn man eine Sprache lernen will, dann soll man sie lernen! Gebt uns die Möglichkeit, sie zu lernen! Die freie Entscheidung jedes einzelnen ist entscheidend für seinen Erfolg. Oder sollen etwa meine Kinder und meine Enkel auch noch die Muttersprache meiner Eltern lernen? Konkret heißt das, daß ein Ghetto geschaffen wird.

Bei einem Treffen meinte der Minister für Volksbildung zu mir: Verstehen Sie doch, Nadia, wenn ich auf ein spanisches Volksfest gehe, finde ich es schon sehr gut, wenn die spanischen Kinder in ihrer Sprache sprechen. Da haben wir sie wieder, diese Vorstellung von der ursprünglichen Kultur: Tradition, Couscous, Paella, Trachten. Und meine Staatsbürgerschaft? Und meine Wahlberechtigung? Warum habe ich mich für dieses Land entschieden, und warum bleibe ich hier? Weil ich eine hundertprozentige Bürgerin dieses Landes bin. Wenn ich mich für Folklore engagieren will, dann ist das eine freie Entscheidung und geht die Herren Politiker, die das Schicksal der Länder in den Händen halten, überhaupt nichts an. Und das habe ich dem Minister entgegnet. Er war natürlich schockiert. Doch was tut er? Noch heute vertritt er seinen überheblichen Standpunkt und meint, daß ein spanisches Kind Spanisch zu sprechen hat.

Überlaßt es nicht den hervorragenden Intellektuellen, in Eurem Namen zu sprechen. Sie wenden sich an Euch, diese Forscher und Forschungsdirektoren, die Analysen über die eingewanderte Bevölkerung anstellen, die eine Ferienwoche in Marokko verbringen und bei ihrer Rückkehr erklären: Nun weiß ich alles von der Kultur des Maghreb. Die Frauen wollen den Schleier tragen, sie wollen so essen. Diese Leute haben nichts verstanden von dem Schmerz, nicht von den Nord-Süd-Beziehungen. Es gibt einen unterschwelligen Neokolonialismus in Frankreich und Europa.

Auch wenn wir uns manchmal etwas ungeschickt ausdrücken und in unserer Aggressivität und unserer Romantik zu weit gehen, fordern wir, daß man uns sprechen läßt, denn wir sind ehrlich. Wir jungen Türken, Marokkaner und Tunesier in Italien, wir jungen Zigeuner in Spanien, wir jungen Inder und Pakistani in England, wir sind die Zukunft eines Landes. Man braucht nur daran zu denken, wie sehr die Musik, die Mode und das intellektuelle Leben durch diese Vermischung der Kulturen bereichert wurden!

Wir fühlen uns heute wohl in Europa und als Europäer und Europäerinnen. Religiöser und politischer Fanatismus muß beseitigt werden. Man wird ihn jedoch nicht beseitigen können, wenn man noch immer irgendwo im Kopf den Wunsch hat, den Kolonialismus beizubehalten und den anderen zu verdrängen, nur weil er anders ist, nur weil man will, daß er anders ist. Man will sein Anderssein, weil man ihn nicht anerkennt.

Wir bei »France Plus« sind eine nationale Bürgerrechtsbewegung von jungen Bürgern, die eine solidere und tolerantere Gesellschaft auf der Grundlage der Werte der Republik: Freiheit, Gleichheit der Rechte und der Pflichten, Brüderlichkeit und Weltlichkeit aufbauen wollen.

★

Frage: Beharren die in Frankreich lebenden, nicht in Frankreich geborenen Personen tatsächlich auf der von Ihnen beschriebenen Angleichung an die aus Frankreich stammenden Franzosen bzw. auf der Negierung ihrer Andersartigkeit gegenüber diesen?

Nadia Amiri: Wenn ich die erste Frage richtig verstanden habe, so betrifft sie die Schulbildung und die Sprache. Es stimmt tatsächlich, daß man in Frankreich davon spricht, daß die Emigrantenkinder insgesamt in der Schule versagen. Und was den außerschulischen Unterricht angeht, so neigt man natürlich dazu, ihnen das Erlernen der Sprachen ihres Herkunftslandes vorzuschlagen. Das heißt, daß man nicht nur vor dem Problem des schulischen Versagens steht, sondern die Lage noch kompliziert, indem man den Kindern zusätzlich »ihre eigene« Sprache aufbürdet. Wir sagen deshalb, daß man sich überlegen sollte, wie man die Kinder zum Erfolg in der Schule führt, und anstatt des Arabischunterrichts, der ihre Schwierigkeiten nur noch vergrößert, sollte man den Einwandererkindern lieber zusätzliche Französischstunden erteilen. Die Schule sollte die Sprachen aller Völker anbieten, die in ihrem Land leben, und zwar zur freien Wahl der Kinder. Das bedeutet, daß man nicht automatisch Arabisch lernen muß, nur weil die Eltern aus Algerien stammen. Die Gesellschaft sollte die Möglichkeit schaffen, daß man die Muttersprache seiner Eltern lernen kann, doch das darf kein Automatismus werden. Ein Franzose französischer Herkunft sollte auch Arabisch lernen dürfen.

Ich muß jedoch ein bißchen lächeln, wenn man von Kultur spricht. Das ist eine ganz entscheidender Punkt! Wenn man in Frankreich aufgrund bestimmter Kulturzugehörigkeit Gefahr läuft, ermordet zu werden, wenn man sieht, wie der Extremismus immer stärker wird, dann bekommt man schon den Eindruck, daß die Kultur für eine Reihe von Leuten ein Mittel zum Zweck ist, uns zur Seite zu schieben. Und das ist unerträglich! Die gastronomische Kultur, die musikalische Kultur, die Kultur, die man mit dem Kulturellen verwechselt — von welcher Kultur sprechen wir eigentlich? Ich spreche von der Kultur der Menschenrechte, von der Kultur der Demokratie, von der Kultur der Republik. Und wenn wir uns alle einigen würden, von dieser Grundlage aus miteinander zu sprechen, ist der ganze Rest vielleicht nicht gerade nebensächlich, aber doch viel einfacher zu lösen.

Frage: Findet, wie es mir von Deutschland sowohl aus dem Bereich der Sozialarbeit als auch aus dem Bereich der Entwicklungshilfe bekannt ist, auch in Frankreich das Schlagwort »Hilfe zur Selbsthilfe« Anwendung im Umgang mit Menschen, die aus anderen Kulturkreisen stammen?
Amiri: In bezug auf die Sozialarbeiter in Frankreich vertritt »France Plus« einen anderen Standpunkt, da uns die Sozialarbeiter sehr oft nichts genützt haben. Sie haben uns manchmal sogar eher geschadet, weil sie durch ihre Ausbildung auf die eigentlichen Fragen überhaupt nicht vorbereitet waren. Das hängt damit zusammen, daß man gegenüber einem Immigranten immer noch Vorurteile hat. So kommt es zu einer systematischen Sozialarbeit des Elends, des geistigen und des kulturellen Elends, so daß man

das Scheitern mit auf den Weg gibt und den Ausschluß aus der Gesellschaft zur Regel werden läßt.

Die Kinder der zweiten Generation, junge Leute wie wir, wollen arbeiten und als vollwertige Bürger betrachtet werden. Wir sind in Frankreich 1,5 bis 2 Millionen, insbesondere aus dem Maghreb, da die Geburtenraten für diese Familien sehr hoch liegen. Wir wollen uns für eine multikulturelle Gesellschaft einsetzen. Doch diese kulturelle Vielfalt muß allen gehören! Wir finden es besser, von interkultureller Gesellschaft zu sprechen, dieser Begriff ist dynamisch und positiv. Multikulturell bedeutet, daß man die Leute in ihrer Vielfarbigkeit anerkennt, sie unter verschiedenen Bannern sieht: eine Teilung weniger in der Geschichte Frankreichs, wie der Kolonialismus sie gestaltet hat und wie Le Pen sie sich zunutze macht. Und wenn wir von Modernität sprechen, so heißt das, daß wir heute weder in der Sozialarbeit noch hinsichtlich der schulischen Problematik der Sündenbock sein wollen.

Frage: Wie beurteilt »France Plus« den Konflikt hinsichtlich des Tragens von Kopftüchern innerhalb Frankreichs?
Amiri: Die Reaktion der Regierung war, daß die beiden Mädchen den Schleier tragen dürfen. Da haben wir in unserer Vereinigung doch die Frage gestellt: Was geht hier eigentlich vor? (Dabei darf man nicht vergessen, daß es in unserer Vereinigung sehr viele junge Frauen gibt.) Zwei junge Mädchen kommen verschleiert in eine Oberschule von Creil und zeigen sich ganz bekehrungseifrig. Ich habe mit den beiden Mädchen gesprochen. Es sind zwei Kinder von 13/14 und 16 Jahren. Bei unserem Gespräch in der Oberschule habe ich zu ihnen gesagt: Wo liegt das Problem? Sie haben mir geantwortet: Nadia, wir haben doch keine Wahl! Wenn ich nach Hause komme und den Schleier abnehme, wird mein Vater aggressiv. Die Eltern zwingen sie zu dieser Haltung.

Und da hat die französische Gesellschaft so ganz spontan gedacht, man müsse doch die Kultur des anderen respektieren. Nun »macht man auf Dritte Welt«, nicht etwa, um Grundrechte wie das der Gleichheit von Mann und Frau zu verwirklichen, nein, vor allem »um die Kultur des anderen zu respektieren«. Der Islam schreibt das Tragen des Schleiers nicht vor. Es geht hier um die politische Ausnutzung der Ausbeutung der Frauen durch die

Männer. Die Frauen dieser Länder kämpfen gegen das Tragen des Schleiers. Und in Frankreich kommt es zu solch einem Echo! Ich weiß nicht, wie man in Deutschland oder in den anderen Ländern reagiert hätte. Belgien hätte auf alle Fälle ebenso wie Frankreich reagiert, denn in Belgien ist das Tragen des Schleiers gestattet. Wir sind dagegen der Meinung, daß es unzulässig ist, die universalen Werte zu verletzen, und das ist auch der Grund, warum wir Frauen von »France Plus« uns dem Tragen des Schleiers widersetzen. Wir wissen, was das bedeutet, auch wenn wir keine herausragenden Spezialisten sind. Wir sind zwar keine Islamologen, doch wir sind fest entschlossen, nicht mehr das zu erleiden, was unsere Tanten und Cousinen täglich im Maghreb erleiden müssen. Als wir spontan Position gegen das Tragen des Schleiers ergriffen, erreichten uns Anrufe von feministischen Organisationen in Algerien und im Maghreb. Sie sagten uns, daß ihre Männer, ihre Politiker auf Europa schauen, um zu sehen, wie man dort reagiert, um dann eine noch schärfere Unterdrückung durchsetzen zu können. Trifft denn ein junges Mädchen oder eine junge Frau wirklich eine objektive Entscheidung, wenn sie sich für den Schleier entscheidet? Wird ihr denn überhaupt ein Recht auf Entscheidung zugebilligt? Haben die Studentinnen, die fundamentalistische Professoren haben, wirklich eine Wahl? Bei Demonstrationen in Algier tragen die Mädchen ihre Schleier. Ich war bei einer solchen Demonstration, bei der die Hälfte der Mädchen verschleiert war. Ich habe sie danach gefragt, und sie haben mir geantwortet: Wenn mein Professor mich auf dieser Demo sieht, bekomme ich schlechte Noten und falle bei den Prüfungen durch. Die Männer werden sicher entgegnen: Unsere Frauen entscheiden sich selbst dafür, den Schleier zu tragen. Was aber entscheiden die Frauen wirklich selbst und was zwingt ihnen die Gesellschaft auf? Die große Moschee von Paris hat eine ambivalente Haltung eingenommen.

Der Schleier steht ja nicht gerade für Modernität. Der Schleier ist ein politischer Zwang. Man kann Muslime sein und keinen Schleier tragen und eventuell keiner vorgeschriebenen Kleiderordnung entsprechen. Ich glaube, daß das Geistliche eine viel entscheidendere Sache ist als das Verbergen des Haares einer Frau.

So waren wir also die ersten, die »nein« gesagt und sich damit in Frankreich Feinde gemacht haben — auch in den Gemeinschaften der Maghrebländer. Andererseits haben wir unter den Franzosen viele Freunde gewonnen. Doch darauf kommt es uns nicht an. Uns geht es darum, den jungen Mädchen die Möglichkeit zu geben, die Oberschule mit erhobenem Kopf zu verlassen und sich sagen zu können: Wenn ich erwachsen bin, werde ich meine Entscheidung selbst treffen, denn in Frankreich habe ich die Möglichkeit, mich für ein konfessionsloses Leben zu entscheiden. Darauf kommt es an!

Was stellt diese multikulturelle Gesellschaft dar? Ist sie ein Schachbrett, auf dem die verschiedenen Kulturen nebeneinander auf den verschiedenen Feldern stehen? Oder gibt es eine Art Dynamik, eine ständige Wechselwirkung? Die aus der nordafrikanischen Einwanderung hervorgegangenen jungen Menschen leben wie junge Franzosen. Sie hören die gleiche Musik, sie gehen in die gleichen Diskotheken und haben ihre Seelen deshalb doch nicht dem Teufel verkauft. Sie träumen nicht davon, sich ihre Haut zu bleichen oder grübeln darüber, ob sie assimiliert sind. Sie sind als Bürger integriert. Man möge endlich aufhören, ihnen ein schlechtes Gewissen einzureden. Wenn man von Multikultur in welchem Sinn auch immer spricht, dann macht man den Kindern ein schlechtes Gewissen. Sie gehen nach der Schule in die Moschee, um dort zu beten und das Gefühl zu haben: So können mich meine Vorfahren wenigstens anerkennen. Wir wollen dieses schlechte Gewissen nicht mehr. Wir sind dafür nicht verantwortlich. Wir haben uns entschieden, hier zu bleiben, und wir haben mit unserer Kultur keine Probleme. Die in den herrschenden Kulturen leben, haben mit uns Probleme.

Gavin Jantjes, London

Heterogenes Denken und Handeln

»Niemand kann sagen, was aus unserer Zivilisation wird, wenn ihr andere Zivilisationen auf andere Weise als durch den Schock von Eroberung und Beherrschung wirklich begegnen. Wir müssen aber zugeben, daß eine derartige Begegnung auf der Ebene eines authentischen Dialogs noch nicht stattgefunden hat. Aus diesem Grunde befinden wir uns in einer Art Pause oder Interregnum, wo wir den Dogmatismus einer einzigen Wahrheit nicht länger ausüben können und noch nicht fähig sind, die Skepsis zu besiegen, in die wir verfallen sind.« (Universal Civilization and National Cultures, 1961, S. 238)

Paul Ricoeurs Zitat wird für Europa und den Westen im nächsten postmodernen Jahrzehnt eine zentrale Frage bleiben. Ich gebrauche diesen Begriff »postmodern« in sehr positivem Sinne, denn wenn wir den Philosophien der Postmoderne nicht wegen ihres Stils, sondern wegen der von ihnen beabsichtigten konzeptionellen Änderung folgen wollen, dann werden unsere Sichtweisen auf die nationalen Kulturen und unser Erfassen der Weltkultur radikal anders sein als heute. Wir müßten von einer monokulturellen zu einer hetero-kulturellen Sicht auf nationale Kultur und die europäische Kultur im allgemeinen übergehen. Als Leiter von Institutionen und Förderer der Kultur müßten wir unseren tagtäglichen Umgang mit kulturellen Dingen ändern und unser Bekenntnis zur kulturellen Vielfalt entsprechend verstärken. Der allgemeine Gebrauch des Wortes *Welt* als Vorsilbe zu kultureller Aktivität in den neunziger Jahren, so in Weltmusik und Welttheater würde morgen mehr bedeuten als das Oberflächliche und Exotische, das ich heute darin erkenne.

Europa hat sich geöffnet, und wir müssen nun im neuen postmodernen Rahmen der *Welt* auf Europa schauen und über Europa nachdenken. Europa muß abgehen von der Position kultureller Dominanz über eine kulturelle Peripherie, die mit ihrer Schaffung definiert wurde, und sich einem neuen Gegenüber stellen, das kühn einen authentischen Dialog mit dem kulturell Anderen sucht.

Großbritanniens Erfahrungen mit der kulturellen Vielfalt haben eine lange Geschichte. Diese Erfahrungen werden Großbritannien durch gute Beispiele praktisch eine führende Rolle in Europa bringen. Denn in Großbritannien und im beherrschenden kulturellen Zentrum hat sich die kulturelle Peripherie wieder eingefunden. London ist heute ein Mikrokosmos des alten britischen Empire und ebenso sind es Birmingham, Liverpool, Bradford, Leeds und Bristol. Großbritannien mußte sich der Frage von Paul Ricoeur dringender stellen als andere europäische Staaten. Es hat noch nicht für alle Probleme der kulturellen Vielfalt Lösungen gefunden, jedoch sind einige seiner Schritte im Streben nach einem authentischen Dialog sehr wohl bedeutsam.

Man könnte auf die Tatsache verweisen, daß Großbritannien in seinem höchsten kulturellen Gremium, dem Arts Council of Great Britain, Vertreter aller seiner Kulturgemeinschaften vereinigt hat, die zu Kulturpolitik und kulturellen Initiativen, zu Kulturstrategie und Kulturaufwendungen als Berater gehört werden. Ich glaube nicht, daß irgendein anderer Staat in der Europäischen Wirtschaftsgemeinschaft so weit gegangen ist. Der mit der Förderung der britischen Kultur im Ausland befaßte British Council findet es nicht mehr schwierig oder peinlich oder weltanschaulich falsch, den Bildhauer Anish Kapoor, dessen kultureller Hintergrund eine asiatisch-jüdisch-britische Mischung ist, zur Biennale von Venedig und eine Anzahl anderer Künstler von gemischter kultureller Herkunft als seine Vertreter zu britischen Kunstausstellungen im Ausland zu entsenden.

Schwarze Schauspieler spielen in der Royal Shakespeare Company Hauptrollen dieses Autors. Es gibt einen asiatischen Intendanten am Nationaltheater und eine bewußte Politik der Integration in großen Teilen der Theaterwelt. Nichts davon stört die nationale Identität der großen englischen Theatertradition. Das Britische Filminstitut hat seinen Anteil an den Erfolgen schwarzer Filmschaffender in England und im Ausland. Das britische Fernsehen hat erkannt, daß im gesamten Gewerbe von den Reinigungskräften bis zum Generaldirektor allen gleiche Möglichkeiten offenstehen müssen. Selbst die alljährlichen Promenade Concerts haben heute neben dem Royal Philharmonic Orchestra eine nationale Steel-Band im Programm.

Kürzlich setzte sich der Arts Council of Great Britain erfolgreich gegen eine gerichtliche Klage wegen diskriminierender Praktiken zur Wehr, die von einer jungen weißen Schriftstellerin angestrengt worden war, weil sie meinte, daß der Arts Council schwarze Schriftsteller bevorzugt unterstütze. Das Gericht befand zugunsten des Arts Council und war der Ansicht, daß dieser eine Pflicht habe, auf ein erkanntes Bedürfnis zu reagieren. Dieses Bedürfnis bestehe darin, daß schwarzen Schriftstellern keine Unterstützung zuteil geworden sei, obwohl ihr Beitrag zur britischen Kultur bedeutsam sei, wie das Beispiel Salman Rushdies zeige.

Alle diese Beispiele, derer ich noch viele erwähnen könnte, lassen Großbritannien als eine Art Trauminsel für die Praxis der kulturellen Vielfalt erscheinen. Ich will Ihnen versichern, daß dem nicht so ist. Rassismus und kulturelle Diskriminierung sind noch die allgemeine Erfahrung bei Künstlern, die sich dem angestrebten authentischen Dialog, der Auseinandersetzung stellen. Doch man muß sagen, daß die Gesellschaft Großbritanniens und ihr Kunst-Establishment lernen, dem kulturell Anderen nicht als Widersacher, sondern als Partner gegenüberzutreten. Der Arts Council Großbritanniens hat sich das Prinzip von Paul Ricoeurs Aussagen zu eigen gemacht und beansprucht in seiner Veröffentlichung »Toward Cultural Diversity«, die nationale Kultur nunmehr als breit und heterogen zu akzeptieren.

Jedoch ist Großbritannien nur ein Staat in der EG, und das Problem besteht für uns darin, auch das übrige Europa zur Anerkennung der Wichtigkeit dessen zu bewegen, was wir derzeit tun. Denn man glaubt nach wie vor, daß die kulturelle Vielfalt ein britisches und kein eigenes Problem sei. Nun, ich persönlich kann all denen, die dieser Überzeugung sind, nicht zustimmen und will deshalb versuchen, meinen Standpunkt anhand der britischen und anderer Beispiele zu erläutern.

Die vor dem Fall der Berliner Mauer veröffentlichte Bevölkerungsstatistik der EG zeigt, daß im Jahre 1995 50 Millionen Menschen in Europa nichteuropäischen kulturellen Ursprungs sein werden. Davon werden rund 30 Millionen die Staatsangehörigkeit des einen oder anderen europäischen Staates besitzen. Wir müssen uns heute also die Frage stellen, wie die kulturellen Bedürfnisse dieser Bürger sein werden und wie wir diese befriedigen wollen.

Werden wir ihnen sagen, daß Europa, weil der Eiserne Vorhang gefallen ist, zunächst nach Osten schauen muß, bevor es nach Süden blicken kann? Wollen wir diesen Bürgern, die Steuern zahlen und in den Genuß voller verfassungsmäßiger Rechte kommen sollten, wirklich bedeuten, daß sie wieder auf die Erfüllung ihrer Rechte warten sollen, wohingegen andere finden, daß sie wegen der dramatischen Veränderungen im Kräfteverhältnis nun zum Vordrängeln ermutigt und zum Eintritt in den Salon des Westens eingeladen sind, um aufgrund ihrer kulturellen Ähnlichkeiten aus der Struktur der kulturellen Unterstützung vollen Nutzen zu ziehen?

Willy Brandt, der bei der Schaffung des Nord–Süd-Dialogs eine so wichtige Rolle spielte, weist zu Recht in letzter Zeit in vielen seiner Reden darauf hin, daß die westliche Demokratie, wenn sie *etwas* bedeuten soll, sie *all* das für ihre Bürger bedeuten muß, wofür sie einsteht. Wenn wir eine Prioritätsskala für die Staatsangehörigkeit aufstellen, auf der der kulturell Andere auf den unteren Sprossen steht, würden wir sehr klar zu erkennen geben, daß wir nicht bereit sind, die von Paul Ricoeur umrissene Frage zu beantworten, daß wir nicht handeln, sondern die Fragen der kulturellen Vielfalt lediglich intellektualisieren wollen.

Das Anwachsen neofaschistischer Aktivitäten in den meisten europäischen Staaten, sowohl an der politischen wie auch der sozialen Front, ist ein deutliches Warnsignal für das Europaparlament, daß das Problem nicht auf eine kleine Insel auf der anderen Seite des Ärmelkanals beschränkt ist. Rassenhaß und kulturelle Diskriminierung sind ein bösartiges Krebsgeschwür im politischen Körper Europas. Fehlende kulturelle Integration schafft stets den fruchtbaren Boden, auf dem die Tabuisierungen des kulturell Anderen gedeihen.

Die einfache Wahrheit, die wir nach Paul Ricoeurs Anspruch nicht länger dogmatisch verfolgen sollten, ist voll von Tabus aus der kolonialen Vergangenheit Europas und seiner neokolonialen Gegenwart. Dieser Dogmatismus, diese singuläre Wahrheit, die wir den westlichen Eurozentrismus nennen, wird seit 30 Jahren von Künstlern an der Peripherie bekämpft. Ihre Herausforderungen zielen auf die beiden Ebenen des kulturellen Seins, die sich im westlich-eurozentristischen Bewußtsein etabliert haben.

Die erste Ebene wird als dynamischer und kinetischer Organismus gesehen, der die Fähigkeit hat, die Vergangenheit, Gegenwart und Zukunft in emotional bewegender Bildhaftigkeit auszudrücken. Er ist visionär, innovativ und reflektiv. Die zweite wird statisch gesehen, der Vergangenheit verhaftet und unfähig, die Gegenwart oder die Zukunft in der innovativen und emotionalen Weise der ersten Ebene zum Ausdruck zu bringen. Sie wird als einfallslos, repetitiv und unkritisch beurteilt und als »primitive«, »vererbte« oder »ethnische« Kunst kategorisiert. Die erste Ebene des westlichen Eurozentrismus ist ein Filter, den die eigenen und alle anderen kulturellen Leistungen passieren müssen, um in der kulturellen Weltsicht des westlich-europäischen Zentrismus einen Platz zu finden und kulturelle Relevanz zu erlangen.

Auch meine Kollegen aus dem Osten werden ihre Erfahrungen mit diesem Filter machen, wenn sie den Salon Westeuropas betreten. Denn schließlich wird er westlicher Eurozentrismus genannt. Nach ihrer Erfahrung sind die Briten angetreten, die Prämisse des westlichen Eurozentrismus zu überdenken und durch etwas anderes zu ersetzen. Durch einen authentischen und fortwährenden Dialog mit dem kulturell Anderen wollten sie diese Alternative finden.

Meine skeptischen Widersacher werden nun freilich darauf verweisen, daß das Szenarium eines authentischen Dialogs automatisch zu Kompromissen und Integration und damit zu einem Verlust kultureller Identität führen muß. Freilich ist dem so, wenn man dieses Problem mit einem rein westlich-eurozentristischen Bewußtsein angeht.

Integration ist für alle Seiten, die an der Dialektik und Praxis der kulturellen Vielfalt beteiligt sind, ein gefühlsbetontes Wort. Die üblicherweise aufgestellte Gleichung besagt, daß Integration gleich Verlust ist, daß durch Vermischung nichts gewonnen wird und daß man Prägnanz und Reinheit verliert.

Die Geschichte der kulturellen Entwicklung überall in der Welt zeigt genau das Gegenteil. Integration ist ein wesentlicher Bestandteil aller kulturellen Entwicklung. Wenn Kulturen aufeinanderstoßen, wenn sie miteinander vertraut werden und sich aneinander reiben, schaffen sie an der Schnittstelle ihrer Begegnung ein erregendes Moment des Wachstums, das aus den Herausforderungen, Widersprüchen und wechselseitigen Informationen entsteht, die jede dieser kulturellen Traditionen der jeweils anderen bietet. Das Wachstum der Kultur in Europa von ihren Anfängen bis zum Beginn des 19. Jahrhunderts belegt dieses Prinzip des Wachstums mit Synkretismus, Adaptation und Integration. Und wenn das Kompromiß bedeutet, dann sei's drum, denn Europa hat daraus sehr viel gewonnen.

Diejenigen, die heute an dem dominierenden westlich-eurozentristischen Bewußtsein festhalten, sind sich darüber im klaren, daß es ihre beherrschende Stellung untergräbt, wenn man die Integration als grundlegendes Element seiner Kulturgeschichte darstellt und die Vermischung als gemeinsamen Bestandteil der europäischen kulturellen Erfahrung anerkennt. Das ist es, was sie in Wirklichkeit aufgeben müßten und worum sie bangen: ihre Dominanz.

Andererseits wollen diejenigen an der Peripherie, die ihre traditionsreiche Vergangenheit aufwerten, weil sie die einzige vom westlichen Eurozentrismus anerkannte Leistung ist, an dieser festhalten, weil sie befürchten, sonst ins kulturelle Dunkel abzusinken. Für sie ist die Integration nicht Verlust, sondern Vernichtung. Eine viel größere Furcht, die durch mangelndes Selbstvertrauen genährt und durch die westlich-eurozentristische Negation der Leistungen des kulturell Anderen erzeugt wird.

Der authentische Dialog, den man in Großbritannien anstrebt, will diese Ungerechtigkeit ausräumen; will beiden Seiten auf ihrem Weg in eine neue Zukunft Vertrauen und Hilfe geben; will das Entstehen einer heterogenen Auffassung von nationaler Kultur zu einer Aussicht machen, die anregt und nicht entmutigt. Vor allem wollen wir jeden aus diesem Dialog entstehenden Schritt finanziell unterstützen.

Wir haben gelernt, daß Schönreden und Nichtstun den Rednern nur größte Verachtung von denen einbringt, über die sie reden. Handeln im Sinne kultureller Vielfalt heißt, die zu befähigen, denen Zugang, Glaubwürdigkeit und Möglichkeiten abgesprochen werden. Es heißt dies, ihnen die Instrumente in die Hand zu geben, mit denen sie selbst Alternativen schaffen können. Ich betone, sie selbst, denn Bevormundung ist bei allen westlich-eurozentristischen Aktionen, die Anderssein einschließen, die

Regel. Eine Tatsache, die durch die feministische Kritik des letzten Jahrhunderts erhärtet wird. Der Arts Council Großbritanniens hatte den Mut, neben die Worte »kulturelle Vielfalt« in seiner Bilanz eine Prozentzahl einzusetzen. Es ist dies nicht viel Geld, wenn man berücksichtigt, welche Forderungen er zu erfüllen hat, doch im Rückblick auf die allerletzten Jahre, wo dort eine Null in der Bilanz stand, ist es schon bedeutsam.

Aktion im Sinne der kulturellen Vielfalt sollte jedoch nicht heißen, das Problem mit finanzieller Hilfe zu kaschieren und sich dann zurückzulehnen und nichts mehr zu tun. Das haben wir aus Fehlern der Vergangenheit gelernt. Die Einbeziehung in den Prozeß der Befähigung ist wichtig, und die Kontrolle darüber ist ausschlaggebend. In diesem Prozeß muß jede Seite für sich eine Rolle finden, die sowohl unterstützend als auch kritisch ist. Gemeinsam sollten sie Aktionspläne entwickeln, in denen Termine für Anfang und Ende festgelegt werden. Sie sollten die geplanten Strategien und Ziele nutzen, um die Ergebnisse ihres Wirkens zu messen.

Es wird niemals eine universelle Lösung für die Probleme der kulturellen Vielfalt geben. Die Erfahrung sagt mir, daß es viele gibt. Doch müssen wir bereit sein, die Lösung zu suchen, die jeder von uns braucht, denn wenn wir nichts tun, werden wir unseren Kinder eine bittere Ernte hinterlassen.

★

Frage: Gavin Jantjes und ich (John Rex) sind beide Exilanten aus Südafrika in der Verkleidung von Engländern, und aus dieser Position möchte ich ihn kritisieren. Ich will Wege aufzeigen, durch die sein Interesse an der Frage der Multikulturalität in Großbritannien, aber auch in anderen Ländern, eine größere Breite erlangen könnte. Ich möchte zwei Punkte ansprechen.

Der erste betrifft seine Aussagen über die Entwicklung eines Dialogs zwischen Gleichberechtigten, denn er spricht über diesen und nicht über Multikulturalität unter Bedingungen der Dominanz einer Gruppe über eine andere. Ich meine sehr wohl, daß wir es im britischen Rahmen und anderswo in Europa, wo sich in der nachkolonialen Zeit Einwanderer angesiedelt haben, nicht mit einer derartigen Situation zu tun haben. Wir haben es vielmehr mit einer Situation zu tun, wo Menschen massenhaft diskriminiert und ghettoisiert wurden und werden, und so möchte man schon über die Art von Dialog sprechen, mit dem die Gleichberechtigung gefördert werden kann. Man möchte einen anderen Dialog als den, der sich 1981 in Brixton und an anderen Orten und auch 1985 abspielte. Ich will sagen, daß wir, wenn es keinen Dialog gab, Konfrontation auf der Straße hatten. Dies erinnert uns an die Art von Dialog, die wir brauchen.

Die andere große Auseinandersetzung in Großbritannien wurde um die Rushdie-Affäre geführt. Sie wurde zu einer Demonstration der verletzten Gefühle der Moslems und zeigte uns das Fehlen einer verständnisvollen Reaktion, denn man spricht über diese Moslems kollektiv als Fundamentalisten: eines jener Wörter, die zum beliebten rassistischen Schimpfvokabular gehören, mit dem die Europäer Moslems bedenken. Wenn wir also über kulturelle Interaktionen sprechen, müssen wir nicht nur über die hohen Künste, sondern auch über die volksverbundene Kunst und die Verbindung zu jenem Prozeß des Dialogs reden.

Zum anderen betrifft die Frage der Multikulturalität jedes Kind, das in der Schule heranwächst. Und so dürfen wir nicht einfach von der Unterstützung der Künstler und der Unterstützung besonderer Minderheiten in den Künsten reden, sondern müssen über das wirklich schwierige Problem der Multikulturalität an den Schulen sprechen. Es ist zu einfach, die Multikulturalität zu bejahen, ohne die Idee der Gleichberechtigung zu bejahen. Denn was sonst in den Schulen geboten würde, könnte sehr wohl eine klägliche Karikatur der Kultur von Angehörigen einer Minderheit sein. Der gesamte Prozess der Förderung der Multikulturalität muß also tatsächlich mit einer Betonung der Gleichberechtigung gekoppelt werden. Sprechen wir also nicht über Multikulturalität, solange wir nicht auch über die Gleichberechtigung zwischen den Menschen sprechen. Sie ist etwas, das sehr detailliert für die Zwecke des Bildungswesens aufgearbeitet werden muß. Und sie muß auch in Beziehungen ausgestaltet werden, die — ganz gewiß in Großbritannien — unsere ghettoisierten Minderheiten mit der Gesellschaft insgesamt aushandeln müssen.

Jantjes: Ich stimme John Rex zu, daß man einen echten, authentischen fortwährenden Dialog nicht führen kann, wenn kein Gefühl der Gleichberechtigung als Voraussetzung dafür vorhanden ist. Ein Dialog geht automatisch davon aus, daß man seinen Partner am Tisch gegenüber als anders, aber als gleichberechtigt anerkennt. Ich glaube, das ist wichtig. Ein weiteres ausschlaggebendes Moment ist die Anerkennung des Unterschiedes in diesem Dialog. Es geht nicht darum, den anderen zu überwältigen; es geht darum anzuerkennen, was der andere einbringt, und somit eine neue Vorwärtsbewegung mit dem einzuleiten, was jeder beigetragen hat, und sich nicht gegenseitig mit irgendwelchen Kulturbestandteilen zu überschütten, die nach der eigenen Auffassung die wichtigsten sind. Solange wir nicht anerkennen, daß die Gleichberechtigung keine Katastrophe wäre, kommen wir zu dem, wovon John Rex sprach: daß die Stimme derer, die die Objekte jener Dominanz sind, nicht in einem Forum, sondern in gewalttätigem Verhalten auf der Straße zu vernehmen ist — denn das gehört zu der in Großbritannien gemachten Erfahrung. Wir haben daraus gelernt, wir haben wirklich erkannt, daß ein wesentliches Element auf dem Weg nach vorn der authentische Dialog auf der Grundlage der Gleichberechtigung ist.

Dusan Jovanovic

Zwischen Ende und Anfang von Utopia

Es geschieht Seltsames mit dem Sozialismus. Er wurde von früheren Kapitalisten erfunden und wird jetzt von früheren Kommunisten zerstört. Dieser eigentümliche Rollenwechsel ist nicht auf Osteuropa beschränkt. Im Westen reichen sich ehemals bittere Konkurrenten in Sachen nationalistischer Leidenschaft die Hände und Integrationsprozesse bestimmen die Tagesordnung, wohingegen im Osten die Desintegration regiert, Vielvölkerstaaten zerfallen. Aus ehemaligen Internationalisten werden glühende Nationalisten.

Shakespeare sagt, die Welt sei eine Bühne und wir bloße Akteure auf ihr. Das Agieren zieht sich in der Tat durch das Zivilisationsgefüge der Menschheit. Es ist Lebensbestandteil ihrer öffentlichen und nationalen Kultur. Ein zivilisierter Mensch agiert nahezu immer. Jemanden zu beeindrucken, jemanden für sich zu gewinnen oder zu ängstigen, jemanden zum Weinen oder Lachen zu bringen sind darstellerische Aufgaben, die ohne besondere Mühe oder Vorbereitung ausgeführt werden.

Im realen Leben ist das Agieren fast ein Reflex, der sich vernunftmäßigen Betrachtungen entzieht. Mit Freud könnte man fast von der Psychopathologie des Agierens im täglichen Leben sprechen. Ungeachtet der persönlichen Fähigkeiten und Talente stellen sich jedermanns Verhalten und Agieren automatisch auf die Umwelt und auf die zugewiesenen oder ausgewählten Rollen ein. Soloauftritte in der Öffentlichkeit werden gewöhnlich besser vorbereitet, denn der Akteur fühlt seine Verantwortung für das Spiel, weshalb sich die Vorführung intensiver gestaltet. Aus diesem Grunde sind die kollektiven Auftritte gefährlicher, manchmal geradezu lebensbedrohlich. Es scheint auch so, daß sie noch immer auf der politischen Bühne in dem Teil Europas vorherrschen, aus dem ich komme — Jugoslawien —, obwohl so viel von der neuerlichen Entdeckung und neuerlichen Bekräftigung des Individuums geredet wird.

Die Psychopathologie des Spielens im täglichen Leben besagt, daß wir nicht nur in unseren echten Rollen agieren. Wir sind zuweilen so sehr von unserem Agieren eingenommen, daß wir selbst als bloße Amateure uns von dem entfernen, was wir eigentlich sind, und dann nicht vermögen, unser Publikum zu überzeugen. Dieses gilt insbesondere für die Politiker, deren Schauspielerstatus irgendwo zwischen Amateurhaftigkeit und Professionalität liegt. Bei uns im Lande reden die Politiker emphatisch vom »Rechtsstaat«, einer unabhängigen Justiz, von Pluralismus, Toleranz und Achtung für die Menschenrechte aller, einschließlich der ethnischen Minderheiten. Und doch weiß die Öffentlichkeit ganz genau, wie weit diese Versprechungen und Losungen reichen und wie die verkündete Demokratie in der Praxis funktioniert. Die Massenmedien nehmen an diesen Bühnenübungen teil und verbreiten das doppelzüngige Gerede der Politiker. Revanchismus, nationalistische Leidenschaften und Ausschließlichkeiten werden herausgestellt, und die Wähler werden so einbezogen und rekrutiert, als ob sie Akteure in einem Mega-Spektakel seien, sorgsam vorbereitet und manipuliert. Wahrheiten werden ausgewählt und Informationen vorenthalten. Öffentliche Auftritte sind taktische Schritte, die Erklärungen sorgfältig dosiert. Das Ergebnis ist ein Chaos von Optionen, bezogenen Positionen, angestellten Kalkulationen, offenen Möglichkeiten und letztlich vorliegenden Berechnungen, von verborgenen Szenarien. Das Spiel ist sorgfältig maskiert und wird in Verkleidung gespielt; selbst die Protagonisten sind sich der Details und ihrer Bedeutung nicht sicher. Anstatt Demokratie zu spielen, finden sich die Beteiligten in einem hektischen Karneval drohender und täuschender Masken, in einem Spiel, das jeden Augenblick eine Wende zum Bösen nehmen kann.

Den Intellektuellen sind Sonderrollen vorbehalten. Von ihnen wurde unter dem alten Regime erwartet, ohne eine eigene Meinung zu funktionieren und eine Reihe von Wahrheiten zu unterstützen und zu vertreten, die von oben vorgegeben wurden. Loyalität gegenüber der herrschenden Politik war wichtiger als alles andere. Die Intellektuellen waren nützlich, weil sie die Lügen verpacken und in verdaulicher Form unter das Volk bringen konnten.

In diesen Tagen ist zu sehen, wie die Intellektuellen, die dem ehemaligen Regime dienten, gemeinsam mit denen, die kritische

Denker und sogar Dissidenten waren, sich eifrig in das politische Spiel nationaler Demokratie stürzen und auf der umgestalteten Bühne der Realität agieren. All die alten Akteure haben neue Rollen bekommen. Und niemandem scheint das peinlich zu sein. Ist diese dramaturgische Wende das Ergebnis klassischer Korruption oder bloß Angst vor dem Vakuum, ist es die von der verbrauchten kommunistischen Utopie hinterlassene Gewohnheit oder die Geburt neuer tragikomischer Illusionen?

In Jugoslawien mit seiner multi-nationalen, multi-religiösen und multi-kulturellen Gesellschaft und großen Gebieten mit gemischter Bevölkerung und zahlreichen ethnischen Minderheiten scheinen die Politiker und Intellektuellen gleichermaßen die Tatsache außer acht zu lassen, daß die alten Konzepte des Internationalismus und Nationalismus sich in die neue Struktur der europäischen kulturellen Realität nicht einpassen lassen. Wir meinen hier natürlich den neuen, wiedergeborenen Mythos des Vereinigten Europa, eines Europas, das allen Völkern eine friedvolle, sichere und würdige Heimat anzubieten scheint. Ein Europa, dessen Aufgabe letztlich darin bestehen könnte, das kulturelle Verteilungssystem so umzugestalten, daß Groß und Klein die Möglichkeit erhalten, sich eine Welt zu schaffen, in der sie Abbilder ihres eigenen und des Lebens anderer erblicken können, die persönlich, genau, ehrlich und hinreichend tief gestaltet sind; eine Welt, in der Differenzen uns nicht bedrohen und frustrieren; eine Welt, in der der politische Diskurs nicht von Manipulationen und Intoleranz beherrscht wird, sondern in der der Begriff Patriotismus sich in dem Wissen und in der Liebe für das gründet, was unsere Gemeinschaft eigentlich darstellt und für die, die hier leben. Eine Welt, in der Platz ist für Intimes und Privates, für Meinungsstreit, Kultiviertheit und Zusammenarbeit über jede Art von Grenzen hinweg.

All dies klingt für jugoslawische Ohren heute wie ein wilder utopischer Traum. Im ausgehenden 20. Jahrhundert mit seinen Stammeskonflikten, Gefängnissen und Irrenhäusern wissen wir tatsächlich nicht viel über das Land, in dem wir leben. Wir sind einander fremd. Wir wissen meistens nicht sehr genau, warum wir hier sind, wie lange wir hier bleiben werden und wer zum Teufel die anderen Kerle sind, die mit uns unter dem brüchigen

Dach leben. Warum ist das so? Ist das das unentrinnbare Schicksal kleiner Nationen — sich abzukapseln und zu verteidigen, um nicht verschlungen zu werden? Oder liegt es an dem lang unterdrückten Bedürfnis nach Selbstverwirklichung und Anerkennung? Oder ist alles bloß einfach ein Spiel ökonomischer Interessen, von Geld und Geschäft? Wie dem auch sei, das Land wird derzeit von den beiden eigentlich bereits verworfenen, überholten Konzepten zerrissen: dem Internationalismus bolschewistischen Ursprungs und dem Nationalismus aus dem 19. Jahrhundert. Einerseits lassen sich die wirtschaftlichen und politischen Probleme nicht einfach dadurch lösen, daß man den Völkern die Souveränität ihrer kulturellen und politischen Identität vorenthält: die alten, platten Losungen von Brüderlichkeit, Einheit, gegenseitigem Verständnis und Freundschaft scheinen nicht mehr auszureichen. Andererseits läßt sich die romantische Wiederbelebung des Völkerfrühlings im 19. Jahrhundert nicht einfach wiederholen, ohne daß die kränkelnden Schatten und Geister der Vergangenheit wiedererscheinen: das Blutvergießen, die kollektiven Massenabschlachtungen — die schmerzlichen Erinnerungen an den Bürgerkrieg und seine Greuel. Infolgedessen entstehen auf allen Seiten Mißtrauen, Haß, Frustration, die jeden vernünftigen Dialog über die möglichen Modalitäten der Koexistenz verhindern. Genau damit haben wir es derzeit zu tun. Der Bolschewismus unterschätzte die emotionale Wirkung der nationalen Werte Stolz und Patriotismus, während die neuen Ideologen der militanten Nationalismen versuchen, die Visionen von Nationalstaaten innerhalb ihrer »historischen und natürlichen« Grenzen zu restaurieren und ihnen neue Gestalt zu verleihen. Obwohl das Zeichnen alter und neuer Landkarten derzeit sehr in Mode gekommen ist, gibt es guten Grund zu einer skeptischen Haltung in bezug auf die Vernunft derer, die da zeichnen. Zum ersten wären die ins Auge gefaßten neuen Staaten in keinem Fall, mit Ausnahme von Slowenien, »ethnisch rein«. Die religiöse, kulturelle und religiöse Vielfalt bliebe als ständige Diaspora Realität und schmerzliche Last. Des weiteren wäre in den neu konzipierten Staaten die Kontroverse zwischen »dem entwickelten Norden und dem unterentwickelten Süden« nicht beseitigt. Was ist also der relative Vorteil der Idee einer Trennung? Eine zynische Antwort auf diese Frage könnte so lauten: »Es ist unsere heilige Pflicht, ein Herrenvolk auf unserem eigenen Grund und Boden zu werden. Wenn wir die Mehrheit stellen, werden wir für unsere Minderheiten gut sorgen. So werden wir anstelle eines Herrenvolkes fünf Herrenvölker haben, was auf jeden Fall gerechter ist.«

Wir können uns selbst und unsere Nation nur dadurch erkennen, daß wir auf andere Menschen schauen. Dies war die göttliche und segensreiche Funktion der europäischen Kultur von jeher. Wie leben, denken, fühlen und schaffen andere Menschen? Sind wir fähig, die Klugheit, Würde und Talente anderer zu bewundern? Was lebt schon immer außerhalb des engen Gesichtsfeldes, das durch unsere geschichtlichen, nationalen, religiösen Gewohnheiten entstanden ist?

Kultur ist auch die Fähigkeit, den Rahmen für den interkulturellen Diskurs zu schaffen. Haben wir das nicht verstanden? Wie sieht dieser Rahmen in Jugoslawien aus? In vielen Regionen beginnt eine neue Welt schon im Haus des Nachbarn und man bemerkt sie nicht und weiß sehr wenig von ihr. Manchmal existiert sie schon in unserem Bett und an unserem Tisch: es ist die Ehefrau, die Mutter unserer Kinder. Interkulturalität bedeutet wahrlich mehr als serbischen Pflaumenschnaps zu trinken oder slowenisches Sauerkraut zu essen. Die Interkulturalität ist ein gutes Mittel zum Überleben, sie ist eine Notwendigkeit, miteinander zu kommunizieren und auf die wertvollen und wichtigen Dinge zu hören, die andere Menschen mitzuteilen haben und oft in anderen Sprachen mitteilen. Ist es denn möglich, daß wir bereit sind, alle anzuerkennen und zu respektieren außer unseren Nachbarn? Wie aufrichtig, wahrhaftig und wertvoll ist diese begrenzte Exklusivität?

Es gibt die klassische europäische Tradition des dramatischen Helden, eines rebellierenden Einzelmenschen, der in einer Art Emigration im eigenen Land und in der eigenen Gesellschaft lebt und mit einer Haltung der Überlegenheit und Verweigerung abseits der allgemeinen Richtung steht. Es leben heute viele einfache Männer und Frauen in unserem Land, die sich weigern, an dem allgemeinen Wahnsinn teilzuhaben, und die den Mut haben, sich für Toleranz, Liebe und Vernunft einzusetzen. Können sie widerstehen und diese Schlacht gewinnen, die so hoffnungslos für immer verloren scheint? Können sie zu Helden des neuen europäischen Utopia werden, oder werden sie nur die letzten Opfer der alten, ausgedienten geopolitischen Phantasmen sein?

Aber das Spiel geht weiter, und das echte Theater, das »künstlerische«, tut sich schwer dabei, mit der Intensität und Leidenschaft Schritt zu halten, die die Psychopathologie des wirklichen Lebens bietet.

Danielle Juteau

Das kanadische Experiment:
Multikulturalität als Ideologie und Politik

Die Geschichte jedes Landes verläuft unterschiedlich, alle Länder entwickeln sich in verschiedene Richtungen, erarbeiten unterschiedliche Konzepte und Varianten, um zu beschreiben, wie sie sind und wie sie sein wollen. Jemandem, der sich um Verständnis dafür bemüht, wie sie sich aufbauen und wie sie durch wen wozu verändert werden, bieten sie einen fesselnden Gegenstand zum Nachdenken über sich und die anderen. Zu den vielen faszinierenden, Ihnen allen vertrauten Vorgängen, aus denen eine nationale Gemeinschaft und deren Repräsentation entstehen und die deren Grenzen deutlich werden lassen, gehören die Kriterien für Zugehörigkeit und Nicht-Zugehörigkeit, das Vorbringen divergierender Auffassungen über wünschenswerte Beziehungen zwischen den ansässigen Gruppen sowie das Umreißen von Wegen zur Erlangung von Gleichheit, die jedoch nur einige wenige Beispiele verkörpern. Auch Kanada stellt in dieser Hinsicht keine Ausnahme dar.

Als im Jahre 1989 eine Behörde für Multikulturalität und Staatsbürgerschaft ins Leben gerufen wurde, um die Verwirklichung des am 21. Juli 1988 einstimmig angenommenen kanadischen Gesetzes über Multikulturalität abzusichern, stand Kanada nach außen als Paradies einer segensreichen und toleranten Vielfalt und als nachahmenswertes Vorbild da. Aber nach weniger als einem Jahr befand sich die Nation in Auflösung, ihr internationales Ansehen lag in Scherben.

Zum ersten hat der Fehlschlag der Übereinkunft von Meech Lake in Kanada zu einer Verfassungskrise von beträchtlichem Ausmaß geführt; eine »Commission sur l'avenir politique et constitutionnel du Quebec« untersucht derzeit neue und völlig andere Formen der Partnerschaft zwischen Quebec und Kanada, wobei Quebec bereits in Richtung Souveränität strebt.

Zum zweiten haben die Konflikte vom Sommer 1990 um Kahnawake und Kanasatake, die von den Mohawk-Indianern vorgetragenen Forderungen, die gelegentlich feindseligen Reaktionen der herrschenden Gruppen sowie ihrer Regierungen, der gewählten Führungen, ihrer Polizei und auch der normalen Staatsbürger die ungleichen Machtverhältnisse zwischen den Ureinwohnern und den Gruppen der Eroberer in Kanada deutlich gemacht; die ökonomische, politische, und kulturelle Unterordnung der seit Jahrhunderten zum Schweigen gebrachten und in den Hintergrund gedrängten Ureinwohner Kanadas war auf den Fernsehbildschirmen der Welt zu sehen und läßt sich aus dem kanadischen Denken und der kanadischen Politik nicht mehr herauslösen.

Zum dritten verweisen auch andere Geschehnisse darauf, daß nicht alles im Paradies in Ordnung ist: im Jahre 1989 wurde ein neues Gesetz angenommen, daß den Zuzug von Flüchtlingen einschränkt, es gibt eine wachsende Anzahl von jahreszeitlich begrenzten Aufenthaltserlaubnissen, noch immer sind die ethnischen Gruppen stratifiziert, und die Minderheiten sehen sich tagtäglich Diskriminierung und Belästigungen ausgesetzt.

Nunmehr, da der Vorhang zerrissen ist, wollen wir einmal hinter die Kulissen blicken, um die zu Tage getretenen Widersprüche zwischen der Realität und ihrer Darstellung bis zu einem gewissen Grade zu verstehen. Das wird uns in die Lage versetzen, ein wenig Licht in die Paradoxa, die Beteiligungen, die Versäumnisse, die blinden Flecken sowie die Stärken und Schwächen von Multikulturalität als Ideologie und politischem Grundsatz zu bringen.

Am Anfang werden wir die Faktoren ansprechen, die ursprünglich zu der im Jahre 1971 gesetzlich verankerten politischen Grundlinie geführt haben, und dann im weiteren deren Verschiebungen und Evolutionen seit Anfang ihrer Existenz vor nahezu 20 Jahren verfolgen. Dabei wird die Multikulturalität als Bereich der kämpferischen Auseinandersetzung zwischen konkurrierenden Kräften gesehen werden, als ein Manifestationspunkt von Machtbeziehungen, die differenzierte und hierarchisch angeordnete gesellschaftliche Klassen sowie ethnisch-nationale Gruppen in Widerspruch zueinander bringen. Dabei handelt es sich um die ursprünglichen Nationen, die Franzosen, die Briten sowie diejenigen, die ethnisch weder von den Briten noch von den Franzosen abstammen. Die Betonung wird auf den widersprüchlichen Aspekten einer Politik liegen, die in dem Maße einschließt, wie sie ausschließt.

Kanada ist ein relativ junges Land, dessen Geschichte auf zwei unterschiedlichen Prozessen beruht, nämlich zum ersten der Eroberung und der Kolonialisierung, denen sich ein ständiger Strom von Einwanderern anschloß. Das Land befindet sich in einem von Erschütterungen nicht freien Vorgang der Schaffung einer Nation, der fortlaufend Bedrohungen ausgesetzt ist.

Seit der Schaffung der Konföderation im Jahre 1867 haben sich im Lande viele Veränderungen sowohl materieller als auch symbolischer Art ergeben. Im demographischen Sinne läßt sich Kanada in den Worten von Porter aus dem Jahre 1965 mit einem Bahnhof vergleichen, auf dem ständig Menschen ankommen und abreisen. Im Zeitraum von 1851 bis 1951 sind 7,1 Millionen Einwanderer zu uns gekommen, während 6,6 Millionen Menschen das Land verlassen haben.[1] Der Demograph Réjean Lachapelle erkennt vier Hauptperioden in der Besiedlung Kanadas.[2] Die ursprünglichen Nationen der amerikanischen Indianer wurden ab dem 16. Jahrhundert von den Franzosen kolonialisiert, die ihrerseits 1760 von den Briten besiegt wurden; schließlich kam besonders im 20. Jahrhundert eine große Gruppe von Einwanderern nach Kanada. Die siegreichen Gruppen bezeichneten sich als Gründernationen, und die jeweiligen Eroberer bestimmen im Wechsel die Gründernationen als Ureinwohner, wobei alle anderen entweder als Volksgruppe oder Neukanadier angesprochen worden sind. Das galt selbst dann, wenn sie bereits in der dritten oder vierten Generation von Einwanderern abstammten.

Mit den vielen Einwanderern, die in unserem Lande seßhaft wurden, hat sich auch die ethnische Zusammensetzung in hohem Maße verändert. Kanada hat nunmehr eine Bevölkerung von 26 Millionen; zwischen 1896 und 1914 kamen über drei Millionen Einwanderer ins Land, zwischen 1946 und 1981 waren es noch einmal 4,9 Millionen. Im Jahre 1986 waren 15,6 % der kanadischen Bevölkerung außerhalb des Landes zur Welt gekommen.

Anglo-Konformität und Begünstigung der Einheimischen gegenüber den Zugewanderten kennzeichneten die vorherrschenden Ideologien, und die kanadische Regierung war auf der Suche nach Einwanderern weißer Hautfarbe, möglichst Briten und im schlimmsten Falle Europäer, die sich leicht assimilieren ließen. Das hatte zur Folge, daß im Verlauf dieses Zeitraums 1,25 Millionen Einwanderer aus Großbritannien, eine Million aus den Vereinigten Staaten sowie 750 000 aus Mittel-und Osteuropa kamen. Mit dem Stand von 1951 ergab sich dabei folgende Zusammensetzung der kanadischen Bevölkerung: Briten 47,9 %, Franzosen 30,8 %, andere Europäer 18,2 %, Asiaten 0,5 % sowie andere 2,5 %.[3] Eine derartige ethnische Zusammensetzung war also kein Zufall, denn der kanadische Staat betrieb aktiv eine selektive Einwanderungspolitik.

In ihrer kulturell-symbolischen Dimension war die Schaffung einer Nation in Kanada auf den Aufbau einer Gesellschaft britischen Typs ausgerichtet. In den meisten Teilen von Kanada verlief dieser Aufbau sowie die Oktroyierung eines britischen Identitätsmodells und Symbolsystems recht erfolgreich.

In dem Maße, in dem sich die Einwanderer nach ihrer Ankunft vorwiegend im westlichen Kanada niederließen, und man von ihnen erwartete, daß sie Kanadier würden, d. h. »... innerhalb eines Systems von Institutionen britischen Typs Englisch (zu) sprechen«[4], wurde das Französische in den Schulen von Ontario und Manitoba sowie in dessen gesetzgebender Körperschaft abgeschafft. Es wird geschätzt, daß 390 000 Frankokanadier zwischen 1890 und 1920 die Grenze überquerten und in die Vereinigten Staaten auswanderten. Kanada war guter Hoffnung, so weiß, angelsächsisch und protestantisch zu werden wie nur irgend möglich. Die Briten gaben den Ton an, die Franzosen und diejenigen Einwanderer, die sich nicht assimilieren ließen, blieben ausgeschlossen — und zwar sowohl materiell als auch symbolisch. Nicht nur, daß ihre Symbole und Sprachen auf nationaler Ebene und innerhalb des staatlichen Apparats nicht geführt wurden — diese Einwohner belegten darüber hinaus die untersten Plätze in der sozioökonomischen Hierarchie.[5] Das kanadische Mosaik, ohnehin mehr dem Zufall geschuldet als geplant, verlief vertikal.

Dieser spezifische Prozeß der Schaffung einer Nation und das ihr zugeordnete Konzept von Kanada sowie einer kanadischen Identität wurde bald einer Herausforderung ausgesetzt. Dabei handelte es sich um die kombinierte Wirkung von zwei Faktoren: der wachsenden Einwanderung nach dem Zweiten Weltkrieg und dem zunehmenden Nationalismus in Quebec.

Die Nachkriegszuwanderung nach Kanada war hoch, denn zwischen 1946 und 1970 kamen 3 414 857 Einwanderer ins Land.[6] In dem Maße, wie nicht-englische und nicht-französische Volksgruppen vorwiegend in den großen städtischen Zentren wuchsen, veränderte sich auch die ethnische Zusammensetzung Kanadas. Dies wiederum fügte dem Ganzen ein weiteres Element hinzu, denn das mit solcher Sorgfalt um die ethnische Homogeneität herum errichtete System der Vertretungskörperschaften wurde damit in Frage gestellt.

Gleichzeitig ergaben sich für Quebec, die Heimstatt der frankokanadischen Nation, wichtige materielle und symbolische Veränderungen (im Jahre 1986 waren 77,7 % der Einwohner von Quebec französischen Ursprungs und 82,2 % der Menschen französischer Herkunft leben dort).

Die Expansion des anglo-amerikanischen Kapitalismus hatte die Industrialisierung und Urbanisierung von Französisch-Kanada zur Folge, sie bewirkte eine Erosion der ländlichen Basis der franko-kanadischen Volkswirtschaft, führte zur Integration der franko-kanadischen Arbeiter in die kapitalistische Produktionsweise sowie zu einer neuen ethnischen Arbeitsteilung. Diese ökonomischen Vorgänge schwächten die Machtbasis der Kirche, die die Regulierung, Organisation und Steuerung der französischen Gesellschaft in Kanada dominiert hatte, und sie begünstigten das Entstehen neuer Eliten, die schließlich im Jahre 1960 die Kontrolle über die Provinz übernahmen. Die darauffolgende Modernisierung, Erweiterung und Bürokratisierung des Staatsapparats von Quebec führten zu einer zunehmenden Betonung der territorialen Aspekte, denn man meinte, daß der Bundesstaat Quebec im Namen der Bewohner von Quebec und nicht der Franko-Kanadier handelte. Diese Stärkung des Staates führte bald zum Entstehen einer eigenen sozialen Identität.

Dieser Übergang vom »Wir« der Franko-Kanadier zum »Wir« der Einwohner von Quebec entspricht einer Modifizierung der Gruppenidentität sowie der Gruppengrenzen; das schließt die Entstehung neuer Kriterien für Zugehörigkeit und Nichtzugehörigkeit ein. Eine derartige Verschiebung in Richtung auf eine territoriale Identifikationsgrundlage und eine Kommunalisierung trat in den frühen sechziger Jahren ein und steht im Zusammenhang mit dem Erscheinen neuer politischer Zielsetzungen und Projekte für die Franko-Kanadier in Quebec.

Der Übergang von den Franko-Kanadiern hin zu den Bewohnern von Quebec ging mit einer Verschiebung vom Franko-Kanadischen zum Frankophonen und vom Anglo-Kanadischen zum Anglophonen einher; wir werden später noch sehen, daß diese beiden Prozesse in enger Wechselwirkung miteinander stehen und sich auch überlappen. Um es ganz präzise anzusetzen: diese Verläufe ergaben sich Anfang der sechziger Jahre, wie durch eine Untersuchung für den Bezugsrahmen der 1963 ins Leben gerufenen Königlichen Kommission über die Zweisprachigkeit und die Bikulturalität nachzuweisen ist:

»... Empfehlungen für Maßnahmen vorzulegen, die mit dem Ziel eingeleitet werden sollten, die kanadische Konföderation auf der Grundlage einer gleichberechtigten Partnerschaft zwischen den beiden sie begründenden Rassen (sic!) zu entwickeln. Das sollte unter Berücksichtigung der Beiträge weiterer ethnischer Gruppen zur kulturellen Bereicherung Kanadas wie auch der zum Schutz dieser Leistungen zu ergreifenden Maßnahmen geschehen.«[7]

Beim Weiterlesen fällt auf, daß sich eine allmähliche Verschiebung der Schwerpunktsetzung ergeben hat: die Bewegung führt von einer gleichberechtigten Partnerschaft der Gründervölker zur Gleichheit von zwei Sprachen und zwei Kulturen. Lösungen, die eine grundlegende Umstrukturierung der zentralen politischen Institutionen zur Folge gehabt hätten, wurden außer acht gelassen, dazu gehörten auch Projekte, die sich mit der Anerkennung von zwei Nationen, einem Sonderstatus sowie der Assoziierung auf politischer Ebene befaßten. Die Bundesstaaten verloren nach und nach an Bedeutung. Eine gleichberechtigte Partnerschaft sollte nunmehr in sprachlichen und kulturellen Begriffen bestimmt werden, da es jetzt um die Gleichberechtigung zweier Sprach- und zweier kultureller Gruppen ging. Es sollte in Kanada keinen Binationalismus geben, und es ist deshalb keine Überraschung, daß im Jahre 1969 das »Gesetz über die Amtssprachen« angenommen wurde. Dadurch wurde der gleichberechtigte Status von zwei linguistischen Gruppen, nämlich der anglophonen und der frankophonen, anerkannt, nicht aber die Existenz zweier Nationen.

Jeder fühlte sich von diesem Prozeß teilweise ausgeschlossen oder benachteiligt: Die Ureinwohner wurden zum großen Teil übergangen, die Franzosen erhielten nicht den Status einer Nation und die anglophonen Kanadier waren der Ansicht, daß ihnen das Französische aufgezwungen wurde. Weiterhin meldete sich im Kontext dieser Neudefinition Kanadas eine zusätzliche Stimme, die als dritte Kraft in Kanada identifiziert wurde und der vorwiegend Abkömmlinge nicht-britischer und nicht-französischer Einwanderer angehörten. Diejenigen nahezu fünf Millionen Kanadier, die nicht zu den beiden »Gründervölkern« gehörten, waren empört darüber, daß man sie links liegen ließ.[8] Angehörige dieser Gruppen fochten die Entwicklung eines zweisprachigen und bikulturellen Bilds von Kanada an, das sie aus dieser Neubestimmung und der Neugliederung der kulturellen und symbolischen Ordnung Kanadas ausschloß. An die Stelle von Bikulturalität wurde so die Multikulturalität gesetzt, der Binationalismus ebnete dem Prinzip der Partnerschaft aller Völker den Weg, die zur Entwicklung und zum Fortschritt Kanadas beigetragen haben. Breton vertritt die Auffassung, daß ein derartiger Grundsatz dem Streben dieser ethnischen Gruppen nach einem bestimmten Status in Kanada Rechnung trug, eine derartige Politik war um eine Umverteilung des sozialen Status unter den linguistischen und ethnischen Gruppen innerhalb der kanadischen Gesellschaft bemüht.[9]

Die Politik

In einer Rede vor dem Unterhaus am 8. Oktober 1971 erklärte der kanadische Premierminister, daß der kulturelle Pluralismus das Wesen der kanadischen Identität verkörpere: obwohl es zwei Amtssprachen gibt, gebe es keine offizielle Kultur und keine der ethnischen Gruppen solle irgendeiner anderen übergeordnet werden.[10]

»Die Regierung wird den unterschiedlichen Kulturen und ethnischen Gruppen, die unserer Gesellschaft ihre Struktur und Vitalität verleihen, Unterstützung und Ermutigung zukommen lassen. Sie werden darin bestärkt werden, ihre kulturelle Ausdrucksweise und ihre Werte mit anderen Kanadiern zu teilen und solcherart zu einem Leben beizutragen, das uns alle reicher werden läßt.«

Die Annahme einer multikulturellen Politik implizierte de facto eine Anerkennung des kulturellen Pluralismus und seine Erhebung in einen Zustand des normativen Pluralismus: dies ist Ausdruck dessen, daß kultureller Pluralismus innerhalb eines zweisprachigen Kontexts das Wesen der kanadischen Gesellschaft wie auch der kanadischen Identität ausmacht; die Vielfalt der Kulturen wurde als wünschenswerter Zustand wie auch als Ziel festgeschrieben. Jedoch vernebelt eine derartige Politik das Bestehen der ursprünglichen Nationen, sie negiert den nationalen Status der Franzosen, trennt Kultur von Sprache und sagt nichts über die politischen und wirtschaftlichen Ungleichheiten, mit denen die betreffenden Gruppen konfrontiert sind.[11] Ebenfalls wird so das Vorhandensein von Rassismus und von Rassendiskriminierung sowie das Elend der eingewanderten Frauen heruntergespielt. Die derart entstehende Repräsentation der kanadischen Nation, so ideal sie auch immer erscheinen mochte, baute auf der Negation oder zumindest der Tarnung der sie konstituierenden Machtrelationen auf. Spielte der Staat hier etwa sein zynisches Spiel? War der goldene Apfel gar durch und durch verfault?

Die Multikulturalität seit 1971

Es kam deshalb nicht überraschend, daß dieser Politik ein deutlich artikulierter Sturm herber Kritik entgegenblies. Einige der damaligen Kritiker bezeichneten sie als Lüge, als einen Witz, als ein reines Wortspiel, als zynischen Grundsatz mit dem Ziel, das ethnische Wählerpotential zu kaufen oder als Werkzeug der ideologischen Beeinflussung zu benutzen, die Macht der anglokanadischen Eliten wiederherzustellen.[12] Andere Kritiker vertraten die Auffassung, daß diese politische Linie nicht zum Ziel habe, eine Gleichberechtigung der ethnischen Gruppen herbeizuführen, daß sie die Kultur und ihre Folkloreelemente überbetone und auch Kultur von Sprache trenne. Schließlich stellten einige Kritiker fest, daß die Beibehaltung der kulturellen Vielfalt dem liberalen Prinzip der Chancengleichheit zuwiderlaufe[13] oder zur Spaltung beitrage.

Jedoch steht im Jahre 1990 die Multikulturalität als politischer Grundsatz, als Ideologie sowie als praktisches Instrument sowohl im englischsprachigen Kanada wie auch in Quebec — wo sie als Interkulturalität bezeichnet wird — in voller Blüte. Eine kürzlich durchgeführte Meinungsumfrage hat ergeben, daß zwei Drittel der Kanadier diese bundesstaatliche Politik der Multikulturalität gutheißen und »glauben, daß multikulturelle Politik zum besseren Verstehen zwischen Gruppen führt«.[14] Wie läßt sich nun diese unerwartete Popularität erklären? Die Zyniker sind der Auffassung, daß die Multikulturalität ein Geschäft ist, bei dem es um Millionen von Dollar geht, eher ein plumpes System von politischem Maklertum als ein edelmütiges Ideal.[15] Offensichtlich verharrt eine derartige Analyse zu sehr im Bereich des vereinfachenden Denkens, und die Lage erfordert ein subtileres Sondieren, etwa der Art, wie es Stasiulis an den Tag legt. Wir wollen nunmehr die Evolution der Multikulturalität untersuchen und die hauptsächlichen Faktoren für ihr Fortbestehen und ihre Veränderungen herausschälen.

Wie Max Weber darlegt, sind Ideen vor der Geschichte zum Untergang verurteilt, wenn sie nicht Verhaltensweisen implizieren, die von verschiedenen Interessen vorangetrieben werden.[16] Anders gesagt, diejenigen Ideen und Ideologien, die nicht fallengelassen werden, sind diejenigen, die eine Affinität zu den Interessen Angehöriger bestimmter Schichten erlangen. Sie rechtfertigen und motivieren materiell interessierte Schichten.[17] In ebendiese Richtung hat sich die Multikulturalität entwickelt: trotz ihrer Mängel ist sie so verändert worden, daß sie neuen Ideen und Forderungen entspricht, wie sie von der »ethnischen« Bevölkerung Kanadas formuliert worden sind.

Die Evolution der Politik und ihres Mechanismus

In der ursprünglichen Erklärung von 1971 im Unterhaus wurden vier grundlegende Ziele dargelegt: das Festhalten und ein gegenseitiges Nutzen der Kultur, das Studium der Amtssprachen und der Abbau von kulturellen Barrieren auf dem Wege zur Chancengleichheit.[18] Diese schließen das Prinzip der Gleichstellung, das Prinzip einer gemeinsamen Nutzung der kanadischen Kultur, die freie Wahl der Lebensformen und der kulturellen Eigenheiten wie auch der Schutz der bürgerlichen Rechte ein.[19]

Es unterliegt gar keinem Zweifel, daß die Politik in dieser ersten Phase die ideellen Interessen betonte, die vorwiegend im Bereich des Symbolischen zu finden waren; trotzdem handelt es sich um durchaus reale Interessen und dieser Grundsatz hat dazu beigetragen, das Bild der kanadischen Gesellschaft und ihre Identität zu modifizieren und drastisch zu verändern. Die Menschen nicht-französischer und nicht-britischer Herkunft wurden endgültig in die nationale Gemeinschaft Kanadas eingegliedert, wenn auch zu Lasten der Ureinwohner und der Franko-Kanadier. Um diese Zielsetzungen zu verwirklichen, wurden Strukturen geschaffen und Programme umgesetzt. So ernannte der Premierminister 1972 einen für Multikulturalität zuständigen Staatsminister und im Jahre 1973 wurden zwei beratende Körperschaften ins Leben gerufen: der Kanadische Konsultativrat zur Multikulturalität (nach einer Umbildung nunmehr der Kanadische Rat zur Multikulturalität) sowie der Beratende Ausschuß für ethnische Studien. In den Jahren unmittelbar nach seiner Gründung hat der Rat drei nationale Konferenzen einberufen sowie regelmäßig regionale und nationale Treffen durchgeführt. Er hat des weiteren in den Jahren 1973 und 1977 der Regierung Empfehlungen vorgelegt.[20] Innerhalb des Bereichs des Ministers wurde ein Direktorat für Multikulturalität eingerichtet, das für die Erarbeitung sowie die Durchführung von bundesstaatlich finanzierten Programmen zuständig ist. Bis zum Jahre 1978 wurden: Verbindungen zu ethnischen Gemeinschaften und zur ethnischen Presse hergestellt, Studien und Forschungstätigkeit ins Leben gerufen und vorangetrieben; der Kanadischen Vereinigung für Ethnische Studien Unterstützung gewährt, so daß diese sich zu einer vollwertigen Gelehrtengesellschaft entwickeln konnte; Betätigungen in den darstellenden und den bildenden Künsten gefördert; Unterstützung für Programme zum Erhalt von nicht-Amtssprachen gewährt sowie Zuschüsse für eine große Vielfalt weiterer Projekte eingeräumt.[21]

Dabei war das Budget von 1,8 Millionen im Jahre 1971-1972 auf 6,1 Millionen für das Finanzjahr 1977-1978 angewachsen.[22] Wie Burnet hervorhebt[23], haben auch weitere Bundesbehörden für die Kultur sowie Ministerien ihren Beitrag zur Verwirklichung der Multikulturalität geleistet; darüber hinaus haben zahlreiche Provinzen, wie etwa Ontario, Manitoba, Saskatchewan, Alberta und British Columbia recht bald eigene multikulturelle Grundsätze angenommen. Im Jahre 1981 veröffentlicht die Regierung von Quebec ihren Plan d'action à l'intention des communautés culturelles.

Obwohl sich nach Annahme der Grundsatzentscheidung zahlreiche Tätigkeiten entwickelten, gab es ein hohes Maß an Unzufriedenheit. Zu dieser Situation haben viele Faktoren beigetragen: Quebec erblickte in dieser Politik noch immer eine Sabotage der angestrebten gleichberechtigten Partnerschaft[24]; die für die Ausbildung in den nicht-Amtssprachen zur Verfügung gestellten Mittel waren minimal, denn sie stellten lediglich 3 bis 4 % der Gesamtausgaben dar[25]; die wirtschaftliche und politische Ungleichheit wurde nicht angepackt. Diese Faktoren verstärkten den schlechten Ruf dieser Politik. Sie wurde als eine sich in Liedern und Tänzen ausdrückende und auf Kellerräume von Kirchen beschränkte Multikulturalität bezeichnet. Anders ausgedrückt, konzentrierte sich diese Politik auf ein sehr begrenztes Ziel, nämlich die Erhaltung folkloristischer Züge der eigenen Kultur.

Eindeutig mußten stärker materielle Interessen verfolgt werden, wenn diese Politik eine gewisse Glaubwürdigkeit erlangen und die Bedürfnisse der neuen ethnischen Bevölkerung Kanadas befriedigen sollte. In den Jahren 1962 und 1967 wurden neue Einwanderungsbestimmungen in Ergänzung zum Einwanderungsgesetz von 1952 erlassen. Für geförderte Einwanderer wurden die Bestimmung über Herkunftsland und geographische Diskriminierung gestrichen. Die Bevölkerungszusammensetzung Kanadas veränderte sich, denn ethnische Gruppen, die weder britischer noch französischer Herkunft waren, nahmen zahlenmäßig zu, besonders in den großen städtischen Ballungszentren. Im Jahre 1986 erreichte die Zahl von Einwanderern in Kanada 3 908 150, und das entspricht 15,6 % der Gesamtbevölkerung. Von den außerhalb Kanadas geborenen Menschen kamen im Jahre 1986 18 % aus Asien, 62 % aus Europa, 4 % aus Mittel- und Südamerika, 7 % aus den Vereinigten Staaten, 5 % aus dem karibischen Raum und weitere 5 % aus Afrika und Ozeanien. 53,4 % der Einwanderer leben in den großen städtischen Räumen, wie etwa in Toronto (36,3 % der dortigen Gesamtbevölkerung sind Einwanderer), in Vancouver (dort sind 28,8 % der Gesamtbevölkerung Einwanderer) und Montreal, wo die Einwanderer 15,9 % aller Einwohner stellen. Seit den Veränderungen im Einwanderungsgesetz und den zunehmenden Flüchtlingszahlen haben sich auch die Herkunftsländer der Einwanderer sehr geändert: zwischen 1981 und 1986 kamen 43 % der Einwanderer in Kanada aus Asien, 29 % aus Europa und 10 % aus Mittel- und Südamerika.

Die Trennung zwischen Sprache und Kultur wurde von den Einwanderergruppen noch immer in Frage gestellt. Die neuen Gruppen hingegen standen vor Problemen wie Arbeitslosigkeit, Diskriminierung, Wohnungsbeschaffung, sowie der Anpassung an die Schulsysteme. Die Rechte der Ureinwohner blieben weiterhin unberücksichtigt. Die Unzufriedenheit war groß.

Die Multikulturalität in den achtziger Jahren

Interessanterweise trug der sowohl von neuen wie von alten Einwanderergruppen ausgeübte Druck doch Früchte. Seit den achtziger Jahren hat sich die Multikulturalität auch mit sozialen Fragen befaßt und die mit dieser Ideologie einhergehenden Programme haben sich sowohl in ihrer inhaltlichen Breite wie auch von der Zahl her ausgedehnt. Hier gibt es fünf bedeutsame Veränderungen.

Erstens haben die für die Multikulturalität tätigen Verwaltungsbeamten erkannt, wie wichtig die Beibehaltung traditioneller Sprachen für die Erhaltung der Kultur ist. Die für diese Sprachen eingeräumten Geldmittel stiegen zwischen 1981 und 1984 auf nahezu 20 % des Budgets an.[26] Offiziell ist Kanada nach wie vor ein zweisprachiges Land, die anderen ethnischen Gruppen können nunmehr Geldmittel für ihre eigenen Sprachenprogramme bekommen.

Zweitens hat sich eine Tendenz zur Bekämpfung des Rassismus herausgebildet, nachdem im Jahre 1981 ein nationales Antirassismusprogramm angenommen worden war. Im Rahmen des Direktorats für Multikulturalität wurde eine Einrichtung für »Beziehungen zwischen den Rassen« geschaffen. In Kanada wurde der Begriff »sichtbare Minderheit« für die Bezeichnung von nicht-

Weißen geprägt und obwohl er eine deutliche Verbesserung gegenüber dem Begriff der »Rasse« darstellt, wird damit doch sonderbarerweise davon ausgegangen, daß Weiße unsichtbar sind. Die sichtbaren Minderheiten umfaßten im Jahre 1986 1 577 710 Personen oder 6,3 % der Gesamtbevölkerung Kanadas und zu ihnen gehören die folgenden Gruppen: Ursprüngliche Nationen und Abkömmlinge von Franzosen und Indianern sowie die Menschen aus Afrika und den arabischen Staaten, aus China, Indien, Pakistan, Japan, Korea, Südostasien, Lateinamerika, von den Inseln im Pazifik, den Westindischen Inseln sowie den Philippinen.

Diese »sichtbaren« Minderheiten sind sowohl von der symbolischen wie auch der materiellen Ordnung ausgeschlossen. Sie haben sich nicht nur nicht in einer weißen multikulturellen Politik wiedergefunden, die auf eine Umstrukturierung der Symbolordnung abzielte, sondern darüber hinaus haben Untersuchungen das Bestehen individueller sowie systemischer Diskriminierung in Kanada nachgewiesen. Diese Menschen beklagten, daß sie in allen Gebieten der Macht unsichtbar seien. Der »Sonderausschuß für die Einbeziehung der sichtbaren Minderheiten« diskutierte im Jahr 1983 mit der Öffentlichkeit und legte im Jahr 1984 einen Bericht unter dem Titel »Gleichheit Jetzt«! vor. Darin wurden viele wichtige Empfehlungen in bezug auf die soziale Integration, die Beschäftigungslage, die Politik der öffentlichen Hand, das Rechtswesen, die Medien sowie das Bildungswesen formuliert und die Notwendigkeit zum Handeln betont, das sich sowohl auf die konkreten wie auch auf die symbolischen Dimensionen beziehen müsse.[27] Obwohl die Behörde für Beziehungen zwischen den Rassen im Direktorat für Multikulturalität wegen ihres durchgängig beschwichtigenden und vorsichtigen Vorgehens kritisiert wurde, hat sie auf die Beschwerden reagiert, die die Angehörigen der »sichtbaren Minderheiten« vorgetragen haben:

Die Einrichtung hat des weiteren die Anstrengungen der organisierten Arbeitskräfte in den Bundesstaaten Ontario und Quebec unterstützt, sich an Aufklärungskampagnen über Rassismus am Arbeitsplatz zu beteiligen. Sie hat einen Beitrag zur Erarbeitung von kulturübergreifenden Ausbildungsprogrammen für die Mitarbeiter der Children's Aid Society sowie der Polizei geleistet. Sie hat im weiteren die Forschungstätigkeit, sowie die Erarbeitung audiovisueller und anderer Hilfsmaterialien auf dem Gebiet der Beziehungen zwischen den Rassen unterstützt.[28]

Zum dritten wurden auf unterschiedlichen Gebieten, vorwiegend im Bildungswesen, vielfältige Programme ins Leben gerufen. Da das Bildungswesen in Kanada der Hoheitsgewalt der Provinzen untersteht, muß es im Bezugsrahmen der zehn verschiedenen Provinzen analysiert werden, was an dieser Stelle zu weit führen würde. Jedoch haben die meisten Provinzen die Frage der multikulturellen Bildung aufgegriffen und zu diesem Zweck eine Unzahl von Programmen erarbeitet. Nach Mcleod gibt es drei Formen des Herangehens an die multikulturelle Bildung:

a) die ethnospezifische Variante, die sich darum bemüht, den Kräften der Assimilation entgegenzutreten und die Beteiligung an oder die Bekanntschaft mit dem ethnischen Erbe zu verstärken;

b) die problemorientierte Variante, die mit dem Ziel entwickelt wurde, erkannte besondere Bedürfnisse oder Anforderungen aufzugreifen, die mit dem Schulwesen oder der Assimilation bzw. der Integration von Menschen mit unterschiedlichem Hintergrund zusammenhängen;

c) die kulturelle oder interkulturelle Variante mit ihrer Konzentration auf die Ausbildung von Fertigkeiten, die die Einzelnen in die Lage versetzen, in einer pluralistischen Gesellschaft zu leben und Menschen heranwachsen läßt, die über die Grenzen ihrer eigenen ethnischen Kultur hinauswachsen können.[29]

Viertens: Obwohl Quebec sich zur Multikulturalität im kanadischen Kontext immer relativ feindselig geäußert hat, hat es dennoch eigene Vorstellungen von Pluralismus formuliert. Ähnlich wie in den anderen kanadischen Provinzen gingen die führenden Vertreter des Staates Quebec ebenfalls dazu über, die positiven Aspekte der kulturellen Vielfalt zu loben. Der Pluralismus wurde zur vorherrschenden staatlichen Ideologie und trat an die Stelle der vergangenheitsorientierten und auf Urtümlichkeit abzielenden Denkweise der traditionellen franko-kanadischen Eliten vor den sechziger Jahren. So wurde 1981, zur Zeit der Schaffung der Behörde für kulturelle Gemeinschaften und Einwanderungsfragen in Aussicht gestellt, daß der Staat Quebec »geeignete Maßnahmen mit dem Ziel einleiten würde, die Rechte der nicht frankophonen kulturellen Gemeinschaften zu achten und in einigen

Fällen auch zu bestärken«.[30] Mit der Feststellung, daß es ohne Minderheiten keine Kultur geben kann, fordert das Weißbuch zur Politique quebeçoise du développement culturel (1978), daß »alle ein Recht darauf haben, vom Staat die kulturellen Instrumente und gruppenmäßige Ausstattung zu erwarten, die für ihre umfassende Entwicklung erforderlich sind«. Von diesem Zeitpunkt an hat der Staat Quebec verstärkt gehandelt. MCCI wurde zuständig für die Koordinierung sowie die Durchführung des PACC (Plan d'action des communautés culturelles). Die hauptsächlichen Zielsetzungen dieses Plans sind folgende: Erhalt und Entwicklung der Kulturgemeinschaften, eine Sensibilisierung der französischsprachigen Einwohner von Quebec für die Rolle der Kulturgemeinschaften und Erleichterungen bei der Integration eben dieser Kulturgemeinschaften. Zum gleichen Zeitpunkt wurden neben den vom Gesetz vorgesehenen Einrichtungen drei ad-hoc Körperschaften ins Leben gerufen, um sicherzustellen, daß die hauptsächlichen Zielvorstellungen verwirklicht werden können. Dabei handelte es sich um das CIPACC (Comité d'implantation du plan d'action des communautés culturelles), das Comité interministériel mixte de coordination générale du plan d'action sowie das Comité d'égalité en emploi dans la fonction publique. Zu den vor kurzem eingetretenen organisatorischen Veränderungen gehört die Schaffung eines Rates der Kulturgemeinschaften und Einwanderungsfragen, der im Jahre 1984 gegründet wurde und dem 15 vom Minister ernannte Mitglieder angehören.

Oft ist gesagt worden, daß der vom Staat Quebec als Ziel angesprochene und erstrebte Pluralismus sich in einem hohen Maße von dem Pluralismus unterscheidet, den der Bundesstaat verfolgt. Wahr ist freilich, daß Multikulturalität kein Begriff ist, auf den im Kontext von Quebec zurückgegriffen wird.[31] Dort wird sie als »schwache« Ideologie angesehen, die die Kulturen voneinander isoliert, es wird kritisiert, sie übersehe die Mehrheit und betone über Gebühr die Kulturen der Minderheiten. Die Forderung nach einem Status der Gleichberechtigung aller kultureller Gruppen verhüllt die politischen und historischen Unterschiede zwischen verschiedenen ethnischen Gruppen und begünstigt die Mobilität einiger von ihnen zu Lasten anderer. Was in Quebec begünstigt wird, ist die Interkulturalität, eine Ideologie, die angeblich universelle Multikulturalität impliziert; dabei handelt es sich nicht um Toleranz, Akzeptanz und den Schutz für Minderheitenkulturen, sondern hier geht es um die Förderung einer dynamischen Wechselwirkung zwischen Minderheiten und Mehrheit. Die Interkulturalität wird als wünschenswerte Form des Pluralismus aufgefaßt, in dem Maße, wie die Einzelnen eine umfassendere und ausgewogenere Erkenntnisfähigkeit erwerben, werden Gesellschaften sowie Gruppen die Möglichkeit haben, zu einer höheren Ebene von Anpassungsfähigkeit voranzuschreiten. Wie groß sind nun die Unterschiede zwischen Interkulturalität und Multikulturalität? Aus meiner Sicht beruhen sie mehr auf der Darstellungsweise als auf der Wirklichkeit. Beide Ideologien haben gemeinsam, daß sie von ihren jeweiligen Anhängern als die überlegene Form des Pluralismus angepriesen werden. Es geht ihnen darum, daß sie eine pluralistische Vision der nationalen Gemeinschaft bestimmen wollen; jedoch bleibt in beiden Fällen eine Lücke zwischen Wunsch und Realität und die fremden Anderen sollen sich noch immer in die Begrenzungen einer bereits etablierten politischen und in der Vorstellung bestehenden Gemeinschaft einordnen.

Fünftens und letztens hat es eine politische und administrative Verstärkung der Multikulturalität gegeben. Multikulturalität und die Rechte auf Gleichheit wurden im Verfassungsgesetz von 1982 als Teil der kanadischen Charta der Rechte und Freiheiten festgehalten. Artikel 15 (1) bestätigt: »Jeder Mensch ist vor dem Gesetz gleich und darf nicht wegen seiner Rasse, seiner nationalen oder ethnischen Herkunft, seiner Hautfarbe, Religion, seinem Geschlecht, Alter oder einer geistigen oder physischen Behinderung benachteiligt werden, sondern genießt gleichen Schutz und gleiche Förderung durch das Gesetz.«

In Artikel 27 heißt es : »Vorliegende Charta ist im Geist der Erhaltung und Verstärkung des multikulturellen Erbes der Kanadier umzusetzen.« Zusätzlich zu dieser Charta wurde im Jahre 1986 ein Gesetz über gleiche Beschäftigungschancen angenommen. Nach diesem Gesetz sind die unter das Bundesgesetz fallenden Arbeitgeber dazu verpflichtet, Frauen und Behinderten sowiè Ureinwohnern und rassischen Minderheiten verbesserten Zugang zu Arbeitsmöglichkeiten zu gewähren, ebenfalls schafft dieses Gesetz auf der Ebene der Föderation ein Programm, das große öffentliche Auftraggeber verpflichtet, das Gleiche zu tun. Weiterhin ist innerhalb der Bundesministerien und -behörden ein Programm eingeführt worden, das Beschäftigung und Förderung der rassischen Minderheiten zum Ziel hat.

Jedoch bleibt im Rahmen des Verfassungsrechts die Multikulturalität weiterhin eine zweitrangige Frage. Sie wurde 1987 nicht als fundamentales Wesensmerkmal Kanadas in das Meech-Lake-Abkommen aufgenommen, als ein solches wurde es für die kanadische Gesellschaft erst mit der einstimmigen Annahme des Gesetzes über die Multikulturalität in Kanada am 21. Juli 1988 anerkannt. Dieses Gesetz verankert eine neue auf drei Prinzipien gestützte multikulturelle Politik: 1) die Multikulturalität ist ein zentrales Merkmal der kanadischen Staatsbürgerschaft; 2) jeder Einwohner Kanadas hat das Recht, sein oder ihr Kulturerbe zu genießen, es zu mehren und mit anderen zu teilen; 3) in allen Ministerien und Behörden obliegt der Bundesregierung die Verantwortung für die Beförderung der Multikulturalität.[32] Es gibt nunmehr einen für Multikulturalität zuständigen Minister, darüberhinaus sollte ein Sekretariat im Sektor Multikulturalität des Außenministeriums geschaffen werden, um dem Minister bei der Ausübung seines Mandats behilflich zu sein.

Schlußbemerkungen

Multikulturalität wird als Politik dargestellt, die die nationale Einheit und die kulturelle Harmonie vorantreibt. Erreicht sie dieses Ziel wirklich und ist sie dazu überhaupt in der Lage?

Die Politik der Multikulturalität ist seit ihrer Verlautbarung im Jahre 1971 vielen Veränderungen unterworfen worden, damit wurden zahlreiche kritische Vorwürfe ihrer Gegner aufgenommen. Trotzdem sieht es so aus, als ob Kanada als Nation zerfällt, der Fehlschlag des Meech-Lake-Abkommens hat Quebec im Hinblick auf seine Souveränität vorangetrieben und die Ereignisse von Kahnawake und Kanasatake vom Sommer haben an die Unterordnung und den Ausschluß der ursprünglichen kanadischen Nationen erinnert. In den maßgeblichen nationalen politischen Institutionen sind die sichtbaren Minderheiten noch immer unterrepräsentiert und viele ihrer Angehörigen sehen sich tagtäglich Diskriminierung und Belästigungen ausgesetzt.

Die Fehler der Multikulturalität zeigen sich nicht so sehr darin, was getan wird, vielmehr liegt das Problem darin, daß etwas verborgen gehalten wird, daß bestimmte Dinge nicht wahrgenommen werden und daß Handlungen unterbleiben. Integration hingegen kann nicht an der Oberfläche verbleiben, und Harmonie beruht nicht auf Artigkeiten und freundlichen Gefühlen. Harmonie verlangt nach Gleichheit, und diese erfordert wiederum mehr als nur interkulturelles Verstehen, Verständnis füreinander und Veränderungen von Einstellungen. Daraus folgt:

1) Die Multikulturalität muß zum politischen Thema erhoben werden und über Nostalgie hinauswachsen, sie hat sich den Fragen der politischen und wirtschaftlichen Ungleichheit zu stellen und sich darum zu bemühen, diese zu überwinden.[33] Die wirtschaftliche, politische, rechtliche und kulturelle Herrschaft über die Ureinwohner muß dabei ebenso angesprochen werden wie die Unterordnung der Einwohner von Quebec im Verlauf der Geschichte.

2) Kultur darf nicht als etwas Statisches gesehen werden, als etwas Unveränderliches, mit dem Einwanderer im Lande ankommen; vielmehr ist sie als Prozeß aufzufassen, als etwas, das im Umfeld von Erfahrungen mit der Einwanderung fortlaufend Veränderungen unterliegt. Hierbei ist der Begriff der Transkulturalität von Interesse, denn er schließt den Gedanken ein, daß alle Gruppen im Gefolge von Wechselwirkungen Veränderungen unterliegen und zwar in dem Maße, wie neue Grenzen errichtet und überschritten werden. Man kann eigentlich sagen, daß ethnische Gruppen ständig dabei sind, zwei Grenzen zu errichten, die eine von innen heraus als Beziehung zur eigenen Vergangenheit und die andere nach außen, als Ergebnis der Beziehungen zu anderen.[34]

3) Multikulturalität darf nicht als eine auf die anderen abzielende Politik bestimmt werden, die nur für 'ethnisch andere' gilt, und die in gewisser Weise die herrschende Gruppe vernachlässigt. Es geht nicht darum, die als exotisch Geltenden und diejenigen an der Macht gegenüberzustellen. Die Grenze zwischen dem »Wir« und dem »Sie« muß überschritten und nicht etwa verstärkt werden. Dabei geht es um den Ethnozentrismus der herrschenden

Gruppe, die vorherrschende Kultur muß »multikulturalisiert« werden.[35]

4) Dies bringt uns zu unserem abschließenden Argument und das betrifft die Nation als eine politische Gemeinschaft der Phantasie.[36] Deshalb in der Phantasie, weil in der Vorstellungswelt jedes ihrer Angehörigen ein Abbild ihrer Zwiesprache existiert. Gemeinschaft aufgrund des Bestehens einer tiefempfundenen Kameradschaft untereinander. Anderson fügt hinzu, daß Gemeinschaften »durch den Stil unterschieden werden sollen, in dem sie sich in der Vorstellung darbieten.«

Aufgrund zahlreicher geschichtlicher Umstände hat Kanada in der jüngsten Zeit von sich eine multikulturelle Vorstellung geschaffen, als ein Land, das der Multikulturalität und dem Grundwert einer positiven Einstellung zu allen kulturellen Gruppen sowie der Legitimität aller ethnischen Gruppenidentitäten verpflichtet ist.[37] Kanada wird diese Wertvorstellung verwirklichen und diese Ziele erreichen können, wenn es die mit dieser Grundsatzentscheidung und ihrer praktischen Umsetzung einhergehende Politisierung akzeptiert, und dazu gehört die volle Einbeziehung aller innerhalb der Grenzen der nationalen Gemeinschaft sowie eine Institutionalisierung der rechtlichen, politischen und gesellschaftlichen Komponente der Staatsbürgerschaft.

★

Frage 1: Wie hat das Ministerium für multikulturelle Angelegenheiten reagiert, als sich Indianer gegen den Bau eines Golfplatzes auf dem Gebiet ihrer heiligen Stätten gewehrt haben?
Frage 2: Welche Kompetenzen hat das Amt für multikulturelle Angelegenheiten?
Frage 3: Gibt es in Kanada neben der Diskussion über die kulturelle Vielfalt auch eine Diskussion über die Einheit in dieser Vielfalt? — Wie wird Einheit definiert, in bezug auf das Land, auf die Verfassung oder auf die Vielfalt?

Juteau: Wenn man die Konzeption der multikulturellen Politik in Kanada und ihre Entwicklung betrachtet, erkennt man, daß diese Politik auf der Verschleierung der wesentlichen Machtungleichheiten in unserem Lande beruht. Einer der zentralen Punkte meiner Darlegungen ist, daß diese Politik die Eroberung Nordamerikas durch die Franzosen und Engländer nicht sichtbar macht und auch die Ungleichheit zwischen der wirtschaftlichen und politischen Macht, zwischen Französisch und Englisch in unserer Gesellschaft nahezu unsichtbar macht. Deshalb bin ich der Ansicht, daß trotz des positiven Bildes, das man von der Multikulturalität in Kanada gerne hätte — ich habe nichts gegen die Idee unserer Multikulturalität, selbst als Ideologie —, sie auf der Verneinung der erwähnten Machtbeziehungen beruht. Multikulturalität sagt sehr wenig über die Verhältnisse, die für die Ureinwohner in unserem Land real sind und bewirkt noch weniger.

Als zweiten Punkt möchte ich erwähnen, daß es meiner Meinung nach keine ausgeprägte kanadische Identität gibt. Aus dieser Sicht versucht die Multikulturalität, wenn sie sich als Wesen der kanadischen Gesellschaft darstellt, eine Definition zu finden, die nicht auf der Nationalität beruht. Ob sie damit nun erfolgreich ist oder nicht, ist ein anderes Problem. Doch wenn man versucht, die Triebkräfte in Kanada zu verstehen, muß man drei miteinander in Wechselwirkung stehende Komponenten der ethnischen Dynamik und des ethnischen Konfliktes betrachten. Es geht um das Verhältnis zwischen den Ureinwohnern und den Eroberergruppen. Dann haben wir die zweite Komponente — und ich erwähne diese Komponenten in ihrer geschichtlichen und nicht unbedingt hierarchischen Ordnung: das Spannungsfeld zwischen Französisch und Englisch, das nicht deshalb das wichtigste ist, weil die Franzosen oder die Engländer liebenswürdiger oder besser sind. Es ist wichtiger in dem Sinne, daß es in der Macht dieser beiden Gruppen steht, die Richtung der kanadischen Gesellschaft zu bestimmen. Die dritte Komponente ist das Spannungsfeld zwischen den Einwanderern und ihren Abkömmlingen einerseits und den zwei sogenannten Gründernationen andererseits. Und diese stehen in sehr komplexen Wechselbeziehungen.

Als wir im Sommer dieses Jahres z.B. den Konflikt zwischen den Urvölkern und den anderen Kanadiern hatten, konnte man diesen nicht verstehen, wenn man nicht auch das französisch-englische Spannungsfeld in Betracht zog, weil sehr oft die Position der britischen Gruppe auch von ihrem eigenen Verhältnis zum Nationalismus in Quebec gefärbt war. Anders gesagt, das gesamte Verhältnis zwischen den ethnischen Gruppen in Kanada steht immer zu all diesen verschiedenen Komponenten in Beziehung. Daher ist meine Antwort, daß die Multikulturalität nicht darauf ausgerichtet ist. Nicht nur das, sie ist wahrscheinlich eine durchgängige politische Linie, die trotz ihrer Vorzüge möglicherweise einige der hauptsächlichen Auseinandersetzungen in Kanada verdeckt.

Frage: Ich bin ein wenig erstaunt und ein bißchen verstört wegen einiger Antworten von Danielle Juteau. Ich meine, daß es zu erkennen gilt, daß Sprache eine der wichtigen Faktoren bei der Annäherung an zwei kulturell unterschiedliche Gruppen darstellt. Die Sprache ist der Träger der Botschaften, um die es bei unserem Dialog geht. Ich bin sehr beunruhigt, wenn ich entdecke, daß es eine kanadische Politik gibt, die die Dialektik von Gründernationen in sich trägt. Es erscheint mir gerade so, als ob ich in Südafrika wäre, wo die Europäer davon sprechen, eine Nation zu suchen, die ja bereits besteht. Das Prinzip der Gründernation, die in der politischen Linie von 1971 dargestellt ist, und auch die soundso-Kommission, scheinen mir zu sagen: Hier ist eine Grundsatzentscheidung, hier ist eine Serie von Kodexen für die künftige Praxis, die über die Köpfe der Ureinwohner hinweg formuliert wurden, denen ursprünglich das Land gestohlen wurde. Ich habe zuvor gesagt, daß man einen authentischen Dialog nur führen kann, wenn man von einem Prinzip der Gleichberechtigung ausgeht. Wenn man dieses Prinzip der Gleichberechtigung nicht hat, dann erhält man keinen authentischen Dialog, ganz gleich, wie gut oder wie lange man seine politische Linie verfolgt. Und falls man die Reaktionen erhält, die man heute in Kanada erlebt, wenn nordamerikanische Indianer mit Gewehren um ihr Land kämpfen müssen, kann man nicht von Dialog bzw. nicht von gleichberechtigtem Dialog sprechen.

Juteau: Die Frage zum Dialog zwischen Gleichberechtigten liegt mir sehr am Herzen. Wenn man einen gleichberechtigten Dialog erreichen will, muß man zunächst die Ungleichheiten beseitigen. Und deshalb argumentiere ich, daß eine multikulturelle Politik die kulturelle Vorherrschaft nicht von anderen Formen der Vorherrschaft trennen kann, denn man kann in diesem Moment nicht so handeln, als ob jene Wünsche Realität wären. Es bestehen tiefe Ungleichheiten in der kanadischen Gesellschaft, zwischen den Urvölkern und anderen Gruppen einerseits und auch zwischen diesen Gruppen andererseits. Dieses sind die Hauptfragen, denen wir uns zuwenden sollten. Und dabei sollten wir anerkennen, daß es auch so etwas wie kulturelle Vorherrschaft gibt.

Frage: Welche Möglichkeiten des Eingreifens hat das Ministerium für multikulturelle Angelegenheiten im Konflikt-Fall der Mohawk-Indianer und inwieweit hat es sie genutzt?
Juteau: Das Ministerium hat sich überhaupt nicht mit der Frage beschäftigt, und sie liegt auch nicht in ihrer Zuständigkeit. Das ist eines der Probleme, von denen ich rede, wenn ich sage, daß wir zwar das Wesen der kanadischen Gesellschaft als multikulturell definieren, aber andere Formen von Beziehungen vernachlässigen, die von Vorherrschaft innerhalb der politischen Sphäre Kanadas bestimmt sind.

Anmerkungen

1) Porter, J. (1965). The Vertical Mosaic: An Analysis of Social Class and Power in Canada, Toronto. S. 30-33.
2) Lachapelle, R., Henricipin, J. (1980). La situation demolinguistique au Canada, Montreal: Institut de recherches politiques. S. 18.
3) Reitz, J. G. (1982). The Survival of Ethnic Groups, Toronto. S. 341f.
4) Lavoie, Y. (1973). Les mouvements migratoires des Canadiens entre leur pays et les Etats-Unis aux XIXieme et XXieme siècles: étude quantitative, H. Charbonneau (Ed.), La population du Quebec, Montreal, S. 76.
5) vergl. Porter.
6) vergl. Multiculturalism Canada (1989). Rapport Annuel (1988-1989). L'application de la Loi sur le multiculturalisme canadien, Ottawa: Ministre des Approvisionnements et Services Canada.
7) Commission Laurendeau-Dunton (1969). Report of the Royal Commission on Bilingualism and Biculturalism. Book III: The Work World, Ottawa, S. 141.
8) Gray, C. (1989). Speaking in Tongues. Saturday Night, Dec.: 19.
Isajiw, W. W. (1980). Definitions of Ethnicity, J. E. Goldstein etc. R. Bienvenue (Ed.), Ethnicity and Ethnic Relations in Canada, Toronto, Butterworths: 1-11.
9) Breton, R. (1984). The Production and Allocation of Symbolic Resources: an Analysis of the Linguistic and Ethnocultural Fields in Canada, Revue canadiènne de sociologie et d'anthropologie, 21 (2): 134.
10) Juteau-Lee, D. (1986). L'Etat et les immigrés: de l'immigration aux commu-

nautés culturelles, Minorités et État, Bordeaux, PUB et Presses universitaires de Laval: 46.

11) Moodley, K. (1983). Canadian Multiculturalism as Ideology. Ethnic and Racial Studies, vol. 6 (3): 320f.

12) Stasiulis, D. (1985). The Antinomies of Federal Multi-Culturalism Policies and Official Practices. Paper presented at the international symposium on cultural pluralism, UNESCO, S. 1-4.

13) vergl. Porter, J. (1975). Ethnic Pluralism in Canadian Perspective. In: N. Glazer and D. Moyhnihan (Ed.), Ethnicity: Theory and Experience, London, Harvard University Press: 267-304.

14) vergl. Gray, a. a. O., S. 21.

15) ebda., S. 17.

16) Gerth, H., Mills, C.W. (1966). From Max Weber: Essays in Sociology, New York, S. 61.

17) ebda., S. 65.

18) Stasilius, a. a. O., S. 2.

19) vergl. Lessard, C., Crespo, M. (1990). Multiculturalism Education in Canada: Policies and Practices, in: D. Ray and D. Poonwassie (ed.), Tomorrow can be better, Toronto: Nito, S. 1-44.

20) Burnet, J. (1978) The Policy of Multiculturalism Within a Bilingual Framework: A Stocktaking«, Canadian Ethnic Studies/Etudes ethniques au Canada, vol. 10 (2): S. 107.

21) ebda.

22) vergl Stasilius, a. a. O., Tafel I.

23) Burnet a. a. O., S. 106f.

24) ebda., S. 108.

25) Stasilius, a. a. O., S. 8.

26) ebda., S. 9.

27) ebda., S. 15ff.

28) ebda., S. 18.

29) Lessard/Crespo, a. a. O., S. 14.

30) MCCI (1981). Autant de facons d'etre quebecois. Plan d'action a l'intention des communautés culturelles, Quebec, Gouvernement du Quebec, S. 27.

31) vergl. Laperriere, A. (1985). Les ideologies et pratiques d'intervention britanniques concernant l'intégration sociale des immigrantes et minorités ethniques. Rapport de recherche presenté au Conseil scolaire de l'Ile de Montreal et au Conseil de la langue française, Université du Quebec à Montreal.

32) vergl. Multiculturalism Canada, a. a. O., S. 17.

33) Moodley, a. a. O., S. 326.

34) Isajiw, W. W. (1983). Multiculturalism and the Integration of the Canadian Community. Canadian Ethnic Studies/Etudes ethniques au Canada, vol 15 (2): 107-117.

35) Moodley, a. a. O., S. 327.

36) Anderson, B. (1990). Imagined Communities: Reflections on the Origin and Spread of Nationalism, New York, S. 15.

37) Isajiw, a. a. O., S. 12.

Jöran Löfdahl

Rationalität und Toleranz sind Brüder

Vorab ein historischer Hinweis: vor 100 Jahren war Schweden nicht in der Lage, seine eigenen Einwohner zu ernähren. Zwischen 1870 und 1910 mußte mehr als ein Viertel der schwedischen Bevölkerung das eigene Land verlassen, die Flucht vor der Armut ergreifen. Sie hatten den Glauben an eine Zukunft in der eigenen Umgebung verloren und wanderten aus. Wenn überhaupt, lag nur ein sehr geringer Grad von Freiwilligkeit in diesem Entschluß. Der Zwang in Form von Armut ist unpersönlich, massiv und flächendeckend. Es ist sicherlich nützlich, dies im Kopf zu behalten, wenn ich jetzt eine schwedische Standortbestimmung zum Thema Multikulturelle Gesellschaft gebe.

Schweden war bis zum Zweiten Weltkrieg ein sehr abseits liegendes, homogenes Land, mit etwa sieben Millionen Einwohnern. Die großen Einwanderungswellen während des Krieges bestanden vor allem aus Flüchtlingen von Dänemark, Finnland, Norwegen und den baltischen Staaten. Erst in der Nachkriegszeit erreichte die Einwanderung nach Schweden einen größeren Umfang und umfaßte auch Volksgruppen, aus ferneren Ländern. Heute sind eine Million der etwa 8,5 Millionen Schweden Einwanderer oder haben wenigstens einen Elternteil, der eingewandert ist. Innerhalb weniger Jahrzehnte hat sich Schweden aus einem einsprachigen und ethnisch einheitlichen Land in ein vielsprachiges Land mit einer Reihe ethnischer Minderheiten verwandelt. Nach dem Krieg stieg die Nachfrage nach Arbeitskräften sehr stark an, und die schwedische Industrie begann, Arbeitskräfte im europäischen Ausland anzuwerben. Auch die Zuwanderung von Arbeitskräften aus den nordischen Nachbarländern nahm zu, insbesondere nach 1954, als ein Abkommen über einen gemeinsamen nordischen Arbeitsmarkt getroffen wurde. Bis 1960 belief sich die Nettoeinwanderung nach Schweden auf 240 000. Im folgenden Jahrzehnt erlebte Schweden zwei große Einwanderungswellen: die eine um 1965, erstmals mit überwiegend südeuropäischen Arbeitskräften (vor allem aus Jugoslawien, Griechenland und der Türkei) und die andere gegen Ende des Jahrzehnts, die eine Rekordhöhe erreichte. Im Zeitraum von 1968–1970 kamen insgesamt 166000 Ausländer nach Schweden, davon 100000 aus Finnland. Die Nettoeinwanderung der sechziger Jahre betrug 235000 Personen.

Während der siebziger Jahre hat sich der Charakter der Einwanderung nach Schweden geändert. Seit 1967 braucht jeder Ausländer (ausgenommen sind nur Staatsangehörige der skandinavischen Länder), der eine Beschäftigung in Schweden aufnehmen will, eine Arbeitserlaubnis, bevor er nach Schweden kommt. Die Einwanderung von Arbeitskräften aus nicht-skandinavischen Ländern hat seit Beginn der siebziger Jahre so gut wie völlig aufgehört. Andererseits ist die Zahl der nach Schweden kommenden Flüchtlinge beträchtlich gestiegen.

Von den 59000 Ausländern, die 1989 in Schweden einwanderten, stammten 19000 aus den skandinavischen Ländern und 40000 von außerhalb dieses Gebietes. 25000 der letzteren Gruppe erhielten eine Aufenthaltserlaubnis aus humanitären Gründen oder, weil sie als Flüchtlinge anerkannt wurden. Die Nettoeinwanderung in den siebziger Jahren betrug 155000, und in den achtziger Jahren etwa 180000.

In Schweden sind 237000 Ausländer erwerbstätig. Zusammen machen sie etwa 7,5% der Erwerbstätigen in Schweden aus. Die Erwerbshäufigkeit unter den Einwanderern ist höher als unter den Schweden, hauptsächlich wegen ihrer unterschiedlichen Altersverteilung. Ungefähr 35% aller Ausländer arbeiten im Produktionssektor, 12,5% in der Krankenpflege und 21% im privaten Sektor. Ungefähr 8% sind in Büros tätig. In den letzten 15 bis 20 Jahren ist der schwedische Arbeitsmarkt umstrukturiert worden. Das bedeutet, daß Arbeitsplätze, die früher neuangekommenen Einwanderern zur Verfügung standen, in großem Ausmaß wegrationalisiert worden sind. Gleichzeitig hat sich die eingeschränkte Expansion des öffentlichen Sektors auf die Beschäftigungsmöglichkeiten der Einwanderer ausgewirkt. Viele Einwanderer, die seit den sechziger Jahren in Schweden arbeiten, hatten Schwierigkeiten, sich an die neuen Bedingungen anzupassen.

Der Einkommensunterschied zwischen Schweden und Ausländern ist verhältnismäßig gering. Einwanderer haben viel öfter Arbeitszeiten, die außerhalb der normalen Zeit liegen (d.h. dreimal soviel Einwanderer wie Schweden haben Schichtarbeit) und weitaus schlechtere Arbeitsplatzverhältnisse.

Seit Mitte der sechziger Jahre ist eine große Anzahl von Reformen durchgeführt worden, um die Lebensbedingungen der Einwanderer in Schweden zu verbessern. 1965 führte man einen umfassenden und kostenlosen Schwedischunterricht für Einwanderer ein, 1966 wurde von der Regierung eine Arbeitsgruppe für Fragen der sozialen Anpassung von Einwanderern eingerichtet, 1967 erschien eine neue, vom Staat unterstützte Einwandererzeitung, und 1969 wurde das Staatliche Einwandereramt (Statens Invandrarverk) gegründet.

Von 1968 bis 1974 untersuchte eine Enquete-Kommission die Maßnahmen der Öffentlichkeit für Einwanderer und ethnische Minderheiten. Ihr Vorschlag, den Einwanderern eine echte Chance zur Wahrung ihrer ethnischen Identität zu geben, wurde von der Regierung angenommen, und 1975 beschloß das Parlament ein Gesetz mit neuen Richtlinien zur Einwanderungs- und Minderheitenpolitik. Diese Politik baute auf drei Grundsätzen auf: Gleichberechtigung zwischen Einwanderern und Schweden, kulturelle Wahlfreiheit für Einwanderer sowie Zusammenarbeit und Solidarität zwischen der schwedischen Bevölkerungsmehrheit und den verschiedenen ethnischen Minderheiten. Gleichzeitig beschloß das Parlament eine Reihe konkreter Reformen, um diese Politik zu verwirklichen.

Um den Einwanderern die Möglichkeit zu geben, ihre Chancen, sich öffentlich Gehör zu verschaffen, zu verbessern, wurden staatliche Subventionen für die Organisation der Einwanderer eingeführt. Gegenwärtig gibt es ungefähr 30 solcher nationaler, d.h. ganz Schweden umfassender Organisationen mit mehr als 1200 lokalen Vereinigungen und insgesamt ca. 175000 Mitgliedern.

Im Bereich der kulturellen Aktivitäten unterstützt der Staat die Produktion von Literatur in verschiedenen Minderheitssprachen. Die öffentlichen Bibliotheken verwenden bedeutende Mittel zum Ankauf von Literatur in den Sprachen der Einwanderer.

Eine staatlich subventionierte Zeitung für Einwanderer erscheint in zwölf fremden Sprachen und hat 50000 Abonnenten. Zusätzlich überträgt der schwedische Rundfunk Radio- und Fernsehprogramme in mehreren Einwanderersprachen, vor allem in Finnisch, Serbokroatisch, Griechisch, Türkisch, Spanisch und Polnisch.

Um die Kontakte der Immigranten mit ihren Heimatländern zu erleichtern, versuchen wir, soweit dies aus politischen Gründen möglich ist, den Kulturaustausch durch Subventionen für Gastspiele verschiedenster Art, Ausstellungen usw. zu fördern. Einige Veranstaltungen auf dem Gebiet der, Volkskultur wie Tanz und Musik werden ebenfalls subventioniert. Weiterhin fördert der Staat auch durch den staatlichen Kulturrat, den ich leite, Theatergruppen, die in eigener Sprache arbeiten, sowie die Produktion von Büchern, Zeitschriften und Phonogrammen in den Sprachen der Immigranten. Ich möchte nochmal die Bedeutung der öffentlichen Bibliotheken unterstreichen.

Ein großer Teil der neuen Reformen gilt den Einwandererkindern. Das sogenannte Muttersprachenprogramm, das in den Schulen durchgeführt wird, will die Kinder dazu bringen, ihre Sprache beizubehalten. Gleichzeitig bekommen sie Unterricht in Schwedisch als zweiter Sprache, um ihre Ausbildung auf Schwedisch fortsetzen zu können. 1985 wurde Unterricht in der Muttersprache in mehr als 80 Sprachen erteilt. 63000 Schüler von der Vorschule bis zur Gymnasialschule nahmen daran teil. Es gibt einzelne Schulen, vor allem im Gebiet Stockholms, wo in mehr als 60 Sprachen muttersprachlicher Unterricht erteilt wird.

Auch die Bildungschancen der erwachsenen Einwanderer sollten verbessert werden. Der Staat bezahlt Unterricht in Schwedisch, der Einwanderern angeboten wird. 1977 wurde eine neue Grundausbildung für Analphabeten in Angriff genommen. Das System des Schwedischunterrichts für Erwachsene Einwanderer wurde im Juli 1986 reformiert. Jedem neuangekommenen Einwanderer werden 500 Unterrichtsstunden in grundlegendem Schwedisch angeboten sowie die Möglichkeit, mit einem Aufbaukurs von mindestens 200 Stunden weiterzumachen. Im übrigen sind die Gemeinden für lokalen Dolmetscherservice durch die ungefähr 100 Beratungsstellen für Einwanderer im ganzen Land verantwortlich.

Seit Juli 1986 gibt es einen Ombudsmann gegen ethnische Diskriminierung, dessen Aufgabe es ist, ethnischer Diskriminierung, vor allem am Arbeitsplatz, aber auch in anderen Gesellschaftsbereichen entgegenzuwirken.

Ein wichtiges Ziel der Einwanderungspolitik seit 1975 besteht darin, den Einwanderern bessere Chancen zu verschaffen, das politische Geschehen zu beeinflussen. Die Reform, die allen Ausländern, die seit mindestens drei Jahren in Schweden wohnhaft sind, das Wahlrecht bei lokalen und regionalen Wahlen gibt, ist in diesem Zusammenhang von großer Bedeutung. Ich wünsche allen in der Bundesrepublik und andernorts, die sich für das Wahlrecht aller Einwohner einsetzen, vollen Erfolg. Dieses neue Gesetz ist mit den Wahlen 1976 in Kraft getreten, als 220 000 Ausländer das Stimmrecht hatten und 60 % davon Gebrauch machten. Bei den folgenden Wahlen von 1979 und 1982 lag die Beteiligung der Ausländer bei 50 %. 1985 betrug die Beteiligung 48 % und 1988 43 %. Die Zahl der Nichtwähler nimmt also leider zu.

Nur Staatsangehörige aus den skandinavischen Ländern dürfen sich ohne besondere Erlaubnis in Schweden niederlassen. Alle anderen müssen sich durch schwedische Botschaften oder Konsulate im Ausland eine Arbeits- oder Aufenthaltserlaubnis beschaffen, bevor sie nach Schweden einreisen. Das gilt auch für diejenigen, die an schwedischen Hochschulen studieren wollen. Die schwedische Einwanderungspolitik ist seit einigen Jahren äußerst restriktiv, was die Einwanderung von Arbeitskräften betrifft. 1989 wurde nur etwa 160 Staatsangehörigen außernordischer Länder aus Beschäftigungsgründen eine ständige Aufenthaltserlaubnis erteilt. Etwa 59 000 Personen wanderten aber, wie schon erwähnt, aus anderen Gründen in demselben Jahr in Schweden ein. Wer eine ständige Aufenthaltserlaubnis erhalten hat (heute hauptsächlich Flüchtlinge und Verwandte von bereits in Schweden wohnhaften Ausländern), hat auch das Recht, Arbeit zu suchen. Eine besondere Arbeitserlaubnis ist dann nicht erforderlich. Schweden verfolgt keine »Gastarbeiterpolitik« und zieht keine bereits gewährten Arbeitsgenehmigungen in Zeiten wirtschaftlicher Rückschläge zurück.

Staatsangehörige der skandinavischen Länder können auf Antrag bei Staatlichen Einwandereramt nach zwei Jahren Aufenthalt in Schweden die schwedische Staatsbürgerschaft erhalten.

Alle anderen können nach fünf Jahren Aufenthalt um die schwedische Staatsbürgerschaft ersuchen. Ein Ausländer, der einen schwedischen Staatsangehörigen heiratet, wird nicht automatisch schwedischer Staatsbürger, sondern muß darum ersuchen.

Die schwedische Flüchtlingspolitik hat zum Ziel, das Auftreten von Flüchtlingsproblemen zu verhüten, indem Schweden in der UNO und anderen internationalen Foren Respekt für die Menschenrechte, die friedliche Lösung von Konflikten und soziale und wirtschaftliche Gerechtigkeit fordert. Außerdem erstrebt Schweden Hilfeleistungen, die Flüchtlinge in die Lage versetzen, Schutz und Pflege in der Nähe ihrer Heimatländer zu finden, während sie auf ihre freiwillige Repatriierung warten, wenn die Verhältnisse es zulassen. Schweden gewährt dem UN-Hochkommissariat für Flüchtlinge (UNHCR) und einer Anzahl anderer Organisationen, die in verschiedenen Teilen der Welt mit Flüchtlingen arbeiten, bedeutende Unterstützung. In den letzten Jahren belief sich die schwedische Unterstützung von Flüchtlingsprogrammen (außerhalb Schwedens) auf über 1000 Millionen Skr pro Jahr. Wie mehrere andere Länder beabsichtigt Schweden, Flüchtlingshilfe und Entwicklungshilfe in Entwicklungsregionen mit Flüchtlingsproblemen zu koordinieren.

In den letzten Jahren sind mehr Flüchtlinge aus eigener Initiative nach Schweden gekommen und haben an der Grenze oder nach einer bestimmten Zeit im Land um Asyl gebeten. Jeder einzelne Fall wird in Übereinstimmung mit dem Ausländergesetz untersucht. Dieses gründet sich auf die UNO-Konvention von 1951 über den rechtlichen Status von Flüchtlingen, kann aber auch Kriegsdienstverweigerer und Personen mit gewichtigen, flüchtlingsähnlichen Gründen einschließen. Der Aufenthalt wird denjenigen erlaubt, von denen man meint, daß sie Asyl in Schweden brauchen, während diejenigen, denen ausreichende Gründe für die Gewährung des Asyls fehlen, bei der Ankunft ausgewiesen werden. Die Anzahl der Asylbewerber ist in der letzten Zeit in Schweden, wie im übrigen Europa, stark gestiegen. Anfang der achtziger Jahre suchten einige tausend Personen pro Jahr um Asyl in Schweden nach. 1984 stieg die Anzahl auf ungefähr 12 000 und 1989 belief sich die Zahl auf etwa 30 000.

Das Arbeitsministerium ist für die Koordination der Einwanderungspolitik der Regierung verantwortlich. Das Staatliche Einwandereramt behandelt auch die Anträge auf schwedische Staatsbürgerschaft. Das Staatliche Einwandereramt ist auch für die Aufnahme und die Integration von Flüchtlingen in Schweden verantwortlich. Asylbewerber verbringen die erste Zeit in einem Flüchtlingslager, wo ihr Fall von der Polizei untersucht wird. Dann sollte ihnen so schnell wie möglich eine Unterkunft in einer Gemeinde angeboten werden, wo sie Unterricht in grundlegendem Schwedisch und eine Einführung in die schwedische Gesellschaft erhalten. Während der ersten drei Jahre erhalten die Gemeinden vom Staat eine Erstattung für ihre Ausgaben.

Im folgenden möchte ich sechs Thesen zu einer integrierten Flüchtlings- und Immigrationspolitik unterbreiten, die warscheinlich auch in schwedischen Regierungskreisen eine gewisse Unterstützung finden würden.

These 1: Die zukünftigen Migrations- und Flüchtlingsströme werden von wirtschaftlichem Zwang dominiert sein. Die Fluchtbewegung erfolgt nicht in erster Linie hin zu mehr Reichtum, sondern weg von der Armut.

Der zukünftige Migrationsdruck auf ein reiches und alterndes Europa von einem armen und wachsenden Asien und Afrika wird die Solidarität vor neue Herausforderungen stellen. Menschen müssen die Chance zu einer erträglichen Existenz in ihrer Heimat-Region erhalten. Was sie brauchen ist substantielle Hilfe zu wirtschaftlicher und sozialer Entwicklung, nicht in erster Linie eine Freistatt in Europa.

These 2: Das verlangt eine bessere Koordinierung der Außenpolitik im weitesten Sinne, die auch die Entwicklungspolitik, die Flüchtlingspolitik und die Einwanderungspolitik umfaßt. Die Völkergemeinschaft muß den Flüchtlings- und Migrationsfragen einen bedeutend höheren Stellenwert auf ihrer Tagesordnung einräumen.

These 3: Europa als ein Teil der reichen Welt muß durch eine kräftig erhöhte Entwicklungs- und Flüchtlingshilfe eine größere Verantwortung für die Flüchtlinge übernehmen, die sich in Lagern in der Dritten Welt befinden.

These 4: Wesentlich erhöhte Quoten zur Auswahl von Flüchtlingen und anderen Schutzbedürftigen in Zusammenarbeit mit den Vereinten Nationen sind ein wichtiger Bestandteil einer ausgebauten und besser integrierten europäischen Flüchtlingspolitik.

These 5: Europa sollte in größerem Ausmaße die Verantwortung für und die Lösung seiner eigenen Flüchtlingsprobleme übernehmen. Im Rahmen der Liberalisierung in Europa werden eine Reihe von ethnischen Konflikten an die Oberfläche treten. Es ist die Aufgabe eines jeden Landes eine solche Politik zu gestalten, daß keine Flüchtlingsströme aus dem eigenen Land streben.

These 6: Sollten auch in der Zukunft Flüchtlingsbewegungen in Europa entstehen — was zu erwarten ist — ist es wichtig, daß die europäischen Länder diese durch verbesserte und vertiefte Zusammenarbeit selbst handhaben. Die Mittel der UNO für Entwicklungshilfe und Flüchtlingsarbeit müssen auf die Gebiete der Welt konzentriert werden, die nicht genug eigene Mittel haben. Das aber stellt beträchtlich erhöhte Anforderungen an die Zusammenarbeit der europäischen Länder in der Flüchtlingspolitik.

Es sei daran erinnert, daß die Vereinten Nationen die neunziger Jahre zu einem Kulturjahrzehnt, zu einer Kulturdekade ausgerufen haben. In Schweden hat man sich dazu entschlossen, die multikulturelle Gesellschaft, ihre Probleme und Möglichkeiten als Hauptthema für das Kulturjahrzehnt zu wählen.

Auch wenn man meint, daß die schwedische Politik im großen und ganzen funktioniert hat, sind die Mißtöne heute nicht zu überhören. Die kräftig ansteigende Zahl der Asylbewerber führt dazu, daß die Bewerber immer länger, ja unerträglich lange auf die Beschlüsse der Behörden warten. Fremdenfeindlichkeit taucht auf, Schweden gehört den Schweden, wird gesagt. Wir müssen diese Probleme ansprechen und dürfen ihnen nicht ausweichen. Ebenso müssen wir eindeutig klarstellen, daß wir für Vielfalt und gegen Einfalt sind, wir müssen endgültig einsehen, daß die westlichen Industrienationen in der Welt und nicht auf geschützten Inseln liegen.

Multikultur bedeutet jedoch nicht, daß man die eigene Identität aufgeben soll. Im Gegenteil, ein echter Austausch zwischen Völkern und Kulturen, kann nur da stattfinden, wo es etwas zu tauschen gibt. Heute werden ganze Kulturen infiziert von dem, was via Satellit, Kabel und Video über uns herfällt, von westlichem Kulturkonsum amerikanischer Prägung. Heute werden ganze Kulturen hinweggerafft wie einst die Maya und Inkavölker von den Infektionskrankheiten der spanischen Kolonisatoren, und dieser Verlust der Seele wird nur in wenigen Gebieten durch materiellen Wohlstand gemildert. Wo Identitätsverlust mit Verarmung und nationaler Perspektivlosigkeit zusammenfällt, ist der Triumph antirationaler, restaurativer Bewegungen absehbar. Rationalität und Toleranz sind Brüder. Nur Brüderlichkeit wird die Situation, vor der wir stehen, meistern können!

★

Frage: Mir scheint es falsch, die Migrationsbewegungen nur auf ökonomische Zwänge zurückzuführen. Es ist offensichtlich, daß neben ökonomischen Abhängigkeiten nationale Konflikte und Menschenrechtsverletzungen für die Gründe zukünftiger Migration bestimmend sind.
Löfdahl: Dagegen möchte ich überhaupt nicht polemisieren. Das ist sicherlich so. Asylbewerber wird es immer geben, auch Kriegsdienstverweigerer, die im eigenen Land ihre Rechte nicht bekommen können, aber die großen Bewegungen sind andere. Vielleicht eine apokryphe Geschichte: Ein finnischer Freund von mir war in Leningrad. Dort streitet man sich im Moment darum, ob die Stadt demnächst Petersburg oder St. Petersburg heißen soll. Ein führender Politiker sagte dort zu diesem finnischen Freund: »Was macht Ihr, wenn wir kommen? Die Kommunisten und Juden lassen wir selbstverständlich hinter uns, aber wir kommen.« Wenn man sich vorstellt, was für eine Hungerperiode jetzt kommt, und wenn man daran denkt, welche Hungerperioden es im Mittelalter gegeben hat. Wenn 100 000 oder eine Million Menschen beginnen, friedlich zu gehen, was macht man dann?

Frage: Hat die Ausländerpolitik in Schweden dazu geführt, daß auch die Stimmung gegenüber Ausländern in Schweden freundlich ist?

Löfdahl: Daß die schwedische Ausländerpolitik zu einem freundlicheren Umgang mit Ausländern in Schweden geführt hat, das bezweifle ich. Sicher hat sie dazu geführt, daß diejenigen, die zu uns gekommen sind, dieselben oder fast dieselben Möglichkeiten bekommen haben, wie die Schweden — und darum geht es.

Frage: Was sind die möglichen Gründe für die Stimmabstinenz der Ausländer?
Löfdahl: Das weiß ich nicht. Keiner weiß es. Vielleicht liegt es daran, daß man meint, daß die parlamentarische Politik nicht alles lösen kann. Vielleicht liegt es daran, daß es doch nicht ihr Ziel ist, in Schweden zu bleiben. — Ich weiß es nicht.

Frage: Ist die Bedingung, daß Ausländer nach Schweden einreisen können — daß sie eine Arbeitsbewilligung haben, die Konsequenz bzw. der Preis für eine relativ fortschrittliche Ausländerpolitik, wie sie in Schweden betrieben wird?
Frage: Kann eine multikulturelle Gesellschaft funktionieren, bei der zunehmend auseinanderstrebende Tendenzen bemerkbar werden?
Löfdahl: Keiner hat behauptet, daß die Schweden besser oder weiter gekommen sind als andere. Nur ist es so, daß unsere Geschichte etwas anders ist und wir außerhalb von Europa lagen, d. h. wir führten unsere Kriege im 16., 17. und 18. Jahrhundert gegen alle Nachbarn, die Deutschen, die Russen, die Dänen usw. Nachdem alles verloren war, fing der Wohlstand an. Insofern sind unsere Erfahrungen verschieden von denen aller anderen hier.

Frage: Baut Europa jetzt eine Mauer um sich, nachdem die Berliner Mauer gefallen ist?
Löfdahl: Diese Frage ist mit der konkreten politischen Frage verbunden, was man da tun kann. Will man ehrlich sein, so muß man feststellen, daß nicht vier Milliarden Menschen in Europa leben können. Die einzige Möglichkeit liegt darin, eine reformistische Politik so zu führen, als daß man eine echte Entwicklungspolitik und nicht nur eine verkappte Handelspolitik macht. Diese Entwicklungspolitik läßt noch auf sich warten. Es gibt bisher nur einige wenige Länder, die sehr gute Ansätze haben.

Ewa Apolonia Chylinski

Chance und Bedrohung:
Nationale Vielfalt in der Sowjetunion

In diesen Jahren stehen Europa und die ganze Welt vor einer Herausforderung, die sich nur mit der Zeit nach dem Zweiten Weltkrieg vergleichen läßt. Wie damals wird heute eine ganz neue Ordnung auf dem alten Kontinent geschaffen. Hoffentlich wird diese nicht durch die Gegensätze von verschiedenen politischen und ideologischen Weltanschauungen, sondern von pragmatischem Denken geleitet und auf freiwilliger Basis aufgebaut. Man kann sagen, daß mit der deutschen Vereinigung eine Ära der Versöhnung begonnen hat, jedoch muß man aufpassen, daß die hierdurch gegebenen Chancen nicht durch neue Barrieren und durch Mißtrauen versäumt werden. In Westeuropa geht es um die Verhältnisse zwischen verschiedenen Ländern sowie zwischen Westeuropäern und Migranten. Es geht auch darum, eine neue Brücke zwischen Ost und West zu bauen, so daß die westlichen Demokratien ein gutes Beispiel für das mit vielen Problemen belastete Osteuropa darstellen. In vielen osteuropäischen Ländern liegt der Schwerpunkt heute auf den inter-ethnischen Verhältnissen, die in den Jahren nach dem Krieg wie ein Wunder für die kommunistische Ideologie betrachtet wurden. Der Multinationalismus wurde dort gleichzeitig als eine perfekte Möglichkeit für eine proletarische und nationale Einheit betrachtet. Die Sowjetunion ist einer von vielen Zufällen, wo sich diese etatistische, unitaristische und status-quo-suchende Haltung jetzt in ethnische Unruhen und politisches Chaos verwandelt hat. Diese Haltung ist nicht nur eine Bedrohung für ökonomische und politische Veränderungen in der UdSSR, sondern auch für die geopolitische Stabilität. Davon sind insbesondere die asiatischen Völker betroffen und zwar aus zwei Gründen:

a) Sie haben nicht dieselben kulturellen und ökonomischen Kontakte zum Ausland und genießen nur marginal internationales politisches Interesse.

b) Sie waren das direkte Material für die sowjetische programmatische Entwicklung von Nationalitätenpolitik und ihre Konsequenzen.

Die Stadien, die diese Nationalitätenpolitik durchlaufen hat, waren bestimmend für heutige Probleme. Heute besteht die UdSSR aus ca. 130 Nationen und ethnischen Gruppen, die in 53 national-territorialen Einheiten leben. Davon haben 15 Unionsrepubliken und 20 autonome Republiken einen staatsähnlichen Status, acht autonome Ämter und zehn autonome Kreise einen administrativen Status. Dies hat zur Folge, daß 98 % der Bevölkerung durch einen autonomen Rahmen bestimmt ist. Sechs Unionsrepubliken und so gut wie alle anderen Formationen von Völkern sind davon nicht-europäischer Abstammung. Die nicht-europäische Gruppe stellt ein Drittel der Bevölkerung, d. h. 95 Millionen Menschen.

Demographisch und kulturell findet man sehr verschiedene Gruppierungen — von ganz kleinen Ethnien wie den Inuit (Eskimo) oder den 45 Völkern Daghestans, die sehr traditionell leben, bis zu modernen muslimischen Eliten Zentral- bzw. Mittelasiens. Politisch und ökonomisch haben sie auch verschiedene Traditionen der Machtausübung sowie Ambitionen zur Teilhabe an der Macht. Obwohl das kommunistische System sich sehr geändert hat und ein neuer Rahmen für eine gemeinsame Existenz der sowjetischen Völker geschaffen wurde, kann man aber jetzt sehen, wie die verschiedenen Kulturen die Perestrojka verstehen und nützen. Die Nationalitätenpolitik war eine der wichtigsten Punkte der Oktoberrevolution. Sie wollte westeuropäischen Staaten das Vorbild für den Aufbau einer konfliktfreien, multinationalen Gesellschaft sein. Seit 1917 kann man folgende Etappen feststellen. Sie sollen hier kurz charakterisiert werden:

1) von 1919 bis zur Etablierung der UdSSR im Jahre 1924:
Dynamische Organisierung und Selbstorganisation von einzelnen Gruppen, die darauf abzielt, die Kontinuität der eigenen Traditionen in eine moderne Form zu bringen.

2) von 1924 bis Mitte der dreißiger Jahre (1937):
Sehr intensive Entwicklungshilfe für rückständige Gruppen — sprachliche und kulturelle Autonomie mit eigenen Institutionen und supranationalen Forschungsinstitutionen.

3) von 1937 bis zu den sechziger Jahren:
Zentralisierung der politischen und ökonomischen Macht, Ab-

schaffung der kulturellen Variationen, Einführung der kyrillischen Schrift für alle neualphabetisierten Sprachen, antireligiöse und atheistische Propaganda, Versuche, eine Änderung im Status der Republiken durchzuführen (z.B. Karelien).

4) von 1965 bis 1985 (Breshnev und andere sowjetische Führer): Starke Elitenausbildung in nationalen Staaten, Elitenkooptierung und Unitarismus, eine sowjetische Nationsbildung, Suche nach dem inter-ethnischen Status-quo und Stagnation.

5) von 1985 bis jetzt (Perestrojka): Politische, ökonomische und kulturelle Konflikte, praktisch keine Lösungsmodelle, starke Militarisierung von unruhigen Regionen. Obwohl sich so viel in der UdSSR verändert hat, galt die sowjetische Nationalitätenpolitik immer als endgültige Ordnung. Selbst Lenin wollte die föderativen Formen nur als temporäre betrachten und andere, für ihn damals revolutionärere Wege multinationaler Koexistenz suchen. Das Konföderationsmodell wurde als individualistisch und egoistisch abgelehnt. Vor kurzem wurde diese einzige richtige Lösung aber noch einmal von Andrej Sacharov vorgeschlagen, allerdings als eine Konföderation von europäischen und asiatischen Völkern.

Was können und wollen die nicht-europäischen
Völker der UdSSR aus dieser Situation lernen?

Historisch sind diese Völker in der Sowjetunion durch die territoriale Expansion eingeschlossen worden. Russland hat sich immer als ein ideologischer Vertreter der christlichen Welt betrachtet. Darum wollte es von einer Mission der Christianisierung zu einer anderen übergehen. Es war auch ökonomisch für die russische Macht leichter, ein neues Territorium zu erobern, als das eigene Territorium intensiver zu entwickeln. Durch die politischen Streitereien konnten sich verschiedene bojarische Geschlechter zum Kampf um fernen Reichtum vereinigen. Diese konstante Bewegung hat die Grenze nach Osten so verschoben, daß Rußland und die Sowjetunion von heute mehr als ein asiatisches denn als ein europäisches Land gelten muß. Drei Viertel des Territoriums liegen in Asien, wenn auch die Bevölkerung gemischt ist und die eingeborenen Eliten stark europäisiert sind.

Die kleinen Gruppen wurden in zaristischen Zeiten nie als ein Wert, sondern als Rohstofflieferanten sowie als Objekte missionarischer Tätigkeit betrachtet. Am Ende der russischen Expansion in Asien, als die turkistanischen und muslimischen Gebiete als russisches Protektorat galten, wollte man aus Angst vor der türkischen und westlichen Intervention nicht an der lokalen Kultur rühren.

Nach der Oktoberrevolution hat die neue sowjetische Macht eine ganz klare Nationalitätenpolitik durchgeführt, in der die einzelnen Gruppen eine kulturell oder territorial autonome administrative Einheit bilden konnten. Dies hatte das Ziel, alle Völker auf einen modernen Stand zu bringen und durch ein gemeinsames proletarisches Bewußtsein die nationalen/ethnischen formellen Grenzen und Barrieren abzuschaffen. Die nicht-europäischen Völker wurden in einzelne Regionen unterteilt, um die Forschung und Entwicklungsplanung besser an die Umstände anzupassen. Soweit gab es in den kaukasischen, sibirischen, nördlichen und sowjetisch-fernöstlichen Regionen einige national-administrative Einheiten — 250 autonome Gemeinden und 5300 autonome Dörfer.

Zu diesem Zweck hat man vielfältige Institutionen geschaffen: Das Nationalitäteninstitut zur Erforschung ethnischer und interethnischer Verhältnisse in multinationalen, nicht-europäischen Regionen; den Nationalitätenrat, der, nicht wie der heutige, nur eine Dublette des Obersten Sowjet darstellt — sondern eine selbständige Repräsentation im ZK hatte. Die nördlichen Völker hatten ihr eigenes Institut, das jetzt das Zentrum des Instituts für Pädagogik ist und praktisch auf die Untersuchung sprachlicher Probleme reduziert ist. Es beschäftigte sich mit allen Seiten des Lebens von sibirischen Ethnien. Dieses Konzept versucht man jetzt an der Wissenschaftsakademie von Novosibirsk wieder aufleben zu lassen. Hier soll ein Entwicklungsplan für den Norden bis zum Jahre 2010 erstellt werden. Es ist aber schwer, solche Selbstverwaltungskonzepte in der Praxis durchzuführen, wenn man gleichzeitig so einseitig auf die russische und auch sowjetische Ökonomie angewiesen ist. Zum Beispiel sind in den nicht-europäischen Territorien 61% aller Betriebe sowjetisch, 33% gemischt sowjetisch/republikanisch und nur 6% sind lokal. Aus ökonomischen Gründen können die einheimischen Gruppen nicht ihre traditionellen, an die Umgebung angepaßten Berufe ausüben. Sie müssen andere Überlebenswege suchen, oft durch die Migration in die größeren Städte und durch Ausbildung. Aber diese qualitative Änderung hat keinen Einfluß auf die überlebten Föderationsstrukturen. In dem autonomen Amt Khanti und Mansi zum Beispiel ist die Bevölkerung seit 1933 auf das Zwölffache angewachsen, so gut wie 90% ist urbanisiert. Das bedeutet, daß dieser Kreis jetzt viel größer ist als solche autonomen Ämter normalerweise, aber man wollte den Status-quo nicht verändern und dieses Amt zu einer Republik erklären. So ist es mit vielen anderen Gruppen, die von den hierarchischen Verhältnissen abhängig sind. Man spürt in diesem Bereich einen sehr starken Unwillen gegenüber der Perestrojka. Dies nicht nur bei konservativen Apparatschiks in den sowjetischen Strukturen, sondern auch bei progressiven und radikalen Aktivisten. Das ist ein gutes Beispiel dafür, was für eine Politik die russische Republik in bezug auf die nicht-europäischen Völker in der russischen föderativen Republik verfolgt.

Die kulturellen, besonders die sprachlichen Fragen sind ein Kapitel für sich. Von der Politik der eigenen Sprachentwicklung durch Russisch als zweite Muttersprache aller sowjetischen Bürger ist man jetzt dem Staatssprachenbegriff verfallen, ohne Rücksicht darauf, daß die Sprachsituation in vielen Einheiten ganz anders ist als nach der Revolution. Die Unionsrepubliken sind — wie die ganze Union — multinational und mehrsprachig. Im Prozeß des Nations- und Staatsbaus sind die republikanischen Behörden nicht sehr offen für die Wünsche der großen Minderheiten. Auch in den autonomen nationalen Schulen wird den Kindern der mindere Wert ihrer eigenen Sprache vermittelt. Von 25 nördlichen Völkern haben 19 keine kulturelle Autonomie und in den Schulen wird in Russisch oder in der republikanischen Hauptsprache unterrichtet. Dieselbe Situation gilt für transkaukasische Gruppen, obwohl jene schon einen national-administrativen Rahmen haben.

Das schärfste Problem ist aber wahrscheinlich die Sozialverwaltung, die die traditionellen kulturellen Sozialisierungsmodelle teilweise aufgelöst hat. Dort, wo die Kontinuität der kulturellen Werte und Normen in das informelle Bildungssystem mit einbegriffen war, wurde sie durch massive antireligiöse und atheistische Propaganda gebrochen. Gleichzeitig hat die Diskontinuität auch Desintegration verursacht und viele, besonders junge Leute, leben in einem Vakuum, wodurch sie heute passiv oder extremistisch geworden sind.

Die Konsequenzen sind besonders für die sibirischen und nördlichen Völker schwerwiegend. Für Frauen und Kinder, die seit Generationen von ihren Familien getrennt leben, weil diese die Seßhaftigkeit ablehnen, gibt es keine Möglichkeit, die kulturspezifischen Erfahrungen zu erlangen und weiterzugeben. Von den jungen Männern sind bis zu 30% nicht verheiratet, da sie im Gegensatz zu Frauen und Kindern nicht seßhaft sind. So kennen die Mädchen weder die seminomadische Lebensform, noch wissen sie, welche Arbeit dort verrichtet wird.

Es wirkt darum ein bißchen erstaunlich, wenn die russischen Föderationspolitiker und Nationalisten über den freiwilligen Anschluß dieser Völker an Rußland sprechen, sowie davon, daß sie in der russischen Föderation bleiben oder sie verlassen können. Man weiß, daß diese Wahl praktisch gar nicht existiert.

Welche internationalen Implikationen hat die Situation in der Sowjetunion?

Es gibt keinen Zweifel, daß die nicht-europäischen Völker der UdSSR eine neue politische Kraft werden. Die meisten Territorien haben die Rohstoffe, ohne welche die sowjetische bzw. russische Ökonomie nicht funktionieren kann. Mit der jetzigen politischen Lage im mittleren Osten, der irakisch-muslimischen Machtmanifestation, können die muslimischen Völker Zentralasiens und des Kaukasus auch ein gemeinsames Ziel finden, obwohl der Islam in diesen Gebieten als Ideologie nicht so stark ist.

Auf der anderen Seite muß man im Hinblick auf globalere Aspekte auch aufpassen, daß die zentrifugalen und separatistischen Tendenzen nicht in der Balkanisierung Asiens in kleine, arme Staaten resultiert. Europa bewegt sich auf ein annus mirabilis 1992 zu und widmet sich einer konstanten Suche nach neuen Existenzwegen. Vielleicht sollte Europa so agieren, daß die sowjetischen, besonders die nicht-europäischen Völker zusammen und friedlich in das 21. Jahrhundert hineinkommen.

★

Frage: Richten sich die augenblicklichen Bestrebungen in der Sowjetunion auf die Erreichung der Vielfalt von Kulturen oder mehr darauf, nationale Bewegungen zu unterstützen?

Chylinski: Die Sowjetunion befindet sich in einem totalen sozialen Konflikt. Die Nationalitäten-Konflikte sind nur ein Teil der Konflikte in der Sowjetunion. Man kann sagen, daß die Regierung der Sowjetunion keine Nationalitätenpolitik und auch keine Lösungsmodelle für diesen Konflikt hat. Warum ist das so? Die Nationalitätenpolitik der Sowjetunion wurde immer als endgültige Lösung betrachtet. Als man eine multinationale Gesellschaft schuf, wurden neue Kräfte oder neue Lösungen nicht angenommen, weil man aus unbekannten Gründen hoffte, daß diese Hierarchisierung von Nationalitäten immer so halten wird. Ebenso hoffte man auf Assimilation, so wie bei einer biologischen Verschmelzung. Darum steht man in einem Konflikt, und zwar nicht nur dem Konflikt zwischen nicht-Europäern und Russen, sondern auch zwischen Russen und Ukrainern, Ukrainer gegen Weißrussen, da sind die Kirgisen gegen Tadschiken und Tadschiken gegen Usbeken usw. Die Konflikte sind also so vielfältig wie die multinationale sowjetische Gesellschaft. Darum ist es sehr schwer, über eine Lösung für die Sowjetunion zu sprechen. Es ist auch sehr schwer, weil man keine Selbstorganisation dieser Leute hat. Es gibt sehr viele nationale Fronten, die nur bestimmte soziale Gruppen dieser Leute repräsentieren, d. h. es ist nicht so, daß diese nationalen Fronten alle Leute dieser Republiken oder dieser Gebiete repräsentieren. Das muß man auch bedenken.

Frage: Spielt die religiöse Auseinandersetzung eine zunehmende Rolle in der Sowjetunion?

Chylinksi: Der Islam hat in der Sowjetunion nicht dieselbe ideologische Kraft wie in anderen zentralasiatischen Staaten. Der Islam war in Rußland (d. h. dem tartarischen und anderen Teilen Rußlands) und den zentralasiatischen Sowjetstaaten immer eine Religion der Eliten. Die Völker, die die Religion ausübten, waren daneben auch etwas schamanistisch. Man kann den Islam auch als eine Volksreligion (völkische Religion) bezeichnen. Es ist etwas anderes, wenn man Islam als eine Ideologie oder als eine Religion oder aber als Tradition und reine Praxisausübung auffaßt. Darum hat der Islam keine Kraft, die verschiedenen sogenannten islamischen Völker Zentralasiens oder Westsibiriens zu vereinigen. Es gibt keine islamische Ideologie. Es hat schon einmal eine solche Entwicklung gegeben, allerdings war das gegen Ende des 18. Jahrhunderts und später in den zwanziger Jahren dieses Jahrhunderts.

Die russisch-orthodoxe Kirche ist jetzt sehr stark mit dem russischen Nationalismus verbunden. Sie will oder kann keine ökumenischen Schritte gehen, weil die islamischen, schamanistischen und anderen nicht-christlichen Religionen für die russisch-orthodoxe Kirche jetzt eine marginale Gruppe darstellen. Die russisch-orthodoxe Kirche hat im Moment so viele soziale Aufgaben in Rußland, daß sie gar nicht an die anderen Völker denken kann. Vielleicht hat sie darüberhinaus auch nicht die Ressourcen. Aber es gibt Kontakte zwischen den verschiedenen Religionen. Man hat neuerdings ein Kontaktforum eingerichtet. Allerdings will man sich vorerst auf die sozialen Probleme konzentrieren und nicht auf die religiösen. Es gibt genug Konflikte in der Sowjetunion.

Frage: Wie ist die Situation der Deutschen in der Sowjetunion?
Chylinski: Die deutschen Minderheiten in der Sowjetunion leben verstreut. Die größte Gruppe gibt es in Kasachstan, wo die Deutschen der Wolgaregion und der Krim leben. Man hat ihnen eine kleine kulturelle Autonomie gegeben. Autonomie betrifft hier besonders den Sprachunterricht. Daneben gibt es eine Zeitschrift »Neues Leben« — es war tatsächlich ein neues Leben für die Deutschen in Kasachstan, ein ganz neues Leben. Man hat jetzt eine Revision der Nationalitätenpolitik in der Sowjetunion begonnen. Ich weiß, daß man gesagt hat, die Tartaren sollten zurück auf die Krim gehen, obwohl die Situation und die Umstände auf der Krim diesem Vorhaben völlig entgegenstehen. Ich weiß nicht, wie die sowjetischen Behörden das schaffen werden, diese Umsiedlung zu verwirklichen, da die Leute, die dort leben, gar nicht weggehen wollen. Wie man die Tartaren dort hinbringt, ist ebenfalls eine schwierige Frage.

Auch den Deutschen hat man eine Autonomie angeboten. Die kasachischen Behörden wollen davon nichts hören. Sie sagen, Kasachstan sei unteilbar und Kasachstan bleibe immer Kasachstan. Die sowjetischen Behörden, die jetzt vielleicht ein bißchen ad hoc beschließen, haben vorgeschlagen, daß das russische Gebiet um Kaliningrad, das alte Ostpreußen, eine Heimat für die Deutschen werden kann. Jedoch wollen die Litauer, Letten und Polen so etwas nicht hören. — Das ist die heutige Situation. Die Lage ändert sich allerdings so schnell, daß das, was heute gilt, vielleicht morgen nicht mehr gelten wird.

Das Resultat dieser Miseren in der Sowjetunion ist auch dadurch entstanden, daß man die Veränderung in der Gesellschaft nicht ernst genug genommen hat. Man hat die Politik des Status quo so eingerichtet, daß die Lösung von Nationalitätenproblemen für alle Zeiten gelten. In Europa muß man aufpassen, daß eine solche Situation gar nicht erst entsteht. Das wäre sonst sehr gefährlich.

Man muß die Politik an die Umstände anpassen, nicht aber die Umstände an die Politik!

Frage: Welche Funktion hat Gorbatschows Vision von Europa in diesem ethnischen Auseinanderfallen der Sowjetunion? Ist die Artikulation dieser Vision mehr oder weniger nur eine werbewirksame Seifenblase gewesen für seine Besuche in westeuropäischen Städten, oder ist sie doch eine historische Vorbereitung auf einen unaufhaltsamen Zerfall der Sowjetunion, so daß wir uns in Westeuropa letztlich freuen müssen über die isolationistische Politik in Moskau, besonders für den Bereich Rußland?

Chylinski: Ich weiß, daß Gorbatschow in der Sowjetunion nicht sehr populär ist, besonders nicht bei den nicht-europäischen Völkern, weil diese fühlen, daß Gorbatschow eine europäische Politik und Weltpolitik macht. Er will die asiatischen Nationen bzw. Regionen der Sowjetunion zu Europa bringen, aber er kümmert sich nicht sehr um die nicht-europäischen Völker, die ganz andere Traditionen und vielleicht auch etwas andere Bezüge zur Außenwelt — besonders der asiatischen Außenwelt — haben.

Man kann nicht über die isolationistische Politik Gorbatschows sprechen, da es eine solche nicht gibt. Er ist sehr integrationistisch orientiert, — das nicht nur in bezug auf die Integration der Sowjetunion in Europa, sondern auch für die Integration von allen Völkern der Sowjetunion in Europa. Das ist vielleicht auch ein Problem, weil die nicht-europäischen Völker Angst haben, daß diese Politik die kulturelle Vielfalt der Sowjetunion — besonders der Völker asiatischer Herkunft — verwischen wird. Sie könnten dann vielleicht nicht mehr asiatisch sein, weil sie Europäer sein sollen. Man muß immer daran denken, daß Moskau alleine aus der Sowjetunion noch kein europäisches Land macht. Es ist keine europäische Nation, sondern eine multinationale Gesellschaft mit vielfältigen Interessen und auch vielfältigen Problemen. Diese sind auch die Probleme der dritten Welt Asiens. Man muß also jetzt sagen, daß die Sowjetunion im Moment eher einem Dritte-Welt-Land als einem europäischen Land ähnelt.

Anke Martiny

Multikulturelles Zusammenleben in der Bundesrepublik Deutschland

Kein Thema kulturpolitischer Art treibt mich zur Zeit so um wie die Frage, wie wir hier in Berlin und in der neuen, größeren Bundesrepublik Deutschland zusammenleben. Ich spüre soviel Irritation und Unsicherheit, fast jeden Tag liest man von fremdenfeindlichen Übergriffen; Aggression und Radikalität bricht sich in einem solchen Ausmaß bahn, daß die Frage der Art und Weise friedlichen Zusammenlebens der Menschen in unserem Land die kulturpolitische Frage schlechthin zu sein scheint.

Den Begriff »multikulturell« schätze ich nicht sehr. Er scheint erstmals bei einer kirchlichen Veranstaltung Ende 1980 gebraucht worden zu sein, wurde dann aber von Heiner Geißler in seiner Funktion als CDU-Generalsekretär während des Wahlkampfes 1983 in einer tendenziösen Weise gegen sozialdemokratische und auch grüne Positionen ins Spiel gebracht. Inzwischen scheint Heiner Geißler ein wenig umgedacht zu haben. Jedenfalls setzt er sich in seinem jüngsten Buch »Zugluft« recht kritisch mit einigen Parteifreunden auseinander, die gegenüber einer Gesellschaft, in der Menschen aus vielen Ländern und mit unterschiedlichen kulturellen Erfahrungen zusammenleben, starr auf der Wahrung der »nationalen Identität« — was immer dies ist — beharren.

Unabhängig von allen Menschen fremder Herkunft, die bei und mit uns leben, leben wir »multikulturell« zusammen. Denn was hat die kulturelle Vorstellung eines Industriefacharbeiters bei der Gestaltung seines Feierabends, seines Urlaubs, seiner Wohnung mit jener einer Beamtenwitwe gemeinsam, die einstmals vielleicht Sekretärin war, dann heiratete, zwei Kinder erzog und nun ihren Lebensabend mit mehreren tausend Mark Rente verbringt? Was verbindet einen jungen Rockmusiker mit der Verkäuferin in einem Bioladen? Wo treffen sich die Besucher der Bismarck-Ausstellung mit jenen der Internationalen Automobilausstellung?

Es gibt nur wenige Begriffskombinationen, die derart kontrovers und polarisiert in unserer Gesellschaft diskutiert werden wie der Begriff der »multikulturellen Gesellschaft«, bei dem man die ganze Bandbreite der denkbaren Verschiedenheiten innerhalb ein und derselben Sprache und der nationalen Herkunft schlicht nicht zur Kenntnis nimmt und sich ausschließlich auf Verschiedenheiten konzentriert, die durch eine fremde Sprache, eine fremde Herkunft und möglicherweise eine andere Religion gekennzeichnet sind. Jürgen Miksch versteht unter dem Begriff einer multikulturellen Gesellschaft eine, »in der Menschen mit verschiedener Abstammung, Sprache, Herkunft und Religionszugehörigkeit so zusammenleben, daß sie deswegen weder benachteiligt noch bevorzugt werden«. Diese Definition scheinen die Organisatorinnen und Organisatoren unserer Veranstaltung zu teilen, deshalb will auch ich sie hier gelten lassen.

Die ausländischen Bürgerinnen und Bürger werden von den einheimischen Deutschen häufig unter dem Gesichtspunkt einer Bedrohung gesehen. Es wird von »Überfremdung« unserer Kultur und unserer Sprache gesprochen, die Gefahr des Verlusts der Identität der Deutschen beschrieben, sogar die Homogenität unserer Gesellschaft wird als ein bedrohtes Gut beschworen. Als ob sie tatsächlich immer vertraut, d.h. nicht fremd, wäre! Wir kennen diese »Überfremdungsthese«, denn das sind Gedanken und Argumentationen, wie sie die Nationalsozialisten immer wieder vorbrachten und durch ihre Ausgrenzungspolitik der Rassenvernichtung in eine entsetzliche Perversion führten.

Aber auch heute noch neigen konservative Kreise dazu, an solchen Stellen beifällig zu nicken und solchen Thesen zuzustimmen, wie beispielsweise die jüngste CDU-Wahlkampagne in Berlin erneut lehrt. Das sogenannte »fortschrittliche« Spektrum der Gesellschaft polemisiert heftig gegen solche Ausgrenzungsbestrebungen, denn die Vielfalt und Heterogenität ist für sie gewissermaßen das Kennzeichen moderner Industriegesellschaften und dies bereits ohne Ausländer.

Wie ist es also in der gesellschaftlichen Realität mit diesen Behauptungen bestellt, die ihrerseits nur als pars pro toto einer artikulierten oder latenten Fremdenfeindlichkeit empfunden werden? Ich frage also: wie behandeln wir die kulturellen Bedürfnisse und Äußerungen unserer ausländischen Mitbürgerinnen und Mitbürger?

Auf Betreiben Berlins verabschiedete die Kultusministerkonferenz am 29. November 1985 eine Empfehlung zum Thema »Kultur und ausländische Mitbürger«. Nach den dort formulierten Zielen sollte die Kulturpolitik u.a. folgende Grundsätze beachten:

»1. Kulturelle Ausländerpolitik respektiert die unterschiedlichen Ausdrucksformen und unterstützt Maßnahmen und Aktivitäten, die diese pflegen oder unter dem Einfluß der Kultur des Gastlandes weiterentwickeln. Das erstrebte Miteinander deutscher und ausländischer Bevölkerung bedeutet deshalb nicht, daß ausländische Mitbürger ihre kulturelle Identität aufgeben.

2. Zugleich ist es notwendig, das zentrale Kulturangebot des Gastlandes stärker auf die in der Bundesrepublik Deutschland lebenden Ausländer auszurichten. Deshalb sind Hörfunk und Fernsehen, die Theater, Konzertveranstalter, Museen, kommunalen Kinos, Kommunikationszentren, Bibliotheken, Einrichtungen der Erwachsenenbildung usw. aufgefordert, ihre Angebote und Veranstaltungen für die ausländischen Menschen in verstärktem Maße zugänglich sowie ideel wie materiell attraktiver zu machen. Bei der Vergabe von Stipendien, der Erarbeitung von Austauschprogrammen und der Verleihung von Kunstpreisen sind Ausländer verstärkt einzubeziehen.

3. Wesentlich für eine erfolgreiche Kulturarbeit ist der unmittelbare Bezug zur Erfahrungswelt. Sie darf nicht nur in der traditionellen Kultursphäre angeboten, sondern muß vorwiegend in der alltäglichen Umgebung geleistet werden. Dies geschieht am besten dort, wo Ausländer und Deutsche miteinander wohnen und unterschiedliche Lebensformen sich direkt berühren. Insbesondere sind alle Initiativen und Einrichtungen zu unterstützen, die die unmittelbare Begegnung zwischen Ausländern und Deutschen fördern. Dabei kommt es sowohl darauf an, die Einbeziehung der ausländischen Mitbürger in das bestehende Kulturangebot zu verbessern, als auch darauf, die Aufgeschlossenheit der deutschen Bürger für ausländische Kultur zu steigern. Im Bereich der Erwachsenenbildung können die vorliegenden Erfahrungen mit Veranstaltungen für Ausländer und Deutsche eingebracht werden.«

Soweit also die Empfehlung der Kultusministerkonferenz. In der Vorbereitung auf diesen Kongreß haben wir von der Senatsverwaltung für Kulturelle Angelegenheiten am 17. Juni 1990 bei den alten Bundesländern der Bundesrepublik herumgefragt, um festzustellen, inwieweit sich diese Empfehlung der Kultusministerkonferenz auf kulturelle Bedürfnisse und Äußerungsformen der Ausländerinnen und Ausländer unter dem Gesichtspunkt ihrer staatlichen Förderung ausgewirkt hat. Wir hatten an die alten Bundesländer einen Katalog mit sechs Fragen, aber mehreren Nebenfragen versandt. Der Katalog betraf die rechtlichen Grundlagen der Förderpraxis, die konzeptionellen Überlegungen zur Ausländerkulturarbeit, Projektplanung und Umfang der zur Verfügung stehenden Haushaltsmittel (nebst Drittmitteln), Kooperation bei der Ausländerkulturarbeit, Projektplanung und Umfang der zur Verfügung stehenden Haushaltsmittel zwischen Ressorts der Landesregierungen und Überlegungen für die künftige Arbeit. Der Rücklauf auf die Anfrage war eher problematisch als erfreulich. Zwei Bundesländer haben überhaupt nicht geantwortet (ein SPD- und ein CDU-regiertes Bundesland), zwei weitere Bundesländer verwiesen darauf, daß es in ihrem Land keine zentrale Ausländerkulturarbeit gebe und verwiesen — zu recht — auf die Kommunen, die allerdings nicht auf die Fragebogenaktion reagierten. Drei weitere Bundesländer — allesamt sogenannte Flächenstaaten — konnten nicht alle Fragen beantworten. Sehr vollständig äußerten sich nur Nordrhein-Westfalen und die Regierungen der Stadtstaaten. Dazu im einzelnen:

1. Wichtigste Grundlage für die Bezuschussung von Ausländerkulturaktivitäten sind die jährlichen Haushaltsgesetze. Dies ist normal, da im demokratisch verfaßten Staat eine Geldausgabe nur aufgrund gesetzlicher Grundlage zulässig ist. Ferner haben sich die Landesregierungen Richtlinien gegeben, die allerdings — nach unserem derzeitigen Kenntnisstand — in keinem Bundesland den Rang eines Gesetzes haben. Es handelt sich meistens um Beschlüsse der Landesregierungen zur Integrationspolitik (Berlin, Bremen) bzw. Leitlinien zur Ausländerpolitik (Nordrhein-Westfalen), oder diese Grundsätze sind in einem Kulturentwicklungsplan enthalten (wiederum Bremen), oder die Maßnahmen beruhen auf Verwaltungsrichtlinien (Rheinland-Pfalz).

2. Der Umfang der konzeptionellen Grundlagen ist in den alten Bundesländern unterschiedlich ausgeprägt. Die vorliegenden

Antworten lassen folgenden Schluß zu: Die kulturelle Eigenständigkeit der Ausländer wird respektiert. Ebenso wie Berlin betont Bremen ausdrücklich, daß nicht Assimilation, sondern die Verbindung deutscher und ausländischer Kultur angestrebt wird. In Niedersachsen spielt die kulturelle Selbstdarstellung der Ausländer eine erhebliche Rolle.

Wir in Berlin haben uns seit Beginn der achtziger Jahre der Maxime verschrieben, Kultur als Medium der Verständigung zwischen den Nationalitäten zu verstehen und einzusetzen. Die kulturellen Aktivitäten dienen der Erhaltung der kulturellen Identität der Ausländer und sollen Anreiz für ihre deutschen Nachbarn bieten, sich mit Sitten und Gebräuchen sowie den anderen Mentalitäten ihrer ausländischen Mitbürgerinnen und Mitbürger auseinanderzusetzen. Im Idealfall ermöglichen die Kulturveranstaltungen Begegnungen, die auf andere Weise nicht zustande kommen würden. Sich kulturell und spielerisch zu begegnen, ist allemal besser, als die Begegnung mit pädagogischen Beschwörungsformeln erzwingen zu wollen. In dem berühmten Buch des Niederländers Johan Huizinga »Homo ludens« wird die These vertreten, daß alle Kultur aus dem Spiel erwachsen ist und damit auch die kulturelle Kommunikation sich spielerisch begründet. Unser Umgang mit Kindern macht uns dies immer wieder klar. Nur die Erwachsenen sind oft so verstockt, daß sie an die kulturelle Bedeutung des Spiels nicht recht glauben wollen.

Dem Satz »Nun liebt sie doch, die Ausländer« die pädagogisch-psychologische Peitsche der gesellschaftlichen Verachtung für unbotmäßiges Verhalten folgen zu lassen, ist wenig ergiebig, wahrscheinlich eher kontraproduktiv. Auch für die kulturelle Integrationsarbeit gilt, daß sich der Staat nicht in die kulturellen Inhalte einmischen darf. Die konzeptionelle Eigenorganisation ist prinzipiell der Weg, auf dem die kulturellen Äußerungsformen von, mit und für ausländische Mitbürgerinnen und Mitbürger entstehen sollen. Anregungen sind jedoch erlaubt, um bestimmte Tabuvorstellungen über den kulturellen Hintergrund einer ausländischen Bevölkerungsgruppe für die deutsche Bevölkerung aufzubrechen. So sind z.B. gezielt Zuschüsse gezahlt worden, um in Berlin die Aufführung moderner türkischer Gegenwartsmusik zu ermöglichen — durch deutsche Orchester, um zu zeigen: türkische Kultur ist sehr viel mehr als Bauchtanz, Döner-Kebab und Folklore!

3. In allen Bundesländern werden Projekte aller Kultursparten gefördert, bis hin zu soziokulturellen Aktivitäten.

4. Haushaltsmittel und Gelder von dritter Stelle stehen in unterschiedlichem Umfange zur Verfügung. Das reicht von ca. 60 000 DM in Niedersachsen (Landesebene), über 200 000 DM in Hamburg, über 375 000 DM in Bremen bis zu sieben Millionen DM für Ausländerkulturarbeit in Nordrhein-Westfalen. Wir in Berlin (ehemals West) können rd. 1,4 Millionen DM für diesen Zweck zur Verfügung stellen.

5. Eine der interssantesten Fragen unserer Erhebung war diejenige, in welcher Form die Ausländerkulturarbeit von anderen Stellen und Ämtern bzw. Ressorts mitgetragen wird. Die Antworten waren hier sehr vage bis hin zur eher blumig zu nennenden Auskunft, daß die Kultureinrichtungen der Stadt allen Bürgerinnen und Bürgern zur Verfügung stünden.

Wir in Berlin haben gute Erfahrungen mit einer institutionalisierten Zusammenarbeit gemacht. Bestimmte Haushaltsmittel für Ausländerkulturarbeit sind im Haushaltsplan etatisiert und werden in Abstimmung mit unserem zuständigen Referat auftragsweise bewirtschaftet. Ferner existiert ein sehr intensiver Informationsaustausch unserer Senatsverwaltung mit der für Grundsatzangelegenheiten zuständigen Ausländerbeauftragten des Senats und der Senatsverwaltung für Gesundheit und Soziales, die die Mittel für freie Initiativen, die nicht den Kulturbereich betreffen, verwaltet und betreut.

»Dies sieht ja so schlecht nicht aus«, könnte als Fazit unter unsere Umfrage gesetzt werden. Zwar bestehen Defizite — wer wollte diese leugnen — aber man staune: die Deutschen kümmern sich um ihre Ausländer! Können wir uns also angesichts der vorhandenen Probleme der alten Bundesländer — die neuen folgen hoffentlich sehr bald!!! — beruhigen und gar die Frage nach der breiten Akzeptanz einer multikulturellen Gesellschaft bejahen? Oder doch zumindest feststellen, daß wir auf dem richtigen und von der gesellschaftlichen Mehrheit getragenen Weg zu einer multikulturellen Gesellschaft in der Bundesrepublik sind? Ich möchte nicht verhehlen, daß ich an diesem Punkte eher skeptisch bin. Ich denke, daß wir im Moment eine Phase der gesellschaftlichen Entwicklung in der Bundesrepublik Deutschland erleben, die uns ansatzweise Strukturen weist, auf welchem Wege wir zu einer multikulturellen Gesellschaft gelangen können. Lassen Sie mich aber meine Skepsis kurz begründen:

Zu Jürgen Mikschs bereits zitierter Definition der multikulturellen Gesellschaft gehört die Akzeptanz der kulturellen Äußerungen der Ausländer. Akzeptanz ist in diesem Zusammenhang nicht nur durch intellektuelle Faktoren bestimmt, sondern besitzt auch eine wesentliche und nicht wegzuleugnende emotionale Komponente. Zur Akzeptanz gehört weiter die Selbstverständlichkeit, die »andere« kulturelle Verhaltensweise einfach anzunehmen und neben der eigenen gelten zu lassen, statt diese nicht stets und ständig als etwas Besonderes zu empfinden oder wahrzunehmen. Hier existieren im täglichen Leben die relevantesten Defizite. Beispielsweise haben Kulturveranstaltungen, die den Rahmen des Akzeptierten verlassen, erhebliche Rezeptionsschwierigkeiten: sie verletzen Tabuzonen. Dies gilt nicht nur für die Themen, sondern auch für die ausländischen Künstlerinnen und Künstler. Häufig werden deren Arbeitsergebnisse als grelle Farbtupfer und nicht als integrierte Bestandteile eines komplexen Mosaiks gesehen und verstanden.

An dieser Stelle setzt die Verantwortung der Multiplikatoren in Staat und Gesellschaft ein. Da ich über kulturelle Vielfalt spreche, wende ich mich den kulturellen Multiplikatoren dieses Genres zu. Es war Peter Stein mit der Berliner Schaubühne in der zweiten Hälfte der siebziger Jahre, der türkischen Theatermachern eine künstlerische Heimstatt bot. Aus diesem türkischen Schaubühnenensemble erwuchs Ende 1984 das in Berlin ansässige türkischsprachige Theater Tiyatrom. Von den mit öffentlichen Geldern geförderten deutschen Theatern ist es meines Wissens nur das Theater an der Ruhr mit Roberto Ciulli, das sich auch türkischen Theaterleuten geöffnet hat und das — was besonders erfreulich ist — auch intensive Kontakte zu den Theatern der Türkei pflegt. Das Berliner Grips-Theater als Jugendtheater hat sich ebenfalls mit der Ausländerthematik beschäftigt und auch ausländische Schauspielerinnen und Schauspieler eingesetzt. Ich vermisse aber, daß sich die großen Kulturinstitutionen den Ausländern stärker öffnen.

Zum einen meine ich in diesem Zusammenhang die Ausländer als Besucher und Rezipienten: ich vermisse z. B. türkische Kompositionen als normalen Bestandteil des Repertoires deutscher Orchester. Zum anderen sollten sich diese Institutionen stärker den Ausländern als Künstlerinnen und Künstlern öffnen. Natürlich meine ich nicht den italienischen Sänger und den russischen Tänzer oder den amerikanischen Rockmusiker. Ich meine die zu gering ausgeprägte künstlerische Kooperation z. B. mit dem türkischen Theater oder dem türkischen Staatsballett. Auch hier werden wir uns als Politikerinnen und Politiker nicht in die künstlerischen Planungen der einzelnen Häuser einmischen, für erlaubt halte ich aber den Appell an die Einsicht, auf diesem Sektor mehr zu tun.

Das Bild der Ausländer allgemein, und das der Menschen aus der Türkei im besonderen, ist in der deutschen Gesellschaft nicht sehr positiv, die Vorurteile sitzen tief. Daher empfinde ich es als emotional besonders wichtig, daß Manfred Krug in seiner Paraderolle als Rechtsanwalt Liebling aus Kreuzberg — wenn er nicht gerade Bier einer bekannten Marke trinkt — einen cay (phonetisch: tschai) bei einem türkischen Imbiß einnimmt. Oder: Zu bester Sendezeit im Fernsehen lief vor Monaten die Serie »Journalisten«; eine der Hauptrollen spielte die Schauspielerin Renan Demirkan, eine Sympathieträgerin der Serie. Ich wage die Behauptung, daß Renan Demirkan für die Akzeptanz der Menschen aus der Türkei mehr getan hat, als so manches aufwendige staatliche Förderprogramm. Gleiches Lob gilt dem ZDF, das kürzlich einen kompletten Sendetag der Türkei gewidmet hat. Dies müßte natürlich für andere fremde Kulturen in unserem Land auch gelten. Das »Haus der Kulturen der Welt« leistet in solchem Kontext Vorbildliches.

Ein sehr, sehr schwieriges Feld ist das Gebiet der Religion, speziell die Akzeptanz des Islam durch unsere Gesellschaft. Leider wird das Erscheinungsbild des Islam in der Bundesrepublik durch die fundamentalistischen Exzesse im Iran oder in anderen Gebieten des Nahen und Mittleren Ostens dominiert. Tatsache ist auch, daß der Einfluß der Fundamentalisten in der Bundesrepublik nicht zurückgeht, sondern sich mindestens auf einem relativ hohen Niveau stabilisiert. Zahlen kann ich Ihnen nicht nennen, aber meine Aussagen stützen sich auf Gespräche mit Kennern der Ausländerszene. Die Religiosität ist ein nicht weg zu denkender Bestandteil unseres Lebens, so laizistisch unser Staat auch immer verfaßt ist. Dies zeigt sich beispielsweise auch daran, wie bei uns die Diskussion um eine Veränderung des Abtreibungsparagraphen die notwendige breite Diskussion einer Verfassungsreform im Sinne einer veränderten — d.h. auch von kirchlichem Einfluß stärker gelösten — Bewertung von Ehe und Familie geführt wird. Aber: die Akzeptanz darf nicht nur für Christen und Juden gelten, auch Muslime haben Anspruch auf Glaubensschutz. Doch die Plätze der islamischen Religionsausübung sind eher ein Provisorium. Wo steht die repräsentative Moschee in der Bundesrepublik, die den gesellschaftlich akzeptierten Besuch des Freitagsgebetes erlaubt?

Die Umgebung der Muslime ist zwar abendländisch-christlich geprägt, aber Mohammeds Spuren sind aus der abendländischen Entwicklung nicht wegzudenken. Viele Muslime empfinden die deutsche Gesellschaft als konträr gegen den Islam, teilweise auch als aggressiv, so daß die islamischen Fundamentalisten eine treffliche Rechtfertigung für ihre radikalen Thesen finden.

In Deutschland, aber auch in anderen Teilen Europas unterstützen wir auf unsere Weise islamischen Fundamentalismus. Im Geiste der Kreuzritter ist dieses Problem nicht lösbar, sondern nur durch das Aufeinander-Zugehen der Menschen. Deshalb unterstütze ich die Forderung von Günter Grass: »In Kreuzberg fehlt ein Minarett.« Hinzufügen möchte ich auch: dieses Minarett fehlt in vielen Teilen der Bundesrepublik. Es fehlen aber auch griechisch-orthodoxe und alt-katholische kirchliche Einrichtungen von hinduistischen oder buddhistischen ganz zu schweigen.

Zur multikulturellen Gesellschaft gehört also die intellektuelle und emotionale Akzeptanz des »Anderen«, auch und gerade dann, wenn es fremd ist. Dazu gehört die Selbstverständlichkeit und auch die Kontinuität dieses Annehmens: fremde Sprachen und andere, unvertraute kulturelle Äußerungsformen gehören zu unserem Alltag. Sie sind nicht in die Aura des Exotischen gekleidet, sondern ganz selbstverständlich täglich neben uns. Erst dann, wenn uns auffällt, daß wir Äußerungen und Verhaltensweisen der fremden Anderen schmerzlich vermissen, erst dann wohl haben wir uns glücklich eingerichtet in einer Gesellschaft, in der viele

Kulturen »multikulturell« verankert sind. Zur multikulturellen Gesellschaft gehört aber auch die soziale Gerechtigkeit. Denn wo sie nicht vorhanden ist, kann echte Verständigung zwischen den Nationalitäten unterschiedlicher Prägung in keinem Staatswesen wachsen. Die Kultur wäre dann zu einer Art Tünche degeneriert, die nur Konflikte vertuschen und verdecken und die Menschen und Menschengruppen nicht zusammenführen würde. Deshalb müssen wir in unserem Staatswesen zu allererst nach sozialer Gerechtigkeit streben, wenn wir ein Zusammenleben organisieren möchten, in dem sich kulturelle Vielfalt ungehindert entwickeln kann. Dies ist eine Utopie, denn die Widerstände sind mannigfaltig. Aber Utopien bestimmen politisches Handeln genauso wie die Realität. Eine Gesellschaft, in der ein freies demokratisches multikulturelles Zusammenleben möglich ist, ist jene Untopie, nach der wir uns künftig ausrichten sollten.

Frage: Können Sie sich die Aggression gegenüber Fremden auf dem Gebiet der ehemaligen DDR trotz der Bemühungen um kulturelle Vielfalt und um Akzeptanz anderer Kulturen erklären?
Martiny: Zum Zusammenhang zwischen Aggression und gesellschaftlicher Situation ganz generell haben sich ja Sozialpsychologen ganz intensiv Gedanken gemacht. Es ist unbestreitbar, daß, wenn Menschen mit den Konflikten, die in ihnen selber stecken, und zwar individuell wie auch als Gruppe, nicht so recht fertig werden, weil ihre gesellschaftliche Situation eine Umbruchssituation ist, die sie ängstigt und ihnen Sorge macht, daß sie häufig zu einer Ableitung dieses Konfliktpotentials neigen und dieses nach außen transponieren. Die Aggression, die sie in sich selber ausmachen müßten, projizieren sie dann auf andere. Dafür sind dann Minoritäten beliebte Objekte. Das ist kein deutsches Phänomen, kein europäisches, sondern ein allgemein menschliches Phänomen, mit dem man umgehen lernen muß. Dieses gelingt jenen besser, die den Umgang mit ihren eigenen Ängsten ein bißchen besser gelernt haben als andere. Das heißt, den etwas reflektierteren Menschen, denen, die mehr gelernt haben, die auch intellektuell mit ihren Emotionen vielleicht etwas anders umzugehen ge-

lernt haben, wohl sicher auch den liberaleren und den materiell nicht geängstigten. Das, was uns bei dem letzten Wahlergebnis in Berlin vor dem Fall der Mauer so zu schaffen gemacht hat, war, daß plötzlich die Republikaner hochkamen und man sich fragte, wer hat die eigentlich gewählt und warum. Anhand der Regionen, in denen sie gewählt worden sind, zeigte sich ganz deutlich, daß es sich hierbei um den Typ Hilfsarbeiter handelte, also denjenigen, der nicht besonders viel gelernt hatte. Es handelte sich nicht um einen fachmännisch ausgebildeten Menschen, sondern vielmehr um einen, der Sorge haben mußte wegen des Verlusts des Arbeitsplatzes, weil neue Konkurrenzen auftraten. Auch mußte er Sorge haben um seine Wohnung, weil eben dieser Zuwanderung durch fremde Menschen kurzfristig Privilegien eingeräumt wurden. Sie wurden eben aufgenommen, wenn sie als Asylbewerber kamen, was die hier bereits wohnenden nicht so betraf. Das ist ein ganz allgemeines Problem. Wir haben es in allen europäischen Großstädten, in Marseille ganz genauso wie in Birmingham. Überall, wo Minoritäten hier um Wohnungen oder Arbeitsplätze konkurrieren, entstehen in den entsprechenden nationalen Majoritäten die Aggressionen.

In der DDR brechen sie jetzt erst auf, ist, weil dort die Aggression durch gesellschaftliche Repression überhaupt nicht zugelassen war. Da kommt jetzt der Überdruck heraus, der durch die diktatorischen Maßnahmen in 40 Jahren gedeckelt und nicht zugelassen wurde. Sie müssen eigentlich mit ihrer Desorientierung und ihren Aggressionen erst umgehen lernen.

Frage (Jürgen Miksch): Ich möchte drei Anmerkungen machen. 1. Sie haben darauf hingewiesen, daß der Begriff der multikulturellen Gesellschaft zum ersten Mal 1980 vom ökumenischen Vorbereitungsausschuß für die Ausländerwoche gewählt worden ist. In Ihrer Funktion als SPD-Senatorin kann ich Ihnen sagen, der erste, der den Begriff verwendet hat, war der Ministerpräsident Holger Börner im April 1978, wenn ich mich recht erinnere, und zwar bei einer Rede vor der hessischen Synode. — Ich muß vielleicht hinzufügen, daß ich damals gebeten worden bin, diese Rede zu schreiben. Mir ist es deswegen wichtig, weil Sie die Kirchen und Herrn Geißler genannt haben. Nein, es waren auch Leute aus

der SPD und ich wünschte mir, die SPD würde die Thematik insgesamt ein bißchen offensiver aufgreifen. Ansätze dafür gibt es.
2. Bei der Entfaltung des Begriffes, der von Artikel 3 des Grundgesetzes abgeleitet ist, fehlte mir bei Ihren Ausführungen, daß der Begriff »multikulturelle Gesellschaft« oder »multikulturelles Zusammenleben« ein Konfliktbegriff ist. Er geht von der Realität der Konflikte aus und versucht, diese Konflikte kreativ zu nutzen. Ich glaube, das ist ein Aspekt, den wir stärker betonen müssten.
3. Ich bezweifele Ihre Ausführungen zur Zunahme des islamischen Fundamentalismus. Könnte dahinter nicht ein Vorurteil stecken? Nun haben sie das auf Berlin bezogen. Ich habe einen Überblick über die Situation des Islam in der Bundesrepublik. Da kann ich dies im Vergleich zu den siebziger Jahren eigentlich nicht feststellen — im Gegensatz zum Fundamentalismus des Islam weltweit. Ich stelle fest, daß die islamischen Gruppierungen in der BRD eher dialogbereit werden. Was mich irritiert, ist der stärkere — wenn ich den Begriff verwenden darf — Fundamentalismus der katholischen Kirche, der, von Rom ausgehend, den Dialog, der notwendig wäre, nicht fördert. Ebenfalls irritiert mich das Desinteresse an dem notwendigen Dialog seitens der evangelischen Kirche.

Martiny: Zu dem Begriff »multikulturell«: Jetzt haben wir den Erfinder dieses Wortes unter uns. Das macht mir den Begriff nicht lieber, muß ich sagen. Das kommt im wesentlichen dadurch, daß er eigentlich in die gesellschaftliche Diskussion als Kampfbegriff eingeführt worden ist. Die Herkunft ist an dem Begriff nicht mehr abzulesen. Wenn ich »multikulturell« höre, fällt mir nicht Holger Börner ein — das habe ich heute zum ersten Mal gehört —, sondern dann fällt mir Herr Stoiber aus Bayern ein. Ich gehe lieber mit anderen Begriffen um. Den Begriff der kulturellen Vielfalt finde ich insgesamt viel angenehmer. Wenn Sie glauben, daß man den Begriff »multikulturell« positiv besetzen kann, dann sei Ihnen das unbenommen. Ich würde mit dem Begriff »multikulturell« lieber anders umgehen und tue das auch.

Ich teile Ihren Hinweis auf den wachsenden Fundamentalismus der katholischen Kirche. Wahrscheinlich können wir das in unserer Gesellschaft gar nicht so gut austragen, wie es ausgetragen werden müßte. Das muß beispielsweise in Indien ausgetragen werden, wo es merkwürdigerweise eine Zunahme an katholischen Gläubigen gibt und wo der Hinduismus wohl nicht so aggressiv ist (wenn auch wahrscheinlich ähnlich fundamentalistisch).

Das Desinteresse der evangelischen Kirche kann ich so nicht sehen, denn ich sehe eigentlich — und die evangelischen Kirchentage mit ihrem »Markt der Möglichkeiten« gerade unter diesem Aspekt zeigen das auch deutlich -, daß hier ein breites Betätigungsfeld für solche Gruppen ist.

Frage: Was halten Sie davon, eine konzertierte Aktion zu starten, in der man die Initiative ergreift, übergreifend zusammenzuarbeiten, um dem Rassismus auf allen Ebenen mit Nachdruck Einhalt zu gebieten?

Martiny: Die Bestrebungen, ressortübergreifende Zusammenarbeit zu organisieren, können sie eigentlich bei Menschen, die einen Kongreß wie diesen organisieren, unterstellen. Da haben ja glücklicherweise auch schon verschiedene Senatsverwaltungen zusammengearbeitet. Es ist nicht immer ganz einfach, weil die Verwaltung ja hierarchisch organisiert ist und nicht vernetzt und verzahnt. Ich bin sehr gespannt, wann die modernen naturwissenschaftlichen Erkenntnisse, die sehr für vernetzte Systeme sprechen, auch mal in den Sozialsystemen Eingang finden. Derzeit haben wir das leider noch nicht.

Frage und Kommentar (Gavin Jantjes): Meine Frage richtet sich auf den Begriff »interkulturelle Stadt«, um ein unbesetztes Wort zu benutzen. Eine interkulturelle Stadt bedeutet für mich, daß, wenn ich das Fernsehen anschalte, die Zeitung aufschlage, in eine Schule gehe oder den Direktor einer Kulturinstitution treffe, daß ich da diese Mischung vorfinde. Im Hinblick darauf finde ich das, was Sie gesagt haben, sehr merkwürdig: Daß Ausländer-Kulturpolitik Kulturaustausch heißt, d.h. daß man nach draußen blickt, was außerhalb Deutschlands ist, anstatt darauf, was direkt vor und mit uns hier im Land ist. Diese Erfahrung haben wir in England ganz anders behandelt, z.B. als wir gesagt haben, Kulturpolitik heißt, was hier im Land unter uns stattfindet. Dafür wollen wir unsere Gelder verwenden. Und wenn da ein Kampf der Töpfe ist, dann ist es auch wichtig, daß unter denen, die über die Verteilung des Geldes zu entscheiden haben, gerade auch Referenten aus dem Kreis der Betroffenen dabei sind. Ich möchte gerne von Ihnen wissen, ob solche Referenten auch tatsächlich vorhanden sind und, ob Kulturpolitik Kulturaustausch ist.

Martiny: Ich meine gerade nicht, daß Ausländer-Kulturpolitik sich nach außen richten soll, sondern daß sie sich in der Tat darauf konzentrieren muß, welche Art von Interaktion und Austausch innerhalb der Kommune, in der sich das abspielt, organisiert, veranstaltet und ermöglicht werden kann. Daß es darüberhinaus auch einen Austausch mit den Heimatländern der Minoritäten geben soll, das halte ich für sinnvoll. Also beispielsweise, daß von unserer Kulturbehörde jetzt auch ein Künstleratelier in Istanbul zur Verfügung gestellt wird für eine/n Maler/in, so daß diese/r eine Zeit in Istanbul wirken kann, ebenso, wie es in Berlin türkische Maler gibt. Dieses halte ich für eine Bereicherung. »Interkulturell« ist ein guter Begriff, weil er das faßt, was innerhalb ein und desselben Beziehungsnetzwerkes an verschiedenartiger kultureller Ausprägung ermöglicht werden soll.

Frage: Warum ist der Islam neben der evangelischen und katholischen Kirche auch von staatlicher Seite noch so wenig anerkannt?

Martiny: Es ist sicher sehr gut und notwendig, daß auch verfassungsrechtliche Fragen bei diesem Kongreß mit zur Sprache kommen. Wir werden sie allerdings von einem Länderstatus her nicht aus den Angeln heben können. Zum Beispiel die Frage, ob die BRD alten oder neuen Typs ein Einwanderungsland ist oder nicht. Da sie sich bisher darauf verstanden hat, nicht als Einwanderungsland zu gelten, sondern nur als Land für Asylbewerber, für die hier unter bestimmten gesetzlichen Bedingungen Asyl zur Verfügung gestellt wird, werden sich bestimmte Fragen, beispielsweise auch die, inwieweit der Islam eine staatlich anerkannte Religion in diesem Land ist, wahrscheinlich nicht zufriedenstellend lösen lassen. Es ist natürlich irgendwo eine Fiktion zu meinen, daß wir kein Einwanderungsland wären, aber solange an dieser Fiktion festgehalten wird, lassen sich bestimmte Dinge juristisch nicht anders angehen. Was die Frage des Schulunterrichts angeht, inwieweit dieser getrennt oder gemeinsam mit türkischen und deutschen Kindern abgehalten wird, so ist dieses eine der Schnittstellen, an der sich durch das Miteinander erweisen muß, welche Form von Integration bzw. welche andere Form von Akzeptanz des nach wie vor minoritären anderen denn gewünscht ist. Wenn man den gesamten Unterricht gemeinsam macht, geht das spezifisch Türkische in einer Generation verloren. So ist es in den USA oder in Australien immer wieder zu erleben, eben weil der Assimilationsdruck zu groß ist. Wenn man einen nicht voll integrativen Kurs fährt, hat man sicherlich immer wieder das Problem, daß die beiden Kulturen nebeneinander stehen und sich dann eben auch reiben und sich nicht integrierend oder auch akzeptierend verhalten.

Ich persönlich plädiere für einen Kurs, bei dem man das Andersartige pflegt und bestehen läßt — auch mit den damit verbundenen Reibungen, die dadurch sicherlich entstehen. Das Motto des Kurfürsten »Jeder kann nach seiner Fasson glücklich werden« scheint mir dies am besten widerzuspiegeln, weil es das größere Maß an kultureller Freiheit und kultureller Vielfalt rechtfertigt. Alles andere wäre mir ein zu sehr nach der Majorität ausgerichtetes Integrationsbemühen, welches dann auch immer sehr viel mit Repression und Unterdrückung des Fremden zu tun hat.

Frage bzw. Kommentar (Irene Runge): Vergessen werden die russischen Juden, wie sie in Ihrem Sprachgebrauch heißen, die sowjetischen Juden. Wenn über Juden gesprochen wird, dann geschieht das immer in der Vergangenheit. Die Stadt Leipzig scheint einer mittleren Krise entgegenzugehen, weil dort 22 sowjetische Juden wohnen bzw. wohnen wollen. In Berlin sind einige hundert, was dazu führt, daß Berlin offensichtlich völlig überfordert ist. Es handelt sich dabei um Juden aus der Sowjetunion. Wir, als jüdischer Kulturverein, sind einigermaßen traurig, daß die vielen Wiedergutmachungsreden, -phrasen, -reisen nach Israel der Politiker aus Ost und West offenbar nur dazu führen, daß sehr wenig bis kaum etwas passiert. Ich wollte eigentlich nur sagen, bei Multikultur sollten wir die Juden nicht vergessen. Zumindest wenn sie sowjetische Staatsbürger sind, sind sie ja auch Ausländer.
Martiny: Frau Runge, Ihr Hinweis auf die sowjetischen Juden war sicher an dieser Stelle berechtigt. Die Überlegung der politisch

und auch religiös Verantwortlichen ist eigentlich so, daß im Hinblick auf die sowjetischen Juden, die aus der Sowjetunion ausreisen wollen, soviel Aufnahme wie möglich in den deutschen Städten wo auch immer angestrebt wird. Dies wird davon abhängig gemacht, wie die jüdischen Gemeinden, die nun nicht so stark sind, aus den schrecklichen Gründen, die wir alle kennen, glauben, es sich zumuten zu können. Bezogen auf Berlin heißt das, wieviel an sowjetischen Juden die Berliner jüdische Gemeinde glaubt, in ihrer Gemeinde aufnehmen zu können, soviele sollen hier auch Aufnahme finden. Das gilt für die anderen deutschen Städte, wo es jüdische Gemeinden gibt, in gleicher Weise.

Einwurf (Irene Runge): Die sind aber nicht religiös. Das ist doch das Problem. Es ist doch Augenwischerei: Wenn die Leute katholisch sind, gehen sie doch auch nicht in die katholische Kirche, die Wolgadeutschen gehen doch auch nicht sofort in die protestantischen Gebiete. Das ist eine falsche Konzeption, weil die Gemeinden das nicht tragen können. Denn diese Leute sind im jüdischen Sinne zum Teil nicht Juden, weil sie jüdische Väter haben. Sie sind nicht religiös. Man zwingt sie zur Lüge, »ja, ich bin religiös«. Ich halte das für ein Problem, bei dem sich einfach ein deutsches Trauma immer wieder reproduziert in einer falschen Definition von Judentum. Das muß man trennen.

Martiny: Warum aber 22 sowjetische Juden in Leipzig ein größeres Problem darstellen als vielleicht 22 Schwarzafrikaner, vermag ich dann auch wieder nicht einzusehen. Also, es ist dann mit solchen Minoritäten eben immer ein Problem.

Stefi Jersch-Wenzel

Erfahrungen mit multikulturellem Leben in früherer Zeit: Hugenotten, Salzburger, Böhmen und Juden in Preußen

Wenn ich als gelernte Historikerin über »Erfahrungen mit multi-kulturellem Leben in früherer Zeit« etwas berichten soll, muß ich hinter die Zeit zurückgreifen, die in unseren Schulbüchern gemeinhin »Das Zeitalter der Nationalstaaten« genannt wird. Denn die Entstehung des nationalstaatlichen Machtdenkens bedeutete in der Konsequenz die Abschaffung aller Wertvorstellungen, die in Konkurrenz zu diesem Organisations- und Wertsystem standen oder auch nur die Integration in die an ethnozentristischen Maximen orientierte Gesellschaft erschwerten. Ich muß zurückgehen in die Zeit des Absolutismus, in der die Zugehörigkeit zu einem bestimmten Stand, nicht zu einer Nation, das Leben des Einzelnen bestimmte. Das bedeutete Vorrechte für den einen Stand, etwa den Adel, und Benachteiligungen für andere Stände, die die Masse der Bevölkerung ausmachten. Es bedeutete aber auch, daß der Fürst, als die Zentralgewalt, bestimmte Privilegien und Freiheiten an Fremde vergeben konnte, wenn ihm deren Zuwanderung für das Gedeihen seines Landes nützlich erschien. Sie lebten dann entweder neben der ständischen Gesellschaft, oder sie wuchsen allmählich in sie hinein.

Ich möchte das an einigen Beispielen schildern. In der Zeit von der Reformation bis weit in das 18. Jahrhundert hinein ist der Zusammenhang zwischen religiöser Intoleranz und dadurch bedingter Migration von Glaubensflüchtlingen oder von Menschen, die ihres Glaubens wegen vertrieben wurden, eine häufig zu beobachtende Erscheinung. Neben den Auswirkungen auf die demographische Entwicklung Mitteleuropas waren diese Wanderungen eine der Hauptursachen für die Herausbildung ethnisch-religiöser Minderheiten in jener Zeit. Das Ziel der wandernden Gruppen war es, einen neuen Niederlassungsort zu finden, an dem sie ihre Religion frei ausüben, ihre eigene Sprache sprechen und ihr traditionsgebundenes kulturelles Brauchtum pflegen konnten. Seit den siebziger Jahren des 16. Jahrhunderts und verstärkt seit der Aufhebung des Edikts von Nantes im Jahre 1685 bis weit ins 18. Jahrhundert hinein strömten die französischen Glaubensflüchtlinge, die Hugenotten, denen sich auch Wallonen und Waldenser anschlossen, in deutsche Territorien, in die Schweiz, die Niederlande, nach England, Irland, Nordamerika und in geringem Umfang auch nach Skandinavien und Rußland. Ihre Anzahl wird insgesamt auf 200 000 geschätzt.

In der ersten Hälfte des 18. Jahrhunderts verließen dann etwa 20 000 Protestanten das Erzbistum Salzburg und trugen schließlich entscheidend zur Kolonisation Ostpreußens bei, und etwa zur gleichen Zeit kamen mehrere tausend protestantische Böhmen, die zunächst in Sachsen Zuflucht gesucht hatten, nach Brandenburg-Preußen. Hinzu kamen Socinianer, Schwenkfeldianer, die sogenanten mährischen Brüder und andere, eher sektenähnlichen Orientierungen anhängende Glaubensflüchtlinge sowie die immer auf der Suche nach einem sicheren Niederlassungsort befindlichen Juden. Gemeinsam war all diesen Gruppen, daß ihre Wanderung den Entschluß zur Flucht oder eine Vertreibung aus Glaubensgründen zur Ursache hatte. Sie suchten also nicht aus wirtschaftlichen Gründen oder aus Abenteuerlust freiwillig eine neue Heimat, sondern waren auf Niederlassungsangebote von Obrigkeiten angewiesen, die ihnen ein Leben nach ihren religiösen und kulturellen Vorstellungen gestatteten.

Abgesehen von dieser Gemeinsamkeit aber unterschieden sich die Gruppen, mit denen ich mich hier beschäftigen will, deutlich voneinander, sowohl was das Beharren auf ihren eigenen religiösen und kulturellen Wertvorstellungen und damit ihren Charakter als Minderheiten angeht, als auch im Hinblick auf ihre Einschätzung seitens der sie umgebenden Gesellschaft.

Ich möchte mich hier, der chronologischen Abfolge der Wanderungsbewegungen folgend, nacheinander mit den Hugenotten, den Salzburgern und den Böhmen beschäftigen und abschließend auf die Juden eingehen.

Zunächst zu den Hugenotten: Hier möchte ich mich exemplarisch zu der Entwicklung in Brandenburg-Preußen äußern, weil hierhin der größte Zuzug erfolgte. Zwar ließen sich auch viele Hugenotten in anderen, kleineren Territorien mit vorherrschend protestantischer Religion im Westen und Südwesten des deutschen

Reiches nieder, doch läßt sich an dem von mir gewählten Beispiel am deutlichsten der Umgang mit dieser Minderheit darstellen. Es ist einmalig in der Geschichte Brandenburg-Preußens im 17. und 18. Jahrhundert, in welchem Maße der brandenburgisch-preußische Herrscher und seine Beamten sich weit über die materiellen Kapazitäten des Landes hinaus bemühten, sich an dem mittel- und westeuropäischen Konkurrenzkampf um die Anwerbung einer größtmöglichen Zahl von Hugenotten zu beteiligen. Kriegseinwirkungen, Mißernten, Hungersnöte und die Abwanderung der noch erwerbsfähigen Bevölkerung während des 30jährigen Krieges und danach hatten zu einer Entvölkerung des Landes geführt, so daß der Zuzug von Neuankömmlingen dringend erwünscht war.

Es wurde in Frankreich und Frankfurt am Main, der »Drehscheibe des Refugié«, mit Bezug auf das vielversprechende Edikt von Potsdam regelrechte Propaganda für die Niederlassung in dem wenig attraktiven Territorium Brandenburg betrieben. Brandenburgische Kommissare statteten die einwanderungswilligen Hugenotten mit Reise- und Zehrgeldern aus und begleiteten sie in die neue Heimat.

Der Umfang der Hugenotteneinwanderung nach Preußen liegt bei fast 20 000 Personen. Neben der Hilfeleistung für Glaubensgenossen ist die Hoffnung, in den Bereichen der Wirtschaft, der Kultur und der Bildung Träger von neuen Kenntnissen und Fertigkeiten zu gewinnen, unübersehbar. Was die rechtlichen Bedingungen für ihre Ansiedlung betrifft, so befanden sich niederlassungswillige Hugenotten in Brandenburg-Preußen in einer deutlich privilegierten Situation. Sie erhielten kostenlos Bauland und die erforderlichen Baumaterialien; sie wurden anfänglich von allen Abgaben außer der Akzise, einer indirekten Verbrauchssteuer, befreit, sollten kostenlos in Gilden und Innungen aufgenommen werden und finanzielle und materielle Starthilfen bei der Begründung von gewerblichen Unternehmen erhalten.

Wenige Jahrzehnte nach ihrer Niederlassung erhielten sie durch das Naturalisationspatent von 1709 bzw. 1720 zusätzlich alle Rechte und Freiheiten der preußischen Untertanen. Als im Zuge der preußischen Reformgesetzgebung die Vorrechte der Französischen Kolonie in den Jahren 1808/09 abgeschafft wurden, stieß diese Maßregel verständlicherweise auf den heftigen, aber vergeblichen Widerstand der Betroffenen.

Ihre Unterbringung bereitete anfangs große Schwierigkeiten. Da die leerstehenden Häuser meist verfallen waren und der Bau neuer Gebäude Zeit brauchte, mußte improvisiert werden. Teils wurden neue Stadtteile für sie erbaut, wie die Dorotheenstadt in Berlin, teils bauten sie selbst auf einzelnen brach liegenden Grundstücken, teils wurden die Vertreter einzelner Berufszweige, z.B. eine große Anzahl von Gärtnern, dazu veranlaßt, sich in der Nähe des Schlosses oder adliger Güter anzusiedeln, um eine möglichst schnelle Belieferung der jeweiligen Herrschaft mit feinem Gemüse zu gewährleisten.

Die Installierung eigener Gemeindeinstitutionen erfolgte bei den französischen Glaubensflüchtlingen sehr früh. Zwar gab es in Brandenburg-Preußen Differenzen zwischen der calvinistischen Oberschicht und der etwa 95% ausmachenden lutherischen Mehrheit der Bevölkerung, doch erhielten die französischen Glaubensflüchtlinge hier ganz selbstverständlich den öffentlich-rechtlichen Status als Glaubensgemeinschaft, weil sie eine dem Herrscherhaus verwandte Religion hatten. Sie bekamen ein französisches Oberkonsistorium, eine eigene Koloniegerichtsbarkeit und eigene Wohltätigkeits-, Erziehungs- und Krankenpflegeinstitutionen, so daß die Gemeinden relativ früh fest konstituiert und rechtlich abgesichert waren.

Es verwundert nicht, daß die einheimische Bevölkerung mit offenem oder verstecktem Widerstand auf die Ansiedlung der privilegierten Hugenotten reagierte. Zünfte und Gilden verzögerten die angeordnete kostenlose Aufnahme der Zuwanderer; die Magistrate erschwerten oder verhinderten durch hinhaltendes bürokratisches Geplänkel ihre Unterbringung, und die lutherischen Kirchengemeinden mußten zum Teil mit Strafandrohungen dazu gebracht werden, die Abhaltung des reformierten Gottesdienstes zu gestatten. Die Reaktion auf diesen Bevölkerungszuwachs war also anfangs deutlich distanziert oder sogar aggressiv. Hinzu kam ein Gefühl der Fremdheit gegenüber diesen französischen Zuwanderern. Es äußerte sich am augenfälligsten im Bereich der Sprache, denn das Französische war zwar in der gehobenen Gesellschaft verbreitet, nicht aber bei der Masse der Bevölkerung.

Befremdlich schienen aber auch ihre vergleichsweise aufwendige Kleidung, ihre differierenden Eßgewohnheiten und ihre eigene Art, Festlichkeiten zu begehen, doch scheint die von ihnen verbreitete, als »gehoben« eingeschätzte Lebensweise durchaus auch eine gewisse Anziehungskraft gehabt zu haben.

Die Mitglieder der Französischen Kolonie wandelten sich im absolutistischen Brandenburg-Preußen von eigentlich rückkehrwilligen Glaubensflüchtlingen schon im Laufe des 18. Jahrhunderts zu preußischen Patrioten. Zwar hielt der Stolz, von Refugiés abzustammen, bis weit ins 19. Jahrhundert hinein an, doch gab es bereits in der zweiten Generation nach der Einwanderung Mischehen mit Einheimischen, und das Gruppenmerkmal der eigenen Sprache verlor spätestens seit der Mitte des 18. Jahrhunderts an Bedeutung. Hier hatte sich also bis auf die Beibehaltung der exklusiven Rechtslage eine selbstgewollte Integration vollzogen.

Ihr wirtschaftlicher Nutzen für das Land wird sicher zu positiv eingeschätzt. Zweifellos brachten die Hugenotten, insbesondere im städtisch-gewerblichen Bereich, bisher unbekannte Kenntnisse und Fertigkeiten nach Brandenburg, die in erster Linie die Verfeinerung von Produkten und die Produktion für den Bedarf der gehobenen Kreise betrafen. Sie entwickelten ihre Geschäfte zu angesehenen Unternehmungen, in denen die »gute Gesellschaft« einkaufte. Fast wichtiger war, zumindest im 18. Jahrhundert, ihr Einfluß auf die Entwicklung von Kultur und Wissenschaften in Preußen. Ob in der französisch geprägten höfischen Kultur, ob bei der Entstehung der Akademie der Wissenschaften oder im gesellschaftlichen Leben, überall wird ihr Einwirken spürbar. Die Reihe der Prinzenerzieher ist stattlich, und auch viele Adlige leisteten sich Hauslehrer aus der französischen Kolonie für ihre Kinder. Im Fall der Hugenotten kann man also nahezu von einer Akkulturation der Einheimischen an die Zuwanderer sprechen.

Nahezu problemlos für den preußischen Staat und die Zuwanderer vollzog sich die Einwanderung, Ansiedlung und Eingliederung von rund 20 000 protestantischen Salzburgern, die ihres Glaubens wegen aus ihrer Heimat ausgewiesen und, von brandenburgisch-preußischen Kommissaren begleitet, im Laufe des Jahrs 1732 bei ihrer Wanderung durch die preußischen Territorien von Bevölkerung und Obrigkeit gleichermaßen freundlich aufgenommen worden waren: Für den Start in die Existenz als preußische Untertanen erhielten sie eine Reihe von Anfangserleichterungen: freie Unterkunft, Kredite für den Erwerb von Wohnhäusern, Abgabenfreiheit für die ersten drei Jahre, Brot und Saatkorn für die erste Bestellung von Ackerland, einen Grundbestand an Vieh, einen Vorrat an Lebensmitteln usw.

Die Ansiedlung der Salzburger erfolgte zum ganz überwiegenden Teil in Ostpreußen, teils auf königlichen Domänen, teils auf brachliegenden, herrenlosen Landstrichen; sie drangen hier auf die Erlaubnis, in enger Nachbarschaft leben zu dürfen, um so die eigene Tradition in kultureller und religiöser Hinsicht besser bewahren zu können.

Besonderer Regelungen in religiöser Hinsicht bedurfte es bei den Salzburgern nicht, denn die Religionsausübung war der allgemein verbreiteten verwandt. Allerdings schlug sich die frühere Existenz der Salzburger in einer streng katholischen Umgebung darin nieder, daß sich in manch einem Haushalt »Rosenkränze ... Heiligenbilder, Beichtzettel, Ablaßpfennige, geweihte Lichte, Besprechungen, katholische Lieder und Bücher« fanden, die »entweder als Curiosa« aufbewahrt wurden oder den Kindern als Spielzeug dienten. Sie erhielten eigene Kirchen und Geistliche sowie Schulen für ihre Kinder. Seit Ende der dreißiger Jahre des 17. Jahrhunderts entstand in Gumbinnen die »Salzburger Anstalt«, die anfangs der Versorgung kranker, alter und armer Koloniemitglieder diente und sich allmählich zum kulturellen und geistigen Zentrum der Salzburger Emigration entwickelte und bis ins 19./20. Jahrhundert erhielt.

Wie vollzog sich nun das Zusammenleben dieser zugewanderten Minderheit mit der ansässigen Bevölkerung? Zwar waren die Anfangsschwierigkeiten erheblich, sowohl für die Regierung, die Unterkunft und Verpflegung für die auf 20 000 Personen angewachsenen neuen Untertanen zu sichern versprochen hatte, als auch für die Salzburger selbst, die weder mit dem Klima noch mit der Bodenbeschaffenheit vertraut waren; doch gab es nur wenige Konflikte mit der eingesessenen Bevölkerung. Das lag zum einen daran, daß die Salzburger nicht als Konkurrenten auftraten, sondern bisher ungenutztes Land kultivierten; darüber hinaus gab es nur vergleichsweise geringe Verständigungsschwierigkeiten im sprachlichen Bereich. Die abweichende Kleidung und die besonderen Gebräuche der Salzburger bei Hochzeiten oder Beerdigungen wurden zwar registriert, aber offenbar mehr mit wohlwollendem Interesse als mit Mißtrauen. Was den Gruppenzusammenhalt der Salzburger angeht, so drangen sie zwar anfangs auf die für die Erhaltung der eigenen kulturellen Tradition wichtige benachbarte Ansiedlung, doch erhielt sich im Laufe der Jahrzehnte außer einem Gefühl der Pietät gegenüber den aus Österreich geflohenen Vorfahren nur die weitgehend eingehaltene Endogamie bis zum Beginn des 19. Jahrhunderts.

Auch hier ist zu fragen, welchen wirtschaftlichen Nutzen der preußische Staat aus diesen, die Kolonisationspolitik mit der Hilfe für Glaubensflüchtlinge verbundenen Maßnahmen ziehen konnte. Zwar wurden von den Salzburgern keine herausragenden wirtschaftlichen Leistungen erbracht, aber da, wie betont, im 17. und 18. Jahrhundert Bevölkerungspolitik als wesentlicher Teil der Volkswirtschaftslehre begriffen wurde, bedeutete allein schon die Besiedlung von brachliegenden Landstrichen mit Bauern und die Vermehrung der gewerblich tätigen Bevölkerung in den Städten und Dörfern einen Gewinn. Im speziellen wurde von den Salzburgern vor allem die Kultivierung des Bodens vorangetrieben — eine erhebliche Ausdehnung und Verbesserung des Kartoffelanbaus rechnete dazu — und, zu einem kleineren Teil, die gewerbliche Bevölkerung in den ostpreußischen Städten verstärkt.

Die vergleichsweise kleinste und unauffälligste, aber bis heute traditionsbewußteste unter den Zuwanderergruppen stellten die Böhmen dar. Sie erlangten im Zuge der 750-Jahr-Feier Berlins eine gewisse Renaissance des Interesses, und Böhmisch-Rixdorf, das frühere böhmische Dorf, das jetzt Teil des Verwaltungsbezirks Neukölln ist, wurde auch unter denkmalpflegerischen Gesichtspunkten für diesen Anlaß hergerichtet. Es gab eine Ausstellung, ein Dorffest, Konzerte mit tschechoslowakischen Musikern usw..

Wenige Wochen nach der Aufnahme der Salzburger Emigranten, also auch im Jahr 1732, versuchten Abgesandte dieser protestantischen Böhmen, teils direkt aus ihrem Heimatland, teils von ihren vorübergehenden Aufenthaltsorten in Sachsen aus, die Erlaubnis zur Ansiedlung in Brandenburg-Preußen zu erhalten. Ein brandenburgischer Kommissar hatte dem König berichtet, daß er die Einwanderungswilligen »arm, elend, zerrissen, oft nackend vorgefunden« habe. Obwohl sich die brandenburgischen Herrscher gern mit ihrer Hilfsbereitschaft für in Not geratene Glaubensgenossen schmückten, blieben volkswirtschaftliche Erwägungen bei deren Aufnahme nie außer acht. Nach eingehenden Verhören bezüglich ihrer Rechtgläubigkeit und hinhaltenden Verhandlungen durften die böhmischen Zuwanderer sich einzeln und »nach und nach hineinschlüpfend« in brandenburgischen Orten niederlassen. Der gesamte Umfang dieses Zuzugs dürfte 2000 nicht überstiegen haben.

Zwar war diese Zuwanderung vom Umfang her nicht mit der der Salzbuger vergleichbar, doch gab es im Rechtsstatus Ähnlichkeiten. Auch die Böhmen erhielten die für die Kolonisten generell gewährten Vergünstigungen, wenngleich in etwas großzügigerem Ausmaß: Abgabenfreiheit für die ersten fünf Jahre, einen Mietzinszuschuß für die ersten zwei Jahre, kostenloses Arbeitsmaterial — vor allem Garn und Flachs für die Spinner und Weber, Ackergerät sowie je zwei Pferde und Kühe für ländliche Kolonisten -, freies Bürger- und Meisterrecht und die Befreiung vom Militärdienst, wie sie für alle Kolonisten, aber auch für bestimmte Berufsgruppen und die ganze wirtschaftende Bevölkerung in manchen Städten und Regionen galt.

Darüberhinaus ließ König Friedrich Wilhelm I. für die durchgängig mittellosen Böhmen sowohl in der Friedrichsstadt als auch später in Rixdorf und anderen brandenburgischen Orten Häuser bauen, die ihnen erb- und eigentümlich übergeben wurden — üblich war sonst nur die Vergabe von Bauland und Baumaterialien — und ihnen auf der gleichen Rechtsbasis für Acker- und Gartenland Hofbriefe ausstellen.

Im religiösen und im sprachlichen Bereich gewährte man den Böhmen spezielle Minderheitenrechte. Die böhmische Kolonie bestand seit der Mitte des 18. Jahrhunderts aus drei zeitweise in heftigem Streit befindlichen Gemeinden: einer lutherischen, einer reformierten und der Brüdergemeinde, die sich 1756 offiziell der Herrnhuter Unität anschloß und bis heute am lebendigsten die böhmische Tradition pflegt.

Erst im ersten Drittel des 19. Jahrhunderts wurde der Gottesdienst in tschechischer Sprache verboten — und dies weniger auf den Druck staatlicher Stellen hin als auf den der evangelischen, deutschen Kirchenleitung. Zur gleichen Zeit wurden auch die Stellen für böhmische Lehrer gestrichen. In diese Phase der »Germanisierungspolitik« fiel auch die Abschaffung des böhmischen »Colonie-Commissarius«. Der Inhaber dieses seit 1762 bestehenden Amtes hatte auf die Einhaltung der Privilegien und Freiheiten zu achten und fungierte zugleich als vereidigter Dolmetscher in Geschäfts- und Rechtsangelegenheiten sowie als Vermittler bei den preußischen Behörden, die im 18. Jahrhundert noch durchaus bereit waren, in amtlichen Schriftstücken die deutsche und die tschechische Sprache zu verwenden.

Über einen Widerstand der einheimischen Bevölkerung gegen die Niederlassung der vorwiegend als Weber und Ackerbauern tätigen Böhmen ist nichts bekannt. Sie stellten mit ihrer für das entstehende Manufaktursystem in Heimarbeit betriebenen Weberei keine Konkurrenz für die bereits vorhandenen Handwerker dar und bedienten sich im Verkehr mit der Umwelt bereits nach relativ kurzer Zeit auch der deutschen Sprache. Sie galten als fleißig, aber arm, und waren bei dieser Einschätzung ebenso ehrenwert wie ungefährlich.

Auch hier wieder abschließend die Frage nach dem wirtschaftlichen Nutzen, den das Aufnahmeland von der Tolerierung dieser Minderheitengruppe hatte: Für die Böhmen gilt das Gleiche wie für die Salzburger; ihr Hauptwert lag nicht in aufsehenerregenden wirtschaftlichen Innovationen, sondern in der Vermehrung der erwerbstätigen Bevölkerung und in der Verbreitung von know how. Speziell für das Verlagssystem und die dezentralisierten Textilmanufakturen in der frühkapitalistischen brandenburgischen Wirtschaft stellten die böhmischen Tuch- und Leineweber, die größtenteils hausindustriell arbeiteten, ein qualifiziertes Arbeitskräftepotential dar. Sie kamen ja aus der traditionsreichen »protoindustiellen« Gewerbelandschaft Böhmen/Mähren. Folgerichtig waren ihre Kolonistenhäuser in der Regel so konstruiert, daß die für das Spinnen, Wirken oder Weben erforderlichen Gerätschaften darin untergebracht werden konnten. Nur wenige von ihnen versuchten — zum Teil in genossenschaftlicher Organisation —, selbst Manufakturen zu gründen, scheiterten jedoch häufig am Problem des Kapitalmangels.

Die Juden als Gruppe lassen sich von ihrem Selbstverständnis und von ihren generellen Existenzbedingungen im 17. bis 19. Jahrhundert in Mitteleuropa nur schwer mit anderen vergleichen: Sie gehörten keiner der christlichen Konfessionen an — insofern konnten andere Minderheiten sich mit der Mehrheit auf sie als gemeinsamen Gegner einigen —, und sie konnten nicht die Hoffnung haben, in ihr Heimatland, sofern dort die Restriktionen aufgehoben würden, zurückzukehren, sieht man einmal von der im 17. Jahrhundert durchaus noch real erwarteten Ankunft des Messias ab. Insofern waren die jüdischen Zuwanderer, als die ich sie hier dennoch in die Betrachtung miteinbeziehe, ausgelieferter als andere Religionsflüchtlinge jener Zeit.

Hundert Jahre lang hatten in Brandenburg praktisch keine Juden gelebt, als 1671, anläßlich der Vertreibung der Juden aus Wien, das Niederlassungsedikt für 50 jüdische Familien erlassen wurde. Anders als bei den Hugenotten waren hier nur wohlhabende Zuwanderer erwünscht, da man sich nicht nur die Handelsbeziehungen der Juden und ihre Erfahrung im Geld- und Kreditwesen zunutze machen wollte, sondern zugleich anstrebte, mit wenigen Menschen möglichst viel Geld ins Land zu holen. Unter diesen reinen Nützlichkeitserwägungen ist die Sondergesetzgebung für die Juden vom Zeitpunkt der Niederlassung an bis zum Beginn des 19. Jahrhunderts zu sehen, die darauf abzielte, die Zahl der jüdischen Familien möglichst gering zu halten und die von ihnen verlangten Abgaben ständig zu erhöhen. Waren es anfangs, im Niederlassungsedikt von 1671, nur das Schutzgeld und eine Heiratsgebühr, die von jeder Schutzjudenfamilie zu entrichten waren, so entwickelte die preußische Finanzbürokratie im Laufe des 18. Jahrhunderts ein differenziertes Abgabensystem, das eine jüdische Existenz außerordentlich teuer machte: Kalendergelder, Rekrutengelder, Feuersozietätsgelder, Stempelgebühren, Konzessionsgelder usw. waren ebenso zu zahlen wie Abgaben bei Trauungen, Scheidungen, Reisen oder der Wahl der Gemeindeältesten und bei ähnlichen Anlässen. Hinzu kamen die Schutzgelder und obendrein die normalen, auch von den Christen zu entrichtenden Abgaben. Um die Mittel sowohl für den eigenen Lebensunterhalt als auch für die vorgeschriebenen Abgaben zu erwerben, wurde den Juden als einziger Zuwanderergruppe nur eine sehr begrenzte Reihe von Erwerbsmöglichkeiten zugestanden, nämlich der Handel mit Geld und Waren. Die Juden wichen vielfach aus in wirtschaftliche Positionen, die noch nicht besetzt waren, wie den Gebrauchtwaren- und den Trödel- und Hausierhandel, die Pfandleihe, den Zwischenhandel. Galt der Handel ohnehin als unproduktiv, so wurde derjenige mit Geld, mit gebrauchten Waren und dergleichen dem Zeitverständnis entsprechend verachtet und damit auch diejenigen, die ihn betrieben.

Der anfängliche Widerstand der einheimischen Bevölkerung gegen die französischen Zuwanderer nimmt sich vergleichsweise harmlos aus gegenüber den bis zur offenen Feindseligkeit reichenden und bis weit in das 19. Jahrhundert andauernden Beschuldigungen und Angriffen gegen die Juden. Es vermischte sich dabei die seit Jahrhunderten tradierte Vorstellung von den Juden als Christusmördern, die in ihren Gebeten die christliche Religion schmähten, mit dem Gefühl der Fremdheit gegenüber einer zunächst in selbstgewollter Abgeschlossenheit lebenden, ein eigenes Idiom sprechenden, eigenen Normen und Wertvorstellungen folgenden Gruppe, die sich in zentralen Lebensbereichen, wie dem Heiratsverhalten, der Erziehung der Kinder, der Kleidung, der Zubereitung der Speisen, den Anlässen zu und dem Ritual bei abweichenden Fest- und Gedenktagen usw., von der Mehrheit und den anderen hier betrachteten Minderheiten unterschied. Abweichend war auch die Einstellung der Juden zum Berufsleben, das nach ihren Vorstellungen möglichst rational und effizient gehandhabt werden mußte, um sich durch ökonomischen Erfolg die Freiheit von der Unterdrückung durch die Umwelt zu erkaufen und die Möglichkeiten für ein gesetzestreues jüdisches Leben zu erweitern. Diese instumentale Einstellung zum Broterwerb in Verbindung mit den von staatlicher Seite festgelegten Berufsbeschränkungen führte zu einem für die ständische Gesellschaft unkonventionellen Wirtschaftsverhalten der Juden, das von den potentiellen Konkurrenten als für sie bedrohlich bezeichnet wurde.

Dennoch fanden erste gesellschaftliche und kulturelle Kontakte in der zweiten Hälfte des 18. Jahrhunderts statt zwischen einzelnen jüdischen Gelehrten oder erfolgreichen jüdischen Kaufleuten, die sich in den deutschen Sprach- und Kulturkreis einzuleben begannen, und einer kleinen Gruppe von christlichen Aristokraten, höheren Beamten und Vertretern der Aufklärung aus Wissenschaft und Kunst. Jüdische und christliche Mittel- und Unterschichten hatten aber weiterhin nur den unentbehrlichen geschäftlichen Kontakt untereinander. Die bürokratische Integration der Juden in den preußischen Staat begann bereits im 18. Jahrhundert, da sie von einem fürstlichen Regal zu Steuerzahlern dieses Staates wurden, und fand ihren deutlichsten Ausdruck in dem später in wichtigen Teilen wieder zurückgenommen Emanzipationsedikt von 1812. Mit diesem Edikt begann ihr jahrzehntelanger Aspirantenstatus auf die nur mit einer Teilaufgabe der Gruppenidentität zu erlangende und dennoch von der überwiegenden Mehrheit der Juden in Preußen erhoffte volle Staatsbürgerschaft.

Insgesamt läßt sich feststellen, daß im Zeitalter des Absolutismus in den mitteleuropäischen Territorien, in denen der Protestantismus vorherrschte, die Tendenz bestand, die Hilfe für Glaubensflüchtlinge mit einer gezielten Einwanderungspolitik zu verbinden. Das geschah teils, weil die Religion noch eine zentralere Bedeutung für das jeweilige Weltverständnis hatte und diese Tatsache berücksichtigt wurde, wenn es galt, nutzbringende Untertanen zu gewinnen, teils aber auch, weil in der traditionalen Gesellschaft die Gewährung von Privilegien und Freiheiten an die verschiedensten Bevölkerungsgruppen durchaus üblich war. Im Ergebnis entstanden eine Reihe von Minderheitsgruppen, die zwar zuweilen Sanktionen unterworfen wurden, aber, wenn sie diese akzeptierten, entsprechend ihren eigenen religiösen und kulturellen Vorstellungen leben konnten. Mit der zunehmenden Säkularisierung des Weltbildes seit der Aufklärung, mit der verstärkten Bürokratisierung von Staat und Gesellschaft und der beginnenden Industrialisierung des Wirtschaftslebens sowie der Entstehung des nationalstaatlichen Machtdenkens ging eine Nivellierungspolitik einher, die auf die Abschaffung von abweichenden Wertvorstellungen hinzielte und letztlich das Ende zumindest dieser Phase des Minderheitenrechts bedeutete.

★

Frage: Warum wird so wenig über die Einwanderung christlicher Türken nach Brandenburg gesprochen?

Jersch-Wenzel: Es gibt einzelne Nachkommen dieser Türken, die sich auch mit der Geschichte beschäftigen. Der Berliner Zeithistoriker Götz Ali stammt aus einer solchen Familie und kümmert sich sehr intensiv um dieses Thema.

Die nach Brandenburg eingewanderten Türken setzen sich aus mehreren Gruppen zusammen. Einige kamen aus Glaubensgründen, aber das sind sehr wenige. Viele waren im Dienste brandenburgischer Adliger, sogenannte Beute-Türken. In den kriegerischen Auseinandersetzungen, die speziell Österreich mit der Türkei hatte — woran auch das preußische Militär beteiligt war — kamen einige hierher. Sie lebten dann hier, bekamen von den Adligen Häuschen geschenkt. Sie haben nie ein Gruppenbewußtsein, eine eigene kulturelle Entwicklung zustande gebracht. »Zustande gebracht« klingt, als ob sie es nicht selber gekonnt hätten. Sie wollten es nicht. Sie lebten hier, vielleicht mit einer gewissen Erinnerung an die Heimat, aber nicht, daß sie sagten, wir bilden eine Gruppe, wir wollen die und die Dinge für uns verwirklichen und dafür nehmen wir gewisse Dinge in Kauf.

So war es bei vielen Glaubensflüchtlingen. Insofern mag es eine Rolle gespielt haben, daß sie entweder schon christlich waren oder sich hier zum Christentum bekehren ließen.

Beate Winkler

Multikulturelle Gesellschaft:
Hindernisse und Hoffnungen

Gehen wir nicht in selbstverständlichster Weise zum Griechen essen? Kleiden wir uns nicht — je nach Portemonnaie — in italienisches Design oder indische Gewänder? Ist Mac Donalds für unsere Kinder nicht alltägliches Eßerlebnis? Hinterfragt irgendeiner noch unsere Weltläufigkeit, wenn es darum geht, Weltmeister im Reisen zu sein? Sind wir Deutschen nicht schon längst »Multi-Kultis«? Ohne Wenn und Aber? Wird da nicht ein Problem herbeigeredet, was so gar nicht existiert?

Der Begriff »multikulturelle Gesellschaft« ist für viele mittlerweile diffus geworden und verschleiert oft mehr, als daß er die Problematik, die sich hinter ihm verbirgt, erhellt. Seit fast zehn Jahren arbeite ich im Arbeitsstab der Ausländerbeauftragten. Bei keinem anderen Wort innerhalb meines Arbeitsgebietes habe ich miterlebt, daß es so starke, polarisierte Empfindungen hervorruft.

Einerseits wird die multikulturelle Gesellschaft immer stärker propagiert, andererseits wird sie in höchstem Maße kritisiert und rigoros abgelehnt. Einerseits versucht sie Realität zu beschreiben, andererseits gesellschaftliche Utopie zu zeigen. Und einer geht damit das Bild eines Schreckgespenstes, zu dem wir alle aufgerufen sind, es umgehend zu verjagen.

Ich versuche eine Definition: Mehrheit und Minderheit leben gleichberechtigt zusammen, in gegenseitiger Achtung, in Akzeptanz und Toleranz für die kulturell unterschiedlich geprägten Einstellungen und Verhaltensweisen der jeweils anderen. Multikulturelle Gesellschaft beinhaltet damit für mich: gemeinsames Verstehen, aber auch Auseinandersetzung zwischen Mehrheit und Minderheit. Erst im Prozeß des Austausches, des Infragestellens, des Konfliktes werden kulturelle Unterschiedlichkeiten lebendig. Es schließt ein: Offenheit, die über das Eigene hinausgeht und sich zu etwas Neuem, Anderem entwickelt. Gemeint ist damit auch eine selbstkritische Überwindung von Vorurteilen.

Doch das ist nicht alles. Schon bei dem Definitionsversuch wird die Komplexität und die Kompliziertheit deutlich. Denn:

Multikulturelle Gesellschaft meint immer eine soziale Verpflichtung, beinhaltet die Dimension der Gleichberechtigung, der Chancengleichheit. Wäre das nicht der Fall, würde ein System, wie das Apartheitregime in Südafrika zu Recht als multikulturelle Gesellschaft bezeichnet werden können. Würde multikulturelle Gesellschaft nur das Nebeneinander von unterschiedlichen Formen meinen, hieße dies: »Jeder für sich, Apartheit für alle«. Multikulturelle Gesellschaft muß sich daher in der gelebten Form an dem Gleichheitsgebot, rechtlich und faktisch, messen lassen.

Schreitet man das Begriffsfeld weiter ab, so stößt man auf Widersprüchliches: Die Verschiedenheit der Kulturen und deren Akzeptanz kann sich in einem Grundwiderspruch zu Gedanken der Aufklärung befinden. Der Anspruch des Einzelnen auf sein »Recht auf kulturelle Unterschiedlichkeit« kann im Gegensatz geraten zu den allgemeinen Menschenrechten, die eben menschheitsübergreifend sind. Das bedeutet, man kann nicht alles mit dem Recht auf »kulturelle Differenz« legitimieren, wie z.B. strengen religiösen, kulturellen Fundamentalismus. Dem setzen sich die Menschenrechte, die Würde des Einzelnen, immer entgegen. Es besteht also ein Konflikt, der nach Maßgabe der Menschenrechte zu entscheiden ist. Der Konflikt zwischen gesellschaftlichen und ideellen Werten muß ausgetragen werden. Multikulturelle Gesellschaft beschreibt also auch das Spannungsfeld von »Solidaire« und »Solitaire«, von »gemeinsam« und »einsam, allein«.

Der Begriff der multikulturellen Gesellschaft gibt also kein verbindliches Ziel vor, keine konkrete Utopie, die die Gesellschaft und ihre einzelnen Mitglieder anzustreben hätten. Vielmehr heißt es: unterschiedliche kulturelle Lebensformen, Ausdrucksweisen, Einstellungen und Verhaltensweisen neben- und miteinander gelten zu lassen, in einem sich stets neu gestaltenden, gesellschaftlichen Prozeß.

Vorausgesetzt wird: grundsätzlich zu akzeptieren, daß man seine Leitbilder, seine konkreten Lebensvorstellungen und auch Ideale in erster Linie selbst entwickeln muß. Das erfordert Ich-Stärke, persönliche Kompetenz und stabile Identität. Und dies geschieht in einem gesellschaftlichen Prozeß des Austauschs, des Konflikts, aber auch der Gleichberechtigung. Ohne Ausgrenzung von Minderheiten.

Der Begriff »multikulturelle Gesellschaft« legt also nur die Rahmenbedingungen fest, innerhalb derer eine Gesellschaft sich entwickeln kann.

Wie sieht es nun mit den multikulturellen Rahmenbedingungen »Gleichberechtigung und Akzeptanz« in der Realität aus?

Von einem sich gegenseitig akzeptieren, ja einer Gleichberechtigung kann nur teilweise die Rede sein, wenn wir das Verhältnis von einheimischer und zugewanderter Bevölkerung in der Bundesrepublik beschreiben wollen. Nach meiner Beobachtung wird es vielmehr immer deutlicher von hervortretenden Problemen, konkreten, aber auch diffusen Ängsten, Projektionen, Sündenbockthesen, Aggressionen und fremdenfeindlichen Äußerungen belastet. Zögert vielleicht noch mancher, von einer sich verschärfenden Situation zu sprechen, so ist es doch weitgehend Konsens, daß sich das Verhältnis polarisiert hat. Einerseits ist die Solidarität für Zuwanderer in den letzten Jahren gewachsen, andererseits haben sich die sozialen Spannungen verschärft.

Vieles kommt in diesem Spannungsverhältnis einheimischer und zugewanderter Bevölkerung zusammen, was nicht unmittelbar mit dem Verhältnis zwischen einheimischer und zugewanderter Bevölkerung auf den ersten Blick zu tun hat, aber doch erheblich zur Dramatik und Dynamik des Problems beiträgt.

Gesellschaftliche Situation

Da ist einmal die wachsende Unübersichtlichkeit unserer Gesellschaft, die von vielen als nicht mehr erfaßbar empfunden wird. Soziale Strukturen, Institutionen, Vereine, sie alle haben in den letzten Jahren an bindender Kraft verloren. Aber es ist nicht nur der institutionelle Bereich. In viel dramatischer — und nach meiner Auffassung prägender — Weise findet sich diese Entwicklung in dem Verlust an Wertorientierungen, im Verlust an Utopien, aber auch an Feindbildern wieder. Modernisierungsschübe, nicht vorhergesehene und nicht vorhersehbare politische Entwicklungen — davon ist jeder von uns betroffen. Umbrüche, aber auch die Verdrängung von politischen Konflikten, die Verdrängung von Ängsten und Aggressionen bewirken Orientierungslosigkeit und Verunsicherung.

Dies geschieht vor dem Hintergrund hochkomplexer gesellschaftlicher, politischer Entwicklungen, die die Unübersichtlichkeit und mangelnde Transparenz politischer Entscheidungen noch verschärfen: Die politischen und gesellschaftlichen Umbrüche in Osteuropa, die Wanderungen von Süd nach Nord, d.h. der Nord-Süd-Konflikt und die erweiterte Freizügigkeit innerhalb der Europäischen Gemeinschaft nach 1992.

Auch das soziale Klima ist in unserer Gesellschaft erheblich härter geworden. Ich nenne nur einige Beispiele: die Szenarios eines kollabierten Wohnungsmarktes, die Probleme von Langzeitarbeitslosen, aber auch von neu Arbeitsuchenden, vor allem aus dem Gebiet der früheren DDR. Und den Zusammenbruch des politischen, des gesellschaftlichen Systems in der DDR — eine in seiner ganzen Dimension nicht zu beschreibende Erschütterung, Destabilisierung der Bevölkerung.

Aber die Schere klafft noch weiter auseinander. Sind ein Teil der gut verdienenden Deutschen der Mittel- und Oberschicht zum Verzicht auf weiteren Einkommenszuwachs bereit, um dadurch mehr Freizeit und eine höhere Lebensqualität zu erreichen, fühlen sich diejenigen, die nicht an diesem Wohlstand teilhaben können, mißachtet. Sie empfinden, daß ihre soziale Situation und ihre Einkommenswünsche mißachtet und deklassiert werden. Dies sind die Symptome der sogenannten Zweidrittelgesellschaft, ein Begriff, der eine gesellschaftliche Entwicklung beschreibt, die die Situation von zwei Dritteln der Bevölkerung verschlechtert hat. Erneut wird dies bestätigt durch den gerade veröffentlichten Armutsbericht des DGB.

Für diese negativen politischen, sozialen und ökonomischen Entwicklungen werden von vielen, die zugewanderte Bevölkerung, die Minderheiten in unserer Gesellschaft verantwortlich gemacht. Akzeptiert werden diese Minderheiten, wie es die Rahmenbedingungen einer multikulturellen Gesellschaft erforderten, von vielen nicht.

Aber es sind auch der Politik eindeutig zuzurechnende Defizite, die das Zusammenleben zwischen Mehrheit und Minderheit erheblich belasten, die zugewanderte Bevölkerung verunsichern, die Rahmenbedingungen multikultureller Gesellschaft verhindern: Es sind die fehlenden Konzeptionen, vor allem im Bereich von Migration und Integration. Es gibt keine übergreifenden politischen Konzeptionen, die alle Gruppen von Zuwanderern erfaßt, keine gegeneinander ausspielt, sich auf alle Lebens- und Politikbereiche erstreckt. Das ist das größte Defizit. Die Notwendigkeit, Konzeptionen für eine unserer wichtigsten und schwierigsten Zukunftsaufgaben anzubieten, wird meist schlichtweg verdrängt. Diese fehlenden Konzeptionen verbinden sich oft mit einem Verlust an Vertrauen in Politik. Dies hat uns alle — so meine Einschätzung — in einem viel stärkeren Maße belastet, als wir das selbst wahrnehmen. Wo ist das Vertrauen in eine Politik, die in die Zukunft vorausdenkt, berechtigte Interessen einzelner Gruppen gegeneinander abwägt, Vorstellungen von einer Gesellschaft formuliert, zu der wir uns entwickeln könnten? Ich sehe solche Konzeptionen nicht. Ich sehe sie weder in der Bundesrepublik Deutschland noch in den europäischen Nachbarländern.

Vielmehr sehe ich Atemlosigkeit, Instrumentalisieren von Ängsten, Verdrängen von Fakten, Tabuisieren von Gefühlen, fehlende Bereitschaft, ganzheitlich zu denken, Ausspielen von Gruppen gegeneinander, Entsolidarisierung.

Die Rahmenbedingungen für eine multikulturelle Gesellschaft fehlen aber nicht nur im sozialen Bereich, sondern es sind auch Einstellungen, Gefühle, Abwehrhaltungen, Aggressionen, die wir hinterfragen müssen. Zu der Verdrängung von Fakten, kommt die Verdrängung von Gefühlen, Ängsten hinzu.

Es ist dieses schillernde, manchmal schwer greifbare, Schrecken verursachende Phänomen »Angst«, das sich in unserem Verhältnis zueinander, im Verhältnis von einheimischer Mehrheit und zugewanderter Minderheit, widerspiegelt. Die Ängste sind manchmal so groß, daß sie die sozialen Brennpunkte, die sozialen Ursachen, wie z.B. den zusammenbrechenden Wohnungsmarkt oder die Arbeitslosigkeit, verdecken. Fast könnte man meinen, daß Ängste auch geschürt werden, um bewußt von den sozialen Ursachen, die politisch mitzuverantworten sind, abzulenken. Wie leicht läßt sich sagen, daß die Asylsuchenden die Wohnungen wegnehmen oder die Aussiedler die Arbeit. Ist es doch viel schwieriger und konfliktträchtiger zuzugeben, daß lang vorhersehbare Entwicklungen, wie z.B. der Trend zu Einpersonenhaushalten oder die Umstrukturierung des Arbeitsmarktes, politisch nicht wahrgenommen wurden. Daß es eigentlich in der Verantwortung von Politikern gelegen hätte, hier Vorsorge zu treffen, Lösungen anzubieten.

Aber es sind nicht nur die sozialen Ursachen, die Angst erzeugen. Es ist auch die »Angst vor dem Fremden«, die »Angst vor Fremdheit«. Sie bestimmt auch unser Verhalten. Der Mensch wird — und dies ist meine Erfahrung, meine Wahrnehmung, mein Empfinden — oft viel stärker von Empfindungen, Gefühlen geprägt, als von rationalen Erwägungen. Zu verleugnen, daß es zur menschlichen Existenz gehört, Angst und Neid zu empfinden, bedeutet auch, einen wesentlichen Teil seiner Person zu negieren. Wir müssen diese Seite in uns selbst ertragen und verarbeiten. Sie gehört zu uns allen. Nur wenn wir dies tun, verhindern wir, diese Fremdheitsgefühle auf andere zu projizieren. Nur wenn wir diese aufgreifen, Konflikte benennen, schaffen wir Rahmenbedingungen für eine multikulturelle Gesellschaft.

Aber es sind auch konkrete Ängste, die zeigen, daß Mehrheit und Minderheit sich nur unzureichend akzeptieren. Zum Beispiel war die Angst vor zunehmender Fremdenfeindlichkeit das größte Problem, das die ausländische Bevölkerung hier in der Bundesrepublik hat. Das ergab eine 1989 durchgeführte Umfrage. Es waren 48 % der ausländischen Wohnbevölkerung, die dies als das dringendste Problem für sich nannten.

Und bei der deutschen Mehrheit ist es vielfach Angst vor anderem kulturellen Verhalten, vor anderen kulturellen Einstellungen, die dieses diffuse Gefühl erzeugen. Oder Verunsicherung.

Diese unterschiedlichen Ängste werden jedoch in der Regel nicht thematisiert und aufgegriffen, um sie zu bearbeiten, sondern sie werden meist verdrängt. Es gehört sich nicht, Angst zu haben oder Aggressionen und Haß zu empfinden. Solche Gefühle sind in unserem christlich geprägten kulturellen Umfeld nicht opportun. Man hat seinen Nächsten zu lieben und hohen Idealen zu entsprechen, nach denen viele von uns streben, sie aber nie erreichen. Um dann um so enttäuschter und mit noch mehr Aggressionen aufgeladen wieder anzutreten, um nach noch höheren Idealen zu streben.

Diese zu hohen Ideale, diese Ängste und Aggressionen, sie bestimmen das Verhältnis von einheimischer und zugewanderter

Bevölkerung. Diese Tabus, die Fremdenfeindlichkeit erzeugen, multikulturelles Zusammenleben verhindern, gehen uns alle an. Dies ist aber auch eine Aufforderung an die Politiker und an die Medien die Ängste, die in der Bevölkerung bestehen, nicht wegzudrücken, sondern anzunehmen, sie nicht zu instrumentalisieren, aber sie auch nicht vorschnell, wie es umgekehrt auch leicht geschieht, als Fremdenfeindlichkeit abzustempeln.

Aber es ist auch der deutsche Vereinigungsprozeß, der zu Ängsten, Aggressionen, Spannungen zwischen einheimischer und zugewanderter Bevölkerung führt, die Rahmenbedingungen multikulturellen Zusammenlebens behindern. Es gibt viele Minderheiten, die von dem deutschen Einigungsprozeß unmittelbar negativ betroffen sind, die sich ausgegrenzt fühlen, die Angst vor wachsender Fremdenfeindlichkeit haben. Dies trifft auch auf die ausländische Bevölkerung zu. Sie fühlt sich abgelehnt, nicht eingebunden. Sie sieht darin die Anzeichen eines künftigen, noch stärker ausgrenzenden Verhaltens der Deutschen gegenüber den Zuwanderern. Ihre Sorgen, ihre Probleme werden nicht mehr wahrgenommen, weder von den Medien noch von den Politikern. Die ausländische Bevölkerung ist deprimiert. Sie sah anfangs nur Vereinigungseuphorie auf fast allen Ebenen.

Doch der Schein trügt: Angst, Befürchtungen, das Gefühl tiefer Fremdheit und Verunsicherung, Aggressionen sind ebenfalls ein Teil des deutschen Vereinigungsprozesses. Sie sind gewachsen in dieser Zeit. Gewachsen bei den Ostdeutschen gegenüber den Westdeutschen und umgekehrt. Sie bestehen neben aller Freude und aller Hoffnung, die mit der Vereinigung einhergehen.

Gespräche mit ganz unterschiedlichen Menschen haben mir immer wieder bestätigt: In vielem sind wir uns fremd, wir haben auch Gefühle der Abwehr füreinander, trauen uns aber oft nicht, dies zuzugeben. Wir wissen nicht, wie wir damit umgehen sollen. Dort wo wir am stärksten gefragt sind, sind wir hilflos und ohne Hilfe.

Wir sind konfrontiert mit unterschiedlichen Lebensformen und Lebenshaltungen. Wir haben unterschiedliche Zeitbegriffe, setzen unterschiedliche Prioritäten, haben unterschiedliche Ängste. Auch unser Umgang mit Konkurrenz, mit Vertrauen und Mißtrauen anderen Menschen gegenüber ist anders. Es sind eben 40 Jahre getrennte Entwicklungen, die so nicht zu leugnen sind. Nach meiner Einschätzung haben wir daher miteinander in viel stärkerem Maß eine Situation der Fremdheit, der gegenseitigen Spannungen, als mit vielen Ausländern, die hier geboren sind oder seit langem hier leben.

Ängste, Ablehnung und Aggression sind auch durch die Art und Weise entstanden, wie die deutsche Vereinigung politisch und wirtschaftlich gehandhabt und durchgesetzt wurde. Viele Ostdeutsche fühlten sich überrumpelt, um den Lohn der friedlichen Revolution gebracht, menschenunwürdig behandelt. Und dies durch Menschen aus einem Land, das gerade die Wahrung der Menschenwürde gegenüber dem früheren Ostblock so betont hat und darin seine überlegene moralische Haltung sah.

Diese deutsch-deutsche Situation, das Verhältnis von Ostdeutschen zu Westdeutschen und umgekehrt, belastet auch das Zusammenleben mit den zugewanderten Minderheiten, die gegenseitige Akzeptanz. Besteht doch die Gefahr, daß die vermeintlich »Fremderen« zu Sündenböcken gemacht werden, weil man die innerdeutschen Spannungen nicht wahrnehmen will.

Wahrnehmen will man auch nicht, daß Sprache die notwendige Akzeptanz für eine multikulturelle Gesellschaft hindert, aber auch Realität verschleiert. Ich nenne nur Beispiele: »Asylantenflut, Übersiedlerwelle, Aussiedlerschwemme«, sie erzeugen Angst. Auch Worte wie »Gastarbeiter, Migranten, Wanderarbeitnehmer« verstellen den Blick für die Realität. Es sind falsche Begriffe, eine falsche Sprache, die vorgaukelt, es gäbe kein Problem der Einwanderung.

Bleiben wir bei den Begriffen »Gastarbeiter« und »Migranten«. Diese Begriffe unterstellen doch, daß es sich bei der modernen Migration um ein vorübergehendes Phänomen handelt. Dieses würde schon von der Politik und der Wirtschaft gesteuert und geregelt. Das ist eben nicht der Fall. Wir sind weltweit mit ungeheuren Wanderungsbewegungen konfrontiert. Darauf muß man mit politischen Konzeptionen antworten und nicht mit falschen Begriffen.

Dies hindert uns auch, uns mit den Ursachen, den Folgen dieser Wanderungsbewegungen von Ost nach West und von Süd nach Nord auseinanderzusetzen. Erst wenn wir dies tun, schaffen wir die Voraussetzungen für eine multikulturelle Gesellschaft. Wir müssen der Tatsache ins Auge sehen, daß wir unseren Reichtum teilen müssen. Dieses Bewußtsein für die Notwendigkeit der Beschränkung, des Teilens, — auch mit den Zuwanderern der Dritten Welt -, ist jedoch kaum vorhanden. Die Rollenverteilung heißt in jedem Fall: »Reichtum für uns«. Wie absurd das Ganze ist, wenn man unsere gesamte weltweite Verflechtung sieht, hat mir neulich ein Plakat der Ausländerbeauftragten des früheren Magistrats von Ostberlin noch einmal deutlich gemacht. Dort heißt es: »Reichtum für alle Nashörner. Elefanten raus«.

Rassismus und Nationalismus

Als Hindernis auf dem Weg zu einer multikulturellen Gesellschaft, zu einem Leben in Toleranz und gegenseitiger Achtung, möchte ich zuletzt noch zwei Phänomene nennen. Das ist einmal der Rassismus und zum zweiten der Nationalismus. In beiden Faktoren liegen wesentliche Hindernisse für die Rahmenbedingungen einer multikulturellen Gesellschaft.

Meine Befürchtung für die Zukunft ist, daß nach der Beendigung der großen ideologischen Kriege nun die nationalistischen, die ethnischen, die rassischen wieder beginnen bzw. sich verstärken werden. Viele Anzeichen bestätigen dies: z.B. das rapide Ansteigen von Folterung auf Grund ethnischer und rassischer Zugehörigkeit. Dies hat der erst kürzlich vorgelegte Bericht von Amnesty International wieder gezeigt. Und die dramatisch angestiegenen nationalistischen Konflikte in Osteuropa und in Nahost.

Für den Rassismus ist charakteristisch, daß eine Gruppe oder Einzelne abgewertet werden, während eine andere sich selbst aufwertet. Rassismus ist damit die Rationalisierung der Ängste, des Hasses und der eigenen Minderwertigkeitsgefühle. Menschen, die so denken, werten andere als nicht zur eigenen »Rasse«, nicht zur eigenen Kultur gehörend.

Und dies ist die eigentliche Gefahr: Von dem Augenblick an, wo eigene Identität, Selbstwertgefühl nur so entstehen, von dem Augenblick an gibt es keine Grenzen mehr zur tatsächlichen Vernichtung der anderen. Denn die Herabsetzung des anderen erzeugt in uns Schuldgefühle, mit denen wir uns aber nicht konfrontieren lassen möchten. Also versucht man, das Objekt, das Schuldgefühle einflößt, zu zerstören. So einfach könnte das manchmal sein. Und so konsequent und furchtbar haben wir es durchgeführt. Bis hin zum Holocaust, bis hin zur Shoah, der Massenvernichtung europäischer Juden, für die wir in den 45 Jahren nach dem Krieg bis heute noch kein einziges deutsches Wort gefunden haben, weder in der Bundesrepublik noch in der früheren DDR. Wer nicht zurückblickt, hat keine Zukunft. Wer nicht versucht mit der Geschichte zu begreifen, wo die Wurzeln des Rassismus liegen, verhindert auch multikulturelle Gesellschaft.

Das weitere Phänomen, das uns an einem gleichberechtigten Zusammenleben in einer multikulturellen Gesellschaft hindert, ist der Nationalismus. Er ist auch eine Antwort auf die Modernisierung, auf die wachsende Unübersichtlichkeit unserer Gesellschaft, auf den Zusammenbruch politischer Systeme, auf die Sehnsucht nach eindeutiger Zugehörigkeit. Der Begriff des Nationalsozialismus ist im öffentlichen Sprachgebrauch sehr unscharf. Die begriffliche Unschärfe ist so groß wie der emotionale Dunstkreis. Der Begriff wird meist nicht beschreibend, analytisch verwandt, sondern mit emotionalen, politischen Absichten aufgeladen.

Mit dem Nationalismus verbinden sich widersprüchliche Entwicklungen: Ursprünglich ein Freiheitsbegriff, die geistige Verklammerung von politischem Nationalstaat und demokratischer Herrschaft, war er ein Kind der Freiheit und der demokratischen Bewegungen. Geprägt von gemeinsamer Sprache und Herkunft wollte man freiheitlich in einem souveränen Staat zusammenleben.

Doch eines wurde darüber fast vergessen: Nationalismus bedeutet immer, daß man nationale Eigeninteressen über die berechtigten Interessen der anderen stellt, Minderheiten zur Assimilierung zwingt. Denn das Streben nach nationaler Einheit, nach »Homogenität«, nach Einheit auch in Sprache und Kultur schließt Minderheiten immer aus. Es bedeutet die Durchsetzung eigener Interessen auch hinsichtlich der Menschenrechte und des Grundprinzips völkerübergreifender, menschlicher Solidarität. Ausgeschlossen, ausgegrenzt bleiben diejenigen, die sich dieser Einheit verweigern wollen; die diese in Frage stellen, nicht dazugehören können oder wollen. Die daran erinnern, daß die Wirklichkeit geprägt ist von kultureller Vielfalt und internationalen wirtschaftlichen, politischen, gesellschaftlichen und kulturellen Verflechtungen.

Wir müssen dem Nationalismus eine Absage erteilen, denn die großen Probleme unserer Welt, unserer Gesellschaften, können wir nicht mehr mit nationalistischer Politik lösen, wie z.B. die ökologische Krise, die demographische Entwicklung, den Nord-Süd-Konflikt, die zunehmende Verarmung, aber auch die weltweiten Wanderungsbewegungen. Vor den kommenden Lebensproblemen der Menschheit steht Nationalismus als hilfloser Anachronismus da.

Perspektiven

Was kann man dieser Situation, diesen Entwicklungen nun entgegensetzen? Eindeutige Antworten gibt es nicht. Patentrezepte ebensowenig. Doch gibt es Ansätze — persönliche, gesellschaftliche, politische —, die wir weiter verfolgen, unterstützen sollten.

Fangen wir bei der Politik an: Wir brauchen eine Politik des sozialen Ausgleichs. Behoben werden müssen die sozialen Ursachen, die Fremdenfeindlichkeit, Rechtsradikalismus, und Rechtsextremismus stärken und den Weg zu einer multikulturellen Gesellschaft blockieren. Die Situation beispielsweise auf dem Wohnungs- und Arbeitsmarkt und in unserem Bildungssystem muß entscheidend verbessert werden. Entsprechende Programme sollten nicht Sondermaßnahmen für einzelne Zuwanderergruppen sein, sondern sich auf möglichst alle, Zuwanderer und gegebenenfalls auch Einheimische erstrecken. »Politik des sozialen Ausgleichs« bedeutet auch, Diskriminierungen abzubauen, z.B. durch Einführung eines kommunalen Wahlrechts für Ausländer bei entsprechenden verfassungsrechtlichen Gegebenheiten und Verabschiedung eines Antidiskriminierungsgesetzes.

Wir brauchen eine umfassende Migrations-, Integrations- und Minderheitenpolitik. Sie muß alle politischen Gestaltungsbereiche, wie z.B. Arbeitsmarkt-, Kultur-, Bevölkerungs- und Entwicklungspolitik erfassen, sich umfassend auf alle Gruppen von

Zuwanderern erstrecken, einen ganzheitlichen Ansatz haben und die internationalen Aspekte berücksichtigen. Eine solche Politik sollte von einer unabhängigen Expertenkommission erarbeitet werden.

Um den multikulturellen Ansatz gesellschaftlich, politisch, aber auch im Bereich der konkreten Nachbarschaft stärker zu verankern und zu multiplizieren, sollten »Bürgerforen« initiiert werden, die langfristig fester institutionalisiert sind. Aufgabe dieser Bürgerforen wäre es, eine Bewegung aufzubauen, und weiter zu tragen, die sich mit Minderheiten solidarisiert, den multikulturellen Ansatz trägt, Fremdenfeindlichkeit und Rechtsradikalismus entgegentritt, ihr eine langfristige gesellschaftliche Perspektive verleiht. Als Mitglieder dieser Bürgerforen wären auch Meinungsführer und Meinungsführerinnen aus Politik, Gesellschaft, Wirtschaft, Kultur und aus den Medien anzusprechen.

Was können wir selbst konkret tun?

Verantwortung für die Rahmenbedingungen einer Gesellschaft mit kultureller Vielfalt übernehmen. Mit unserem Handeln und Nicht-Handeln, durch unser Mitgestalten und Nichtgestalten verändern wir die Situation und die zukünftige Entwicklung. Das heißt für uns:

— Probleme, Konflikte und Gefühle, die einheimische Mehrheit und zugewanderte Minderheit miteinander haben, genau betrachten;

— nicht alles in unserem Zusammenleben regeln wollen. Das bedeutet auch Abschied nehmen. Abschied von unserem eigenen Wahn, alles sei machbar und alles sei leistbar. Abschied von unserem Rettersyndrom, gerade in unserem Verhältnis zur zugewanderten Bevölkerung;

— auf unsere Konfliktfähigkeit vertrauen: Vertrauen darauf, daß wir Ängste, Spannungen, Konflikte benennen und es uns langfristig gelingt, kompetenter damit umzugehen. Im Vertrauen auf die Entwicklung anderer, positiver Handlungsformen;

— Diskriminierungen und Ausgrenzungen entgegentreten. Nicht wegschauen und beiseitetreten, wenn Minderheiten abgewertet, ausgegrenzt oder angegriffen werden;

— es bedeutet Hoffnung. Hoffnung, daß wir es wieder schaffen, Verstand und Gefühl gleichberechtigt miteinander zu verknüpfen, in unser alltägliches, aber auch in unser politisches Handeln, in unseren Wahrnehmungen und in unserem Umgang miteinander. Es ist auch die Hoffnung, daß durch ganzheitliche Ansätze das wieder zusammenfindet, was auch durch unsere Kultur prägende Sätze »Ich denke also bin ich« zerstört wurde. Was aber eine Einheit ist: Daß der Mensch ein denkender und ein fühlender ist, der ein Recht darauf hat, daß seine Ängste, seine Gefühle, seine Emotionen, aber auch seine Lust am Leben wahrgenommen werden. Gerade im Umgang mit Minderheiten, mit Zuwanderern wird entscheidend sein, wie wir mit unseren Fremdheitsgefühlen und Verunsicherungen umgehen werden.

Myriam Diaz-Diocaretz

Das Erbe des Kolonialismus

Bevor ich mich dem eigentlichen Thema zuwende, möchte ich kurz drei Dinge ansprechen.

Zum ersten bin ich Schriftstellerin. Zweitens gilt, vor allem in Europa, daß ich hier als Ausländerin gelte, als jemand, der zwischen den Sprachen, den Nationalitäten und Kulturen lebt, denn, obwohl ich aus Lateinamerika komme, gelte ich dort doch als Baskin. So gehöre ich also nirgendwohin. Ich bin zwar Ausländerin, aber keine Fremde. Letzteres Wort dient dazu, mich abzugrenzen und wenn Europäer mich so bezeichnen, konstruieren sie für sich selbst eine bestimmte Identität. Meiner Ansicht nach, kommt es, wo auch immer man tätig ist, welche Leidenschaften ein Leben bestimmen − nicht nur darauf an, welcher Sprache man sich bedient, sondern auch darauf, welchen Gebrauch man von ihr macht. Und das wichtigste ist, welche Stellung man innehat sowie welche Position man sich mit seiner Rede schafft, auch in bezug auf das Thema seiner Darlegungen. Diese Gesamtheit schafft in uns allen unsere soziokulturelle, historische Position, konstruiert uns aber auch als Kultursubjekt. Ich werde mich im weiteren mit dem kolonialen Erbe und dem Einfluß des Auslands beschäftigen.

Ich beginne mit einigen Überlegungen zu den Begriffen »Erbe des Kolonialismus« und »koloniales Erbe«. Aus dem Wörterbuch erfahren wir, daß Erbe etwas ist, »was ererbt werden kann oder ererbt worden ist; jeglicher Besitz, insbesondere Grundbesitz, der im Rahmen des Erbrechts den Besitzer wechselt«. Zum Wort Erbe gehört das »Recht« darauf, etwas zu erben und dieses »Erbrecht« wird eingegrenzt, denn es beschränkt sich auf eine spezifische Person: eben den Erben oder die Erbin. Ein Erbe oder die Tatsache einer Erbschaft schließen eine »Erbfolge« ein. Dadurch entsteht ein rechtliches Kontinuum durch die Zeit, das eine Gruppe von Individuen mit einer anderen verbindet.

Derartige Beschreibungen sind seit vielen Jahrhunderten gültig; insgesamt bezeichnet »Erbe« den Übergang vom Geben zum Nehmen für jeden Gegenstand, der »gegeben oder in Empfang genommen und somit zum wahren, rechtmäßigen Besitzgegenstand wird«. Notwendige Bedingung für diesen Austausch ist seine vollständige Kodifizierung. Diese garantiert wiederum die Kontinuität, und zwar durch eine Abfolge, die erneut in sich selbst durchgängig kodifiziert ist.

Nun wird die grundsätzliche Erbfolgeregelung durch »das sich von den Geburtsumständen herleitende Recht« festgelegt, das seinerseits die Übermittlung von seiten der Vorfahren bestimmt.

Wenn wir nunmehr dem Wort »Erbe« das Wort »Kolonialismus« hinzufügen, müssen wir innerhalb dieses Bereichs die eben genannte Abfolge von Definitionen erneut betrachten, und im Zuge dieses Gedankenstroms komme ich dazu, mich selbst zu befragen: wer sind denn diese Erben, welche Rechte haben sie und worauf, und wie kommt diese Abstammung, diese Reihe, »in Übereinstimmung mit dem Gesetz« oder »rechtmäßig« zustande?

Hier handelt es sich durchgängig um alte Begriffsbestimmungen, die zumindest seit 800 Jahren weitverbreitete Gültigkeit haben. Die Bedeutungen, die eine gegebene Gesellschaftsordnung und Kultur erzwingen, bleiben in Bewegung und kristallieren zu neuen Wörtern aus.

Wenn wir vom kolonialen Erbe Europas ausgehen, stellt sich die Frage, wer derjenige ist, der etwas bekommt. Wer erbt? Was sind das für Menschen? Bei dem gängigen und gleichzeitig jüngsten Konzept von Europa steht der Gedanke der kulturellen Vielfalt Europas im Zentrum. Aber diese Vielfalt gilt vorwiegend für Kulturen, die von »Geburt« an, durch das Recht der Erbfolge, zu Europa gehören.

Die durch unterschiedliche materielle Kräfte angereicherte und freigesetzte Kultur ist ebenfalls durchgängig kodifiziert und wird durch Einrichtungen gesteuert, die Kommunikation und Übertragungswege sowie Kontinuität des Erbes regeln. In bezug auf eine Kolonie werden die als Kultur zu interpretierenden Normen und Wertvorstellungen wie auch die Gesamtheit der politischen und rechtlichen Regelungen von dem Kolonialherrn gesetzt.

Der Ort der Koloniebildung, dieses »Land«, das gesetz- und rechtmäßig Besitz geworden sein soll, ist per definitionem etwas, das dem kolonialen Herren fremd ist, es handelt sich um ein anderes Land. Diesem Anderssein wurde von Anbeginn der kolonialen Handlung — die Geschichte hat es uns wieder und wieder gezeigt — in der binären hierarchischen Polarität immer der Pol der Unterordnung zugewiesen, sein Teil war die Unterwerfung, einhergehend mit der Übernahme der Sprache des Kolonialherrn wie auch seiner sozialen Strukturen und seiner Kultur. In dieser Hinsicht könnten wir sagen, daß der Bewohner einer Kolonie in seiner Heimat ein Erbe antreten mußte, das im höchsten Maße unwillkommen war.

Was bedeutet nun aber dieses Zwangserbe für eine Kultur, die bereits vor dem Kommen des Kolonialherrn bestanden hat und die mit dem Eintreten des kolonialen Impulses ihre Art der Vererbung verändern muß und ihre Ausdrucksfreiheit sowie das Selbstverständnis dessen verliert, was es heißt, ein Volk und eine Kultur zu sein?

Das Eindringen einer kolonialen Kultur hat stets Widerstand hervorgerufen, einen kollektiven Widerstand, der den kolonialisierten Menschen Kraft verleiht und selbst auch Ausdruck dieser Kraft sowie des Kampfes um die Beibehaltung der eigenen Kontinuität ist.

Wenn wir nun irgendeine konkrete Situation in Europa hernehmen, die aus dem Kolonialismus hervorgegangen ist, können wir deutlich erkennen, daß zur Selbstbestimmung einer Kultur gehört, daß sie anfänglich von der Gegenüberstellung eines »kulturellen« und eines »außerkulturellen Raums« lebt. Dieses Phänomen erfordert im vorgegebenem Umfeld, daß wir uns selbst eine Frage stellen, die ich vor einigen Jahren formuliert habe. Wir müssen uns erinnern und erneut darüber nachdenken, wer Kultur definiert und von welcher Position aus das geschieht. Es wird weiterhin verlangt, daß wir uns selbst die Frage stellen, wie diese »Wir« genannte kulturelle Abstraktion (ein Individuum, eine Gemeinschaft), die einer bestehenden abgegrenzten Sphäre zugehört, sich selbst erneut bestimmt und sodann, und dies ist das wichtigste, wie eben dieses »Wir« festlegt und entscheidet, was innerhalb seiner angenommenen Grenzen angesiedelt oder was sich außerhalb ihrer befindet und wie das zu benennen sei.

Kultur als gesellschaftliche Erscheinung, die auf Information, Kommunikation sowie der Rolle des Gedächtnisses aufbaut, bedarf einer Gemeinschaft, um weitergegeben zu werden. Nach und nach haben die Kolonialherren gelernt, daß sie die Menschen daran hindern konnten, Souveränität auszuüben, eine eigene Flagge und eigene Gesetze zu haben, aber sie konnten nicht das kollektive Gedächtnis oder das ihnen eigene kulturelle Erbe auslöschen. Sie waren in der Lage, Ausdrucksformen der Kultur zu begrenzen und diese sogar zu verbieten, wie etwa Musik und Sprache – aber die kolonialen Herren konnten die Phantasie nicht abschaffen. Und sie bildet die Schwelle zum Überleben durch Auflehnung. Im wirtschaftlichen und politischen Prozeß hatten die kolonialisierten Menschen kaum Gelegenheit zum Widerstand. Um es mit den Worten von Michelle Cliff, einer Schriftstellerin aus Jamaika zu sagen, in der Vergangenheit »benannten, kauften und verkauften sie uns«.

Und wie sieht die europäische Gegenwart aus? Der Titel eines Gedichts von Michelle Cliff lautet »Europa wird schwärzer«:

»Nun kommen mehr und mehr kolonialisierte Menschen in das Land,
Ich rede von den Nachkommen der Zulus und Maronen,
Algerischen, jamaikanischen und ghanaischen Fabrikarbeitern,
Tuaregs, Pakistanern sowie pakistanischen Busfahrern,
Tellerwäschern aus Surinam, von den Molukken und dem Stamm der Kikuyu,
Landarbeiter aus Trinidad, von den Antillen und aus Vera Cruz,
Vietnamesischen, javanischen und taiwanischen Arbeitskräften,
Einige von ihnen seit Jahren in Staatskasernen verborgen lebend,
So daß Außenseiter und Eingeweihte den Grad der Schwärze Europas und der Kinder aus Vermischung nicht erahnen –
die Mischlinge – bambini de suangu misto – die kleinen Kinder mit den vertauschten Genen.
Es gibt uns in Millionen. Wir zählen nach Millionen.«

Und aus eben diesen Millionen haben einige den Ruf der Kultur vernommen, den Ruf der schöpferischen Betätigung, um Künstler zu werden und Schriftsteller. Mit unserem Wohnsitz in Europa sind sie, wir, nunmehr Gegenstand der Diskussion, eben jenes »Wir«, das Kultur in den vorherrschenden Bereichen bestimmt.

Das entspricht nun der Tatsache, daß der koloniale und postkoloniale Staatsbürger in Europa eine exzentrische EG-Existenz führt, ebenfalls gilt das für die Literatur dieser Autoren. Man bezeichnet sie als Einwanderer und Fremde, und sie sind deshalb Teil eines »Einwandererproblems«, das nunmehr häufig in den Dimensionen einer neuen kulturellen Erscheinung gesehen wird, nämlich der Immigrantenliteratur. Und gerade diese Erscheinung habe ich in den vergangenen drei Jahren in den Niederlanden erlebt, ebenfalls in Belgien. Das also ist die Position, von der aus ich spreche.

Die vorherrschende europäische Darstellung der Welt eines postkolonialen und kolonialen Schriftstellers findet immer aus der Sicht des Anderen statt, der als das Subjekt angesehen wird, durch den die Sichtweise dieses sogenannten Anderen offenbar wird.

Jedoch kann diese europäische Kontinuität, die über Jahrhunderte bequem bewahrt und kohärent geformt worden ist, nicht für die Kolonialisierten und für diejenigen stehen, die der Kolonialisierung widerstehen, denn von der Seite des kulturellen Widerstands kann keine Einheit entstehen. Es gibt da eine reaktive Logik des notwendigen Widerstands gegen eben diese Einheit, und diese Haltung ist geprägt von Diskontinuität. Iris Zavala, eine andere Autorin aus dem karibischen Raum, hält fest: »Die gebrochenen Wellen unserer Stimmen widersprechen der Behauptung, die Geschichte sei kontinuierlich verlaufen, sie verfolgen vielmehr eine kontinuierliche Linie von Diskontinuität durch die Zeit und zwar entlang unterschiedlicher Einzelstimmen und Bezugsfäden. Verwoben miteinander schaffen diese ein neues Geflecht der Zeit.«

In diesem Zitat ist die Rede von »Wir«, »Sie« und »Unser«. Das wirft Fragen auf: Ist auch eine Schriftstellerin in dieses Erbe eingebunden? Steht auch sie in dieser Vererbung?

Ich möchte Zavala ein weiteres Mal zitieren: »Die Beziehung zwischen Kulturen, Texten und Diskursen knüpfen wir durch unsere Nutzung, in der künstlerischen Polyphonie eines oder mehrerer Modernismen, mit der wir — in Abhängigkeit von dem

Summenbild eines jeden Landes — gleichzeitig und in einem Amerikaner karibischer Abstammung, Schwarzer und Europäer sowie Europäer karibischer Herkunft zu sein vermögen. Eine jede Pluralität verkörpert die ethnische und kulturelle Identitätsgruppe.« »Es hat uns oblegen, unsere Äußerungen auf die deformierenden Auswirkungen der Macht zu beziehen — in einem Befreiungsschlag gegen die Tyrannei des Symbolischen mit dessen juristisch-diskursiver Herrschaft und der verborgenen Kontrollfunktion.«

Zwischen Individuen und Institutionen schafft Arbeit also Brücken, über ein Buch die Kommunikation sowie den kulturellen Dialog im weiten Sinne: Ein Buch als verbaler Akt beruft unausweichlich ein großräumiges ideologisches Kolloquium ein. Während ein Bürger in einer Kolonie schöpferisch tätig ist — im Widerstand, durch das In-Frage-Stellen und durch Verweigerung — wird kolonialistisches Denken an den Rand gedrängt. So findet also dieses ideologische Kolloquium nicht zwischen der vorherrschenden europäischen Kultur und den kolonialen und postkolonialen Untergebenen statt.

Wir wollen nunmehr diese Frage des kolonialen und postkolonialen Menschen mit dem Phänomen der Einwanderung verbinden, wiederum ein mehrdeutiges Wort, denn ein Einwanderer wird ja im Kontext des Europas von heute auch jeden Tag und durch jeden Einzelnen neu definiert.

Die ideologischen Argumente zur Bewertung der Arbeiten eines Einzelnen, der zu dieser Kategorie der Eingewanderten gehört, tragen häufig dazu bei, daß seine/ihre Arbeiten an den Rand gedrängt werden. Am häufigsten und offensichtlichsten manifestiert sich die Ablehnung im Totschweigen und Ausschluß der Werke durch die Kritiker, die hiermit das negative Anderssein zum Ausdruck bringen. Sie sprechen vom Zentrum einer vorherrschenden Kultur aus und wenden sich an dieses. So sind wir als Schriftsteller unsichtbar, als hätten wir mit unsichtbarer Tinte geschrieben.

Derartige, nicht auf Gegenseitigkeit aufbauende Beziehungen, spalten das Erbe, negieren es, verbergen eine Seite davon, schließen viele davon aus, und machen es wieder anderen schwer, es entgegenzunehmen.

Wird das Werk eines kolonialen oder postkolonialen Autors mit dem Begriff »Einwanderer« zusammengeführt, so als würde die koloniale Vergangenheit als Gegenstand der Geschichte ausradiert und als nähme die Geschichte gerade erst heute ihren Anfang, dann muß es sich nach kolonialer Denkweise bei seinem Inhalt um etwas Minderwertiges oder kulturell Determiniertes handeln — ganz gleich, um welches Werk es geht und ohne Berücksichtigung der Geschichte.

Aus diesem Grunde ist nicht nur der Begriff »Immigrantenliteratur« nicht handhabbar, sondern darüberhinaus bietet die Sicht auf einen Schriftsteller im wesentlichen und in allererster Linie als auf einen »Einwanderer« den Beweis dafür, daß dem Fortdauern des sogenannten kulturellen Erbes des europäischen Kolonialismus ein Konzept der Ausgrenzung zugrundeliegt. Dies ist offensichtlich, ja sogar so offensichtlich, daß diese ausschließende koloniale Erbschaft bis hin zur Unsichtbarkeit führt.

Im folgenden werde ich einige Paradigmen der zeitgenössischen und vergangenen Tradierung in bezug auf die Begriffe »Nationalliteratur«, »Weltliteratur« und »Kontinentalismus« untersuchen und verfolgen, wie dadurch die Art des heutigen kulturellen Erbes Europas bestimmt wird.

Ganz allgemein sei an den Anfang gestellt, daß der Begriff »europäische Kultur« für sich bereits eine Abstraktion darstellt, und daß das Konzept der »Weltliteratur« eine europäische Erfindung verkörpert. Der Vorschlag dazu kam von Goethe und wurde später — im Jahre 1900 — durch eine deutsche Enzyklopädie der Weltliteratur zur Institution. Diese Enzyklopädie listete in einer Rubrik von Nationalliteraturen 1100 Namen auf, von denen nur 57 nicht aus Europa stammten.

Ein Kritiker hat es ganz richtig formuliert, als er sagte, daß zur Erlangung des Attributs Weltliteratur ein in einer nicht-europäischen Sprache geschriebenes bedeutendes Werk von drei Faktoren abhängig ist:

1. muß es ein Europäer entdecken;
2. muß sich ein Europäer finden, der die Sprache so gut beherrscht, daß er das Buch übersetzen kann; und
3. bedarf es des glücklichen Umstands, daß es dem in Europa vorherrschenden Geschmack entspricht.

In Europa gibt es weiterhin einen zunehmenden taxonomischen Impuls, Benennungen durch diametral entgegengesetzte Adjektive zu wählen (wie etwa »zivilisiert/primitiv«, »vertraut/exotisch«), dieser findet sich zum Beispiel auch in den Festlegungen darüber, wer in einer gegebenen nationalen Literatur auf der Liste der bedeutenden Autoren stehen sollte. Das führt dann zu dem Erbe, das die meisten der in Europa lebenden nicht-europäischen Schriftsteller ausschließt.

In dieser Zeit, in der Pluralität, Verschiedenheit und Nationalismen Krisensituationen entstehen lassen, müssen wir die Frage des europäischen Kontinentalismus globalisieren, wenn es die Möglichkeit eines wahren Erbes für alle geben soll.

Ich erinnere mich an einen Vorschlag, der in den letzten Jahren wieder und wieder vorgetragen wurde und der diese Herauslösung aus dem Zentrum eben damit beginnen wollte, daß die Aufmerksamkeit auf kontinentalistische Konstrukte, wie etwa westliche Kultur gelenkt wurde. Wir müssen ebenfalls an Edward Saids Kritik an Begriffen wie Orientalismus denken. Er sah darin »eine europäische Darstellung, die den europäischen Kontinentalismus auf sich selbst zurückwirft.«

Verschiedene zeitgenössische Kritiker haben nachgewiesen, daß der Kontinentalismus eine Tendenz dazu aufweist, die üblichen Exklusionsstrategien im Hinblick auf die heutigen kolonialen und postkolonialen Literaturen zu verfolgen. In den letzten Jahren hat sich ein selektiver Multinationalismus herausgebildet, und obwohl einige wenige lateinamerikanische, afrikanische oder auch karibische Schriftsteller auf die Tagesordnung gesetzt wurden, ist dadurch keinerlei bewußt globale Perspektive entstanden. Dieser selektive Internationalismus achtet auch besonders darauf, daß die Erbfolge der rechtmäßigen Erben als einseitige Kontinuität bewahrt wird, die den kolonialen Menschen innerhalb Europas ignoriert.

Einwanderung und Eroberung eines Landes von außen weisen für jedes Land die Rolle des fremden Wortes sichtbar nach. Seit früher Zeit ist die Rolle des fremden Wortes im Geschichtsbewußtsein der in einem besetzten Gebiet lebenden Menschen mit Recht die des »Trägers der Wahrheit« gewesen, etwas, das sodann verinnerlicht wird.

Und ebenfalls in der Vergangenheit ist das fremde, das andere Wort vom Kolonialherrn als Wort gesehen worden, das es zu kolonialisieren galt. Es wurde zivilisiert, was gleichbedeutend war mit der erforderlichen Verbesserung, einer Entgiftung durch die Wahrheit des Kolonialherrn. Und diese beiden Aspekte enthalten die Hegemonie der Macht. Dies gilt nun nicht nur in der Geschichte einer Kultur, sondern ebenfalls für die Denkweisen vorherrschender Mächte, etwa auch für eurozentrisches Denken gegenüber anderen Kulturen oder früheren und gegenwärtigen Kolonien.

Jedoch kann das fremde Wort auch durch die Individuen einer Gemeinschaft nach Europa getragen werden, die nicht als Eroberer, nicht als Einfallende oder Kolonialherren kommen. Dabei kann es sich um die Nachkommen einer früher eroberten Gruppe, also um ein postkoloniales Subjekt, handeln oder um jemanden, der noch immer, etwa in einer Kolonie, beherrscht wird, oder auch um Ausländer, die sich die Sprache einer Kultur erwählt haben, in der sie Außenstehende sind, oder um Menschen, die nach einer Entscheidung innerhalb eines europäischen Kontextes ihre Wahl auf die Sprache ihrer Herkunft fallen lassen oder gar eine dritte Sprache auserwählen.

Ein falscher Gedanke, der sich sowohl als generelle Voraussetzung in der Bildungspolitik wie in der Literaturkritik findet, ist der, daß sich Sprache selbst bewahrt, daß sie sich vermittelt und durch ihr bloßes Vorhandensein Verstärkung erfährt. Wie Mikhail Bakhtin nachgewiesen hat, bewahrt sich Sprache weder selbst, noch gibt sie sich derart weiter: »Sie verändert sich selbst durch das, was sie weitergibt.«

Gewöhnlich wird dies vergessen. Und für die Kultur gilt das gleiche. Dabei ist diese eine der Türen zu einem gemeinsamen Erbe, das nach der Zukunft hin offen ist. Das ist zum grundlegenden Verständnis zweier wichtiger Erscheinungen in bezug auf die Frage nach der Wechselwirkung verschiedener Sphären kultureller Pluralitäten in ihren unterschiedlichen Formen von Bedeutung.

Eine derartige Wechselwirkung findet zwischen einer sich erhebenden und einer jungen Kultur innerhalb hegemonischer Systeme statt. Dadurch läßt sich die Dichotomie »dominant/

nicht-dominant« beiseitelegen, so daß wir erkennen können, wie eine selbst erklärt homogene Kultur verbreitet wird, wie sie sich vervielfältigt und wie sie tatsächliche, lebendige, kulturelle Heterogeneität ist, was uns wiederum die Bewertung gestattet, daß sich eine Kultur zu vielen anderen Manifestationen entwickelt und zwar durch die Mobilität der gesellschaftlichen Kräfte, die sie von innen heraus freisetzt.

Auf der Suche nach sich entwickelnden und jungen kulturellen Systemen ordnen wir uns in einen dynamischen Vorgang ein, der Unterscheidungen je nach der betreffenden Situation ermöglicht: Erst dann kann eine gegebene europäische Kultur ihre Verschiedenheit wirklich als Pluralität erkennen und zwar als eine solche, die erst einmal keine Werturteile a priori verhängt.

Im 16. Jahrhundert waren Wanderungsbewegungen, Kolonialisierung und Sklavenhandel bei der Gründung der neuen europäischen Reiche sehr eng miteinander verwoben. Die Besetzung der Territorien und die Aneignung des gesellschaftlichen Lebens in den Ländern des Fernen Ostens, Afrikas und beider amerikanischen Kontinente waren in der Tat für die heutige Beschaffenheit der menschlichen Bevölkerung von entscheidender Bedeutung. Mit den Worten eines kolonial Unterdrückten sind wir hier, weil sie dort waren.

Oder in den Worten von Iris Zavala: »Seit Jahrhunderten sind unsere Mittel der Erzählung und des Festhaltens keine Übung zur Aussöhnung mit feststehenden Identitäten. Diese sind überprüft und mit allen Konsequenzen angegangen worden und zwar in der mündlich überlieferten Geschichte, in autobiographischen Aussagen, in versteckten Tagebüchern, in den Liedern der Sklaven und Mischformen der Musik. Nicht jedes zum Schweigen gebrachte Zeichen blieb verstummt. Diese fragmentarische Landkarte wabert vor unserem Blick, Tradition hat immer die Vorstellungen in unserer Phantasie bedroht.«

Wenn die koloniale Tradition eine Bedrohung der Phantasievorstellungen des kolonialen Menschen darstellt, wenn sie es vermag, jenen zum Schweigen zu bringen, wenn diese Tradition auch ihre Sprachen durchsetzen kann, so *vermag* sie jedoch *nicht,* die Vorstellungen in der Phantasie zu beenden. Sie kann weder deren Pluralität noch das Erkennen der Zersplitterung unterbinden. Aber Pluralität impliziert nicht notwendigerweise die Anerkennung von Heterogeneität.

Das kolonialistische Denken besteht hingegen auf Einheit und Uniformität, um den Kräften der Heterogeneität gegenzusteuern, denn die können nur verstanden und gelenkt werden, wenn man sie als Ganzes, Vollständiges, Abgeschlossenes und Begrenztes sieht. Es handelt sich dabei also um eine fixierte, monologische Welt.

In der Welt des kolonialen Erbes muß die Kultur notwendigerweise als Pluralität existieren, denn eine beherrschte Kultur läßt sich nicht annullieren, selbst wenn der Kolonialherr sie nicht anerkennt sondern ignoriert. Dieser Widerstand gegen eine Vernichtung, entweder trotz — freiwilliger oder aufgezwungener — Assimilation oder durch Umsiedlung oder Lager, eben dieser Widerstand hat die Pluralität und den immensen Reichtum der kulturellen Ausdrucksformen verstärkt. Seit den sechziger Jahren hat sich dieser Widerstand offen verbalisiert, hat seine Kontinuität und sein eigenes Erbe wieder und wieder in Worte gefaßt. Dieses Erbe kann nur als Abfolge von Diskontinuitäten innerhalb dieses Widerstandes in der rechten Weise erkannt und verstanden werden.

Ein solcher Bericht erzählt vom Kolonialismus, und spricht nunmehr aus jenem erzwungenen Schweigen: »Schweigen als die Bequemlichkeit, uns durch die alten Gesetzmäßigkeiten, die uns an eine Vergangenheit ohne Macht binden, unterdrücken zu lassen.«

Der koloniale Gegenstand und seine Darstellung bilden in der Tat ein gemeinsames aber eindeutig geteiltes Erbe, das sich — wenn man so will — von zwei unterschiedlichen Herkünften ableitet.

So wie man zwischen dem kolonialen Wesen und der kolonialen Bedeutung keine absolute Trennlinie ziehen kann, sind sowohl Kultur als auch Sprache untrennbar miteinander verbundene »Zeichen von Kampf und Widersprüchen.«

Wenn ich den Begriff der Auswanderung aus Räumen zu Orten, zur Herkunft und der afrikanischen Diaspora umkreist habe, geschah dies mit dem Ziel, darauf zu verweisen, daß diese komplizierten Zusammenhänge neu bewertet werden müssen, um die Ausschließungsverfahren innerhalb einer kulturellen Pluralität voll und ganz zu erkennen.

Es geschah dies nicht in der Absicht, die Aufmerksamkeit auf die Frage nach der Herkunft zu lenken oder auf das alte Problem der Schaffung von Ideologien, die in nicht-verbalisierten aber wirksamen Möglichkeiten dem kolonialen Subjekt selbst verschiedene Arten der Zurückweisung des kolonialistischen Erbes ermöglichen. Vielmehr sollte betont werden, daß man, wenn man es zum Beispiel vorzieht, bestimmte Werke zu ignorieren oder sie in unserer eigenen Zeit diskriminiert, nicht nur nach dem Warum fragen muß oder nach dem, was da eigentlich geschieht, sondern auch danach, was in dieser Hinsicht getan werden kann. Können die Kinder des europäischen Erbes in einer Welt leben und groß werden, die besser als unsere eigene ist?

Die Methoden der Ausschließung bleiben oft implizit und werden nur selten offen zum Ausdruck gebracht. Wir müssen also Wege finden, wie wir den grundlegenden und verborgenen Prämissen auf die Spur kommen können, ehe wir uns daran machen, erneut darüber nachzudenken, ob es ein kulturelles Erbe für alle in Europa Lebenden gibt, oder ob das kulturelle Erbe des Kolonialismus eher eine andauernde Kategorie der Exklusion darstellt.

Wir benötigen ein kritisches Verständnis der europäischen Kulturen und eine kritische Bewertung — sowohl des von den Orten der kolonialen Existenz übermittelten wie auch des empfangenen Erbes. Dann kann der Dialog vielleicht seinen Anfang nehmen und zwar mit einer Wechselwirkung, die eine Reihe von Faktoren einbezieht: nämlich, daß die Subjekte innerhalb der europäischen Kultur die Koexistenz nicht von Kulturen, sondern von kulturellen Formationen erwägen.

Wenn wir diese Koexistenz anerkennen, schaffen wir Raum für die miteinander verbundenen und gegenseitig voneinander abhängigen Kräfte im Konflikt, und das ist ein unentbehrlicher dynamischer Prozeß für die Entwicklung von Kulturen. Das bedeutet, daß das selbsternannte Zentrum der Kultur nicht mehr bei der unzureichenden Erkenntnis stehen bleibt oder einfach davon ausgeht, daß andere einfach nur existieren. Sondern man greift auf ein neues Kulturverständnis zurück, das nicht die Dichotomie »hoch/niedrig« zum Ausgangspunkt hat.

Um das zu erreichen, muß die europäische Kultur ihre Einseitigkeit aufgeben und muß den falschen und suspekten Gedanken fallen lassen, daß man in eine fremde Kultur eintreten muß, um sie besser zu verstehen. Wobei man dann seine eigene Kultur zu vergessen hätte und die Welt mit den Augen dieser fremden Kultur zu betrachten sei.

Die Alternative zu dieser Einseitigkeit besteht darin, die Fähigkeit für ein nach außen gerichtetes Interesse voll zu entwickeln. Die Bewegung weg von der Einseitigkeit impliziert die Anerkennung der anderen Kulturen als gleichwertig. Sie impliziert im weiteren, daß man die Kulturbereiche in der ihnen eigenen Spezifik, in ihrer Einmaligkeit sieht, mit der sie alle teilhaben am Prozeß der Evolution der menschlichen Kultur als Ganzem.

Wenn wir der Einseitigkeit abschwören, erfordert das rückblickend eine kritische Bewertung dessen, was getan wurde, sowie die Beleuchtung dessen, was in diesem Zeitalter, in dem Kolonialismus und Postkolonialismus einander im Alltag kreuzen, ungesagt blieb und weiterhin bleibt. All dies ist erforderlich, um eine Form des Erbes zu schaffen, die nicht unilateral ist.

Um aber dazu in der Lage zu sein, muß das koloniale Denken in Eigenreflexion Abstand zu sich selbst gewinnen, um zu erkennen, wie es teilt, zersplittert, verstummen läßt, beraubt, wegnimmt, verstreut und nicht vereint hat, wie es im Hinblick auf das koloniale und postkoloniale Subjekt eher genommen als gegeben hat. Aufgrund der Distanz, die wir durch die Reflexion über uns und die Kritik an uns selbst schaffen, verändern sich die eigenen Auffassungen und wir werden näher an eine tiefere Selbsterkenntnis herangeführt, die schöpferischer Art sein muß. Um es kurz zu machen: Für dieses schöpferische Verständnis müssen wir zuerst den anderen in uns selbst erkennen, es ist lebenswichtig, daß wir uns selbst nach außen orientieren.

Vor vielen Jahren hat Mikhail Bakhtin hierüber bereits nachgedacht und seine Worte sind auch heute noch aktuell: »Im Reiche der Kultur ist die Orientierung nach außen ein höchst machtvoller Faktor für das Verständnis. Erst aus der Sicht einer anderen Kultur zeigt sich die fremde Kultur vollständig und in ihrer Tiefe. Bedeutung verrät ihre Tiefe nur dann, wenn sie eine andere, fremde Bedeutung erkannt hat und mit ihr in Berührung gekommen ist: beide kommen sodann zu einer Art von Dialog, der die Geschlossenheit und Einseitigkeit dieser spezifischen Bedeutungen und dieser Kulturen überwindet.

Wir stellen einer fremden Kultur neue Fragen, solche, die sie nicht selbst stellen konnte; wir formulieren in ihr Antworten auf unsere eigenen Fragen und die fremde Kultur antwortet uns, und legt uns ihre neuen Aspekte bloß ...

Ohne eigene Fragen kann man nichts anderes oder Fremdes schöpferisch verstehen ... Eine derartige dialogische Begegnung zweier Kulturen hat keine Verschmelzung oder Vermischung zum Ergebnis. Jede Kultur behält die ihr eigene Einheit sowie die offene Gesamtheit, aber es kommt zur gegenseitigen Bereicherung.«

Der/die Bewohner/in einer Kolonie oder eines postkolonialen Landes hat bisher das Erbe eines Menschen angetreten, dem unfruchtbares Land übertragen wurde.

Ich bin der festen Überzeugung, daß der Unterschied zwischen unserem ausgehenden Jahrhundert und dem Ende des vorhergehenden — neben dem Übergang vom Industriezeitalter zu dem der Atomtechnik — gleichermaßen ganz einfach und doch kompliziert ist: Wir leben im Zeitalter einer Krise von Pluralität und Verschiedenheit.

Aus der Sicht desjenigen, der sie akzeptiert, befindet sich die Pluralität im Rahmen einer geteilten und einseitigen Denkweise ohne Dialogfähigkeit. Diese Krise im Europa von heute macht es deshalb nur um so dringlicher, die Vergangenheit wie die Gegenwart zu einem Ort der Selbstreflexion werden zu lassen, wenn das Ererbte nicht nur als sorgfältig gehütete Pluralität sondern besser noch als heterogener Prozeß Bestand haben soll, der einen Dialog der Kräfte der Kultur ermöglicht.

Wenn irgend etwas Abschließendes gesagt werden muß, dann vielleicht nur, daß das Zeitalter dieser Krise der Vielfalt uns so gehört, wie wir dort hineingehören. Dem haben wir uns zu stellen.

Jose-Maria Perez Gay

Kulturelle Vielfalt unserer Welt und die Notwendigkeit zur Solidarität

Mit Herbert Marcuse, nehme ich die von Max Weber gegebene Definition der Kultur zum Ausgangspunkt, wonach Kultur als der Komplex spezifischer Glaubensanschauungen, wirtschaftlicher Errungenschaften, Traditionen usw. zu verstehen ist, die den »Hintergrund« einer Gesellschaft bilden. Im Mittelpunkt meiner Erörterung wird das Verhältnis von der kulturellen Vielfalt unserer Welt und der Notwendigkeit zur Solidarität stehen. Kultur erscheint so als der Komplex moralischer, intellektueller und ästhetischer Ziele (oder Werte), die eine Gesellschaft als den Zweck der Organisation, Teilung und Leitung ihres Lebens betrachtet.

Wir können nur dann von einer (vergangenen oder gegenwärtigen) vorhandenen kulturellen Vielfalt sprechen, wenn die repräsentativen Ziele und Werte in die gesellschaftliche Wirklichkeit erkennbar verschieden übersetzt wurden (oder werden). Es mag nach Ausmaß und Angemessenheit dieser Übersetzung wesentliche Unterschiede geben, aber die herrschenden Institutionen und die Beziehungen zwischen den Mitgliedern der jeweiligen Gesellschaften müssen eine nachweisbare Affinität zu den verkündeten Werten aufweisen: Sie müssen für deren mögliche Verwirklichung eine Basis liefern. Im Hinblick auf die Verschiedenheit der erklärten Ziele, das heißt, auf die kulturelle Vielfalt unserer Welt, kann man behaupten, daß die Ausdifferenzierung von Wissenschaft, Moral und Kunst, durch die Max Weber den modernen Rationalismus der westlichen Kultur kennzeichnet, die kulturelle Vielfalt beträchtlich verringert und zerstört hat.

Indem die alten kulturellen Weltbilder zerfallen und die überlieferten Probleme sich unter den spezifischen Gesichtspunkten der Wahrheit (d. h. Wissenschaft), der normativen Richtigkeit (d. h. des Rechtes), der Authentizität oder Schönheit (d. h. der Kunst) aufspalten und jeweils als Erkenntnis, als Gerechtigkeit, als Geschmacksfragen behandelt werden können, kommt es in der Moderne zu einer Ausdifferenzierung der Wertsphären Wissenschaft,

Moral und Kunst. In den entsprechenden kulturellen Handlungssystemen werden wissenschaftliche Diskurse, moral- und rechtstheoretische Untersuchungen, werden Kunstproduktionen und Kunstkritik als Angelegenheit von Fachleuten institutionalisiert. Die professionalisierte Bearbeitung der kulturellen Überlieferung hat die Kluft zwischen den Expertenkulturen und dem breiten Publikum eher vergrößert. Was der Kultur durch spezialistische Bearbeitung und Reflexion zuwächst, gelangt nicht ohne weiteres in den Besitz der Alltagspraxis. Mit der kulturellen Rationalisierung droht vielmehr, die in ihrer Traditionssubstanz entwertete Lebenswelt zu verarmen.

Jenseits der Herrschaft der Expertenkulturen besteht immer noch das Projekt dessen, was wir die gute, alte abendländische Zivilisation und ihre erklärten Ziele nennen können. Aus dieser Perspektive würden wir Kultur als einen Prozeß der Humanisierung definieren, charakterisiert durch die kollektive Anstrengung, das menschliche Leben zu erhalten, den Kampf ums Dasein zu befrieden oder ihn in kontrollierbaren Grenzen zu halten, eine produktive Organisation der Gesellschaft zu festigen, die geistigen Fähigkeiten der Menschen zu entwickeln und Aggressionen, Gewalt und Elend zu verringern.

Ich möchte das Verhältnis von kultureller Vielfalt und Solidarität erörtern, indem ich mich von folgender Frage leiten lasse: Läßt sich Solidarität als angebracht, gut, vielleicht sogar als notwendig rechtfertigen, und zwar nicht nur im politischen Sinne (als bestimmten Interessen dienlich), sondern auch im moralischen, das heißt, rechtfertigen mit Rücksicht auf die menschliche Verfassung als solche, auf das Potential des Menschen, in einer gegebenen historischen Situation? Das bedeutet, daß moralische Begriffe wie *rechtmäßig* oder *gut* auf politische oder gesellschaftliche Bewegungen, die eine bestimmte Solidarität mit anderen Gruppen oder Nationen zum Ausdruck bringen, angewandt werden, wobei hypothetisch unterstellt wird, daß die moralische Bewertung solcher Bewegungen mehr als subjektiv ist, mehr als eine Sache des Beliebens. Nach diesen vorläufigen Erläuterungen möchte ich jetzt sagen, was ich unter Solidarität verstehe. Unter Solidarität verstehe ich den Versuch, sich mit der konkreten Situation eines anderen zu identifizieren, ja, sogar sein Leid und seine Not so zu fühlen und zu verstehen, als ob es die unsrigen wären. Wir können deshalb die Ausgangsfrage neu formulieren, indem wir fragen: Läßt sich Solidarität als ein Mittel zur Herstellung oder Beförderung menschlicher Gerechtigkeit rechtfertigen?

Fast ein halbes Jahrhundert ist seit der Katastrophe der europäischen Zivilisation vergangen. Aber dieser Kontinent ist nicht untergegangen, sondern die Überzeugungskraft des Marxismus/Leninismus. Aufgrund solch wissenschaftlicher Prophetie wurde versprochen, daß in einer vollsozialisierten Welt eine maximale Gütererzeugung mit optimaler Verteilung den maximal-optimalen Wohlstand für »alle« hervorbringen werde, und daß damit die Vorbedingung für das Verschwinden sämtlicher freiheitseinschränkender Einrichtungen einschließlich derjenigen des Staates geschaffen werden würde.

Ich glaube, wir sind alle darin einig, daß es gewisse Schwierigkeiten bereitet, den Inhalt der gegenwärtigen geschichtlichen Periode und besonders die Entwicklung der Sowjetunion und Osteuropas in den Begriffen einer Geschichtsphilosophie zu bestimmen, oder vielmehr, man kann sie so bestimmen, aber das bringt uns in eine neue Verlegenheit.

Ich glaube, die Beachtung der Menschenrechte ist die einzige Weise heute die Solidarität als Bedürfnis richtig zu verstehen und zum Ausdruck zu bringen. Die Menschenrechte sind — sagte Hermann Broch — moralische Forderung, sind moralisches Gebot und sollen politisches werden, und wie hinter jedem moralischen Gebot steht auch hier die Formel *Du sollst (nicht)*. Sie richtet sich gegen das Radikal-Böse, und als solches enthält es die Versklavung, die Versachlichung des Menschen. Ich spreche hier nicht nur von Solidarität als Wert und Ziel, sondern von Solidarität als Bedürfnis. Denn solange Solidarität nicht ein reales Bedürfnis wird, solange wird uns die Realität überholen.

Fast ein halbes Jahrhundert ist seit der Katastrophe der europäischen Zivilisation vergangen. Aber dieser Kontinent ist nicht endgültig untergegangen.

Am Ende dieses Jahrtausends weht uns ein Wind der Freiheit entgegen. Wir sind Zeugen des Zusammenbruchs ideologischer und politischer Zwänge in Osteuropa, und unter der so plötzlich entfernten bürokratischen Maske sehen wir die alten psychischen, kulturellen und ethnischen Grenzen der europäischen Geschichte wieder hervortreten, die von der harten Realität der Nachkriegszeit und ihrer unglückseligen politischen Erbschaft, der bipolaren Organisation der Welt, vergewaltigt wurde.

40 Jahre nach dieser Aufteilung der Welt klagt die so lange unterdrückte Vergangenheit ihre Rechte ein und läßt die tiefe multikulturelle Vielfalt Europas wieder Gestalt annehmen. Sie reaktiviert auch teilweise die alte und mächtige Modernisierungstradition in der Sowjetunion. Das scheinen gute Nachrichten für alle zu sein. Die im Rahmen dieser Zusammenkunft thematisierte Verknüpfung von multikultureller Vielfalt und Solidarität muß diese neue Situation berücksichtigen, denn es ist offensichtlich, daß sowohl die multikulturelle Vielfalt als auch die Entwicklung auf diesen wiedererlangten Freiheiten beruhen, welche Vorbedingung für Veränderungen auf weltweiter Basis sind. Genauer gesagt: Vielleicht tragen sie dazu bei, den greulichsten Verschwendungen unseres Jahrhunderts ein Ende zu setzen: dem Mißbrauch der Ressourcen für das Wettrüsten und dem Gespenst des nuklearen Holocausts.

In diesem Zusammenhang möchte ich mich gemeinsam mit ihnen daran erinnern, daß auch Lateinamerika gerade seine verlorenen Freiheiten zurückerobert hat. Im Laufe der achtziger Jahre verdrängte der amerikanische Subkontinent die Militärdiktaturen, die ihn in den Siebzigern beherrscht und unterdrückt hatten. Wir wurden Zeugen friedlicher und hoffnungsvoller Übergänge zur Demokratie in den beiden größten Ländern des Subkontinents, Brasilien und Argentinien, sowie in Peru, Uruguay, Bolivien, Guatemala und Paraguay.

Die freien Wahlen in Nicaragua, der Machtwechsel und in Chile das Ende der blutigen Diktatur eines Augusto Pinochet haben diese neue Ära bestätigt. Auch in Mexiko hat sie das Einparteiengesicht der Macht verändert und dem alten, autoritären Schema der mexikanischen Stabilität Pluralität und Konkurrenz einen Machtwechsel auf der regionalen Regierungsebene hinzugefügt. Für meine Generation ließe sich die neue Lage in der Welt in folgendem Paradox zusammenfassen: Das einzige wichtige Regime innerhalb des lateinamerikanischen Panoramas, das zu Beginn der neunziger Jahre weiterhin monolithisch und auf eine Person konzentriert ist, ist genau dasjenige, auf welches sich vor 30 Jahren unsere Hoffnungen auf eine kontinentale Befreiung gründeten: nämlich Kuba.

Nach diesen eindrucksvollen Veränderungen genießt Lateinamerika in fast all seinen Ländern erneut die Gültigkeit demokratischer Normen und die Wiedereinsetzung der bürgerlichen Rechte auf Rede- und Versammlungsfreiheit, auf Bildung von politischen Vereinigungen sowie auf künstlerisches und intellektuelles Schaffen. Aber unsere Freiheiten, so willkommen und unersetzbar, so wertvoll sie auch an sich sein mögen, haben über jede Erwägung von Effizienz und Gerechtigkeit hinaus nicht die erwarteten Veränderungen erbracht. Im Gegenteil: In Lateinamerika war das Jahrzehnt des Übergangs zur Demokratie gleichzeitig das der wirtschaftlichen Stagnation und das der sozialen Krisen, das der Lähmung von Kultur und Entwicklung. Unsere demokratische Entwicklung traf nicht auf Forschritt, sondern auf sozialen, kulturellen und wirtschaftlichen Rückschritt. Das Jahrzehnt unserer demokratischen Freiheiten war zugleich das verlorene Jahrzehnt unserer Entwicklung.

Dies ist ein weiteres Paradox. Auf dramatische Art beweist es, daß die traditionellen Freiheiten noch lange nicht das Wohl der Nationen garantieren. Diese unglückliche Situation hat viele Ursachen. Ich möchte zwei davon nennen, die aufs engste mit der thematischen Verknüpfung von Einheit in der Vielfalt in Lateinamerika zusammenhängen:

Die erste Ursache ist der Zusammenbruch des auf Industrialisierung und Importsubstitutionen basierenden, nach innen gerichteten Wachstumsmodells, die Lateinamerika in der Nachkriegszeit praktizierte, in einigen Ländern sogar mit Erfolg.

Als zweite Ursache sind die weltweiten großen Veränderungen auf kommerziellem, finanziellem und technologischem Gebiet zu nennen, welche seit den siebziger Jahren in eine der lateinamerikanischen Entwicklung der letzten Jahrzehnte genau entgegengesetzte Richtung verlaufen: nämlich die nach außen orientierten Entwicklungsmodelle, die von umfassenden Prozessen regionaler Integration, Wettbewerb auf den externen Märkten und Globalisierung der Wirtschaft bestimmt sind.

Um mit einer wenigstens geringen Aussicht auf Erfolg an die Türen der sich in Gang befindlichen enormen Umgestaltung der Welt klopfen zu können, müssen die lateinamerikanischen Länder auf beiden Ebenen der Erklärung ihres Zusammenbruchs agieren. Es muß sich ein Entwicklungsmodell auf den externen Wettbewerb hin orientieren und einen neuen Platz auf den schwindelerregenden Wegen der Integration der Welt erobern.

Ohne die Bereitschaft unserer Nationen zu internen Veränderungen — was einen Kampf gegen das Gewicht der Vergangenheit impliziert — existieren weder Möglichkeiten noch Hoffnungen auf ein blühendes oder doch mindestens ein weniger ungleiches nächstes Jahrhundert für Lateinamerika, sondern es wird sich vielmehr das fortsetzen, was wir in der schrecklichen Dekade der Achtziger erlebt haben.

Es geht hier um eine neue Gattung von Freiheiten, deren Grundsätze am Ende des 20. Jahrhunderts noch geschrieben werden müssen, genauso wie Ende des 18. Jahrhunderts die allgemeinen Menschenrechte zu verfassen waren. Diese neuen Freiheiten bedeuten eben die Art und Weise, in der heutzutage die Solidarität zum Ausdruck kommen kann. Die Inhalte dieser neuen Freiheiten der Zivilisation müssen nach und nach die alten Diskurse über die nationale Souveränität als fremdenfeindliche Imitationen und als isolierende Schranken entlarven und das aus dem 19. Jahrhundert stammende militärische Verständnis der Grenzen als feste Markierungen zur Prävention territorialer Expansion und politischer Beherrschung durch neue Konzepte ersetzen.

Wir müssen zu einem Begriff von Souveränität finden, der fähig ist, dem regionalen Integrationsprozeß in der Welt gerecht zu werden, und wir müssen im Dienst der neuen Ideen einen Kodex neuer Freiheiten und nationaler Rechte entwerfen.

Die Freiheiten, die den Zugang zur Modernität gewährleisten sollen, müssen Freiheiten der Nationen sein, und innerhalb dieser sowohl Freiheiten der Individuen als auch der gesellschaftlichen Organisationen. Es geht sozusagen um eine neue zivilisatorische Freiheit, welche die Fähigkeiten besitzt, die Barrieren der Abhängigkeit und des Hegemonismus in ähnlicher Weise beiseite zu räumen wie die Menschenrechte zu ihrer Zeit die feudalen Begriffe von Knechtschaft und Vasallentum verdrängten.

Ich habe natürlich keine klare Vorstellung von den möglichen Inhalten dieser neuen zivilisatorischen Freiheiten. Die Analyse der lateinamerikanischen Krise der achtziger Jahre ermöglicht es jedoch, mindestens drei wichtige Elemente herauszustellen, die jene entsprechende Zahl von neuen, den Veränderungen entsprechenden Freiheiten hervorbringen müßten.

Vorrangig ist die Freiheit des Zugangs zu den Weltmärkten, die zur Zeit trotz GATT durch protektionistische Mechanismen und aggressive Spekulations- und Dumpingprozesse noch stark behindert ist. Die lateinamerikanischen Länder erfuhren das drastische Absinken der Preise für ihre traditionellen Rohstoffe und verfügen nicht über eine wettbewerbsfähige Exportindustrie, da ihre Fabrikanlagen für die Substitution von Importen, nicht aber für die Eroberung externer Märkte eingerichtet waren. Unsere Länder sind gezwungen, Veränderungen vorzunehmen und sich der Welt zu öffnen; versuchen sie dies aber, so stehen sie vor verschlossenen Türen.

Als Folge des Eintritts in den Welthandel sind sie einerseits dem internationalen Druck ausgesetzt, ihre Märkte und Volkswirtschaften dem internationalen Wettbewerb zu öffnen. Andererseits leiden sie unter dem Widerstand der entwickelten Länder, ihnen freien Zugang zu ihren Märkten zu gewähren. So bleibt ihnen nur die schlechtere der beiden Optionen: ihren Binnenmarkt zu opfern und damit den internen Produzenten zu benachteiligen, ohne dafür Gegenleistungen auf den externen Märkten zu erhalten, die es ihnen erlauben würden, die Wunden, die die Öffnung ihren ungeschützten Ökonomien beibringt, durch erhöhte Exporte zu lindern.

Die zweite nicht existente Freiheit, von der ich sprechen möchte und die für das Schicksal Lateinamerikas von grundlegender Bedeutung ist, ist die Freiheit des Zugangs zu internationalen Krediten. Die Zeiten sind vorbei, da die Banken und Regierungen — wie noch in den siebziger Jahren — versessen darauf waren, ihre Überschüsse an den Mann zu bringen. In den achtziger Jahren waren die Kredite so strengen Restriktionen unterworfen wie nie zuvor.

Wie Sie wissen, bedeutet die Rückzahlung der akkumulierten Schuld im letzten Jahrzehnt einen Nettotransfer von 450 Milliarden Dollar von Lateinamerika in die entwickelte Welt. Aber ebenso schwerwiegend wie dieses uns fast erstickende Problem ist das des Fehlens neuer Kredite, welche uns die Reaktivierung unserer Wirtschaften garantieren würden. Ohne eine neue Freiheit, die Lateinamerika die Zuführung von nicht selbst erwirtschafteten Geldern ermöglicht, wird der Subkontinent in den neunziger Jahren die wirtschaftliche Katastrophe der Achtziger wiederholen und das 21. Jahrhundert mit einer Produktionskapazität wie im Jahre 1960, jedoch mit 100 Millionen Einwohnern mehr beginnen.

Die dritte Freiheit, über die wir nicht verfügen, ist vielleicht die wichtigste von allen und hängt direkt mit kultureller Vielfalt zusammen: Es ist die Freiheit des Zugangs zu den Zentren des Wissens und der modernen Technologien, zu dem Bereich, in dem heutzutage die kulturelle und produktive Revolution des Jahrhunderts geschmiedet wird. Es genügt, auch nur eine der Strömungen der jetzt stattfindenden technologischen Revolution zu betrachten, um vorauszusehen, daß wir bald aufs Neue auf das Niveau der Entdeckung des Feuers, des Rads, der seßhaften Landwirtschaft, des Pulvers und des Kompasses zurückfallen werden. Die technologische Revolution vollzieht sich still und unblutig. Sie reduziert und eliminiert unsere alten Produktionsvorteile. Sie schafft billigere und resistentere Substitute für unsere Rohstoffe, versetzt unsere Fabriken in die Prähistorie zurück und macht sogar die beklagenswerte Attraktivität unserer billigen Arbeitskraft zunichte, da sie im Hinblick auf die Automatisierung mehr und mehr überflüssig wird. Jede Diskussion über kulturelle Vielfalt in der dritten Welt im beginnenden Jahrzehnt muß die Notwendigkeit dieses Zugangs zu Wissenschaft und Technologie berücksichtigen.

Diese Freiheiten des Zugangs zur Modernität, die für uns von zivilisatorischer Dringlichkeit sind, stellen meines Erachtens den Ausgangspunkt einer jeden Diskussion über multikulturelle Vielfalt der Welt und die Notwendigkeit der Solidarität dar. Lateinamerika ist ein Beispiel für den immer wieder gescheiterten Versuch, die Einheit in der Vielfalt zu verwirklichen.

Bei dem neuen europäischen Tauwetter könnten wir zu Zeugen eines globalen Nord-Nord-Bündnisses werden, dessen voraussehbare Integration in den nächsten 20 Jahren die Länder des

Südens ausklammern wird. Ich möchte in diesem Zusammenhang die von Willy Brandt ausgesprochene doppelte Warnung wiederholen: Die Veränderungen im sowjetischen Block können Platz schaffen für ein vereintes Wachstum Europas, aber die Finanzhilfe zur Stimulierung der Reformen in Osteuropa darf nicht zu Lasten der Länder der Dritten Welt gehen.

Die militärische Entspannung könnte eine noch negativere Auswirkung auf unsere Länder haben. Ist einmal die paranoide Angst vor kommunistischer Subversion in Lateinamerika verschwunden, so kann sich die Gleichgültigkeit der Industrieländer, besonders der USA, verstärken. War doch das subversive Potential der politischen Unbeständigkeit Lateinamerikas gegenüber dem Gleichgewicht der Weltmächte bisher der Grund für die Vormundschaft, aber auch für die hegemoniale Aufmerksamkeit der USA Lateinamerika gegenüber.

Wenn aber Peru, El Salvador oder Nicaragua aufhören, Teil des Streits um das Gleichgewicht in der Welt zu sein, wen interessieren dann in den Industrieländern noch ihre nationalen Geschicke, ihre Stabilität, ihr Wachstum, ihre Ungerechtigkeiten oder ihre immer wiederkehrende, endemische Gewalt? Sind die militärischen Zwangsvorstellungen einmal überwunden, dann kann ich mir sehr gut ein auf sich selbst bezogenes, auf seine eigene Nord-Nord-Entwicklung gerichtetes Bewußtsein vorstellen. Wie in der zweiten Hälfte des 19. Jahrhunderts werden die einträglichen Geschäfte, die Kultur und das zivilisierte Leben Sache der Welt der Industrieländer sein — wenn es nicht bereits jetzt so ist. Und die Kriege, die sozialen Greuel werden an die barbarische Peripherie, in den zurückgebliebenen, prähistorischen Süden verlagert.

Aus lateinamerikanischer Sicht befindet sich die geschichtliche Situation in einem Teufelskreis: Die Freiheiten, die ich erwähnt habe, sind Voraussetzung für eine Veränderung, aber die Veränderung ist auch Voraussetzung für diese Freiheiten. Wenn wir aus diesem Dilemma nicht herauskommen, wird uns die Geschichte endgültig in ihren Hinterhof verbannen: Dann erwarten uns Lateinamerikaner weitere »Hundert Jahre Einsamkeit«.

Jürgen Moltmann

Die Christenheit und Europa

Ich beginne mit einer deutschen Erinnerung: Es begann tatsächlich mit der Friedensbewegung, die 1981 in beiden deutschen Staaten entstand, um gegen den NATO-Doppelbeschluß und die amerikanische Raketennachrüstung zu protestieren. 1981 protestierte das deutsche Volk zu Hunderttausenden in kilometerlangen Menschenketten für den Frieden. 1981 entstanden in vielen christlichen Gemeinden in West und Ost die Friedensgruppen. Die Friedensbewegung berief sich für den gewaltfreien Friedensdienst auf die Bergpredigt und viele stellten sich die Selbstverpflichtung: Ohne Rüstung leben. Große westdeutsche Zeitungen druckten den Text der Bergpredigt auf Seite 2, führende Politiker versuchten, die Relevanz dieser Predigt Jesu auf das private Leben zu beschränken, um weiterhin deutsche »Realpolitik« machen zu können.

In dieser Zeit entstand eine eigenständige Friedensbewegung in der DDR, die sich die russische Statue vor dem UNO-Gebäude in New York mit dem Spruch des Propheten Micha zum Symbol wählte: »Aus Schwertern Pflugscharen«. Sie wurde verboten, aber nicht ausgelöscht. Sie fand Heimat in vielen evangelischen Kirchen, die ihre Türen für die Versammlungen dieser Friedensgruppen öffneten. Weil die Kirchen dies taten, ließ es der Staat zu. So wurden Kirchen im atheistischen Staat zur Freistatt für die freien, demokratischen Versammlungen der BürgerInnen. Friedensgruppen, Umweltgruppen und Dritte-Welt-Gruppen bildeten sich und probierten Basisdemokratie. Die große Versammlung in Dresden im April 1989 für »Gerechtigkeit — Frieden — Bewahrung der Schöpfung« war ein Signal, das auch öffentlich wahrgenommen wurde. In Leipzig hatte ein Pfarrer in der Nikolaikirche seit 1981 jeden Montagabend zu einem Friedensgebet eingeladen. Acht Jahre lang war dies eine kleine, unauffällige Versammlung, dann aber sprang im Herbst 1989 der Funke über. Tausende kamen zu diesen Friedensgebeten in die Leipziger Kirchen. In jedem Gottesdienst wurde die Bergpredigt gemeinsam gesprochen. Man verpflichtete sich: »Selig sind die Friedfertigen«. Dann formierten sich die Demonstrationszüge auf den Straßen mit neuem Selbstbewußtsein und wiedergewonnem Selbstachtung: »Wir sind das Volk!« Nachdem Menschen sieben Wochen nacheinander mit diesem Ruf demonstriert hatten, fiel — wie einst in Jericho — die Mauer in Berlin am 9. November 1989. Es geschah genau nach 40 Jahren Wüstenwanderung durch den stalinistischen Sozialismus. Die Evangelische Kirche ist in dieser Zeit auf 30 % der Bevölkerung geschrumpft, aber Christen haben im vergangenen Jahr als Minderheit stellvertretend für das Volk den Weg in die Freiheit gebahnt. Am 18. März 1990 gingen auch die Genossen der PDS in die Gethsemanekirche und fanden das ganz normal. Zuletzt soll nicht vergessen werden, daß der kranke, gehaßte und vereinsamte Parteichef Erich Honecker in einem evangelischen Pfarrhaus Asyl und Schutz vor der Rache der Massen fand. Die Rolle, die die katholische Kirche für die Freiheit des polnischen Volkes gespielt hat, haben evangelische Christen für die Freiheit des Volkes in der DDR gespielt.

Ich beginne mit dieser Erinnerung an die erste »gewaltfreie Revolution« in Deutschland, weil sie inzwischen zu einer »gefährlichen Erinnerung« geworden ist . Andere Kräfte und Interessen haben sich der Befreiung bemächtigt und schmücken sich jetzt mit »fremden Federn«. Es gibt keinen Grund, das Volk zu verachten, das nach Arbeit und Wohlstand drängt. Aber es bleibt unverständlich, warum eine Amnestie für obrigkeitstreue Mitarbeiter der Stasi, nicht aber für gewaltfreie Blockierer der Friedensbewegung diskutiert wird. Es war nicht zuletzt die Friedensbewegung, die unsere Nachbarn überzeugt hat, daß die Deutschen keine säbelrasselnden Militaristen und Revanchisten mehr sind.

Welche Möglichkeiten entstehen für ein neues Europa? Welche Formen werden sichtbar?

Ich beginne mit den deutschen Möglichkeiten und Erfahrungen: Es gibt keine »Wieder«vereinigung, es wird kein weiteres »deutsches Reich« entstehen. Es wird eine Föderation der deutschen Länder geben: Einheit in der Vielfalt. Der überraschende Zusammenbruch des »real-existierenden Sozialismus« in Osteuropa war nicht der Zusammenbruch des Sozialismus, sondern der Zusammenbruch des politischen und ideologischen Zentralismus mit seiner Totalüberwachung der Bevölkerung und seiner unbeweglichen, verantwortungslosen Plan- und Kommandowirtschft. An seine Stelle wird eine föderalistische Demokratie mit dezentralisierter Kommunikationsstruktur und vielen, regionalen, lokalen und persönlichen Eigeninitiativen treten. Auch Berlin wird nicht wieder zur »Reichshauptstadt« werden. Die vereinigten deutschen Länder können einen starken demokratischen Handelsstaat bilden, nicht aber einen militärischen Machtstaat, für den »wirtschaftliche Autarkie« die Voraussetzung wäre. Dasselbe gilt auch für die »Europäische Gemeinschaft«: die europäische Vielfalt der Kulturen, und der nationale Eigensinn bzw. die nationale Selbstachtung machen Zentralismus — auch in Brüssel — unmöglich. Konföderationen sind auf gegenseitige Abstimmung der Interessen und gemeinsame Willensbildung angewiesen.

Anders ist auch eine Vereinigung von west- und osteuropäischen Ländern nicht denkbar. Die dezentralisierte, föderale Republik scheint die beste Form zu sein, um die neuen Möglichkeiten für Europa zu gestalten.

Es gibt den Zentralismus aber nicht nur als äußere Struktur, sondern auch als innere Gesinnung. Verschwindet der zentrale Dirigismus, dann sind Untertanengeist und Versorgungsmentalität der BürgerInnen noch lange nicht überwunden. Nach 40 Jahren väterlich-strenger Fürsorge durch den Parteistaat ist vielen die Eigeninitiative verloren gegangen. Betreuungsdiktaturen hinterlassen oft eine Lethargie. Wenn mit Freiheit Selbstverantwortung verbunden ist, sind wir Deutschen ebenso stark auf der »Flucht vor der Freiheit« (Erich Fromm) wie auf der Suche nach ihr. Ich habe mit dieser Bemerkung schon die ehemalige DDR verlassen und spreche auch von uns in der ehemaligen BRD. War es nicht ganz angenehm, in einem Staat mit »beschränkter Souveränität« zu leben? Wird nicht auch bei uns durch Versorgungsangebote jene Mentalität gezüchtet, die den Lebenswillen lähmt und die Freiheit ruhig stellt? Ein Zeichen dafür ist wohl, daß in Westdeutschland kaum jemand bemerkt, bzw. bemerken soll, daß es die gute alte Bundesrepublik und das Bonner Provisorium nicht mehr gibt und wir schon in einem anderen Staat existieren.

Fazit: Ohne die Überwindung der vielen kleinen und größeren Ausflüchte vor der Freiheit und ohne Abbau der autoritären Persönlichkeit bzw. des deutschen Untertanen in uns selbst werden wir die neuen Chancen für Europa nicht ergreifen können. Wir brauchen eine neue Gewissenskultur: Zuerst das Gewissen — dann der Staat, zuerst das Gewissen — dann die Kirche! »Man muß Gott mehr gehorchen als den Menschen.«

Welche Erwartungen werden an die Kirchen gerichtet? Welche Aufgaben sehen Christen im neuen Europa auf sich zukommen? Ich werde zuerst von einer gemeinsamen Aufgabe sprechen und dann fragen, ob und unter welchen Umständen die christlichen Kirchen europafähig sind:

Mit dem Zerfall des »real-existierenden Sozialismus«, diesem Gott, der keiner war, sind auch andere sozialistische Alternativen zur kapitalistischen Marktgesellschft in Mißkredit geraten. Es war auf einem Kongreß in Löwen im September schwer, polnischen Christen die »Sozialdemokratie« als sozialistische Alternative zum diktatorischen Sozialismus überhaupt verständlich zu machen. Die Bundesrepublik bringt aber in die deutsche Vereinigung nicht nur Investitionskapital, sondern auch sechs Millionen Rentner und Sozialhilfeempfänger, also Menschen, die unter der Armutsgrenze existieren müssen, ein. Aus der ehemaligen DDR kommen weitere Millionen dazu. Es entsteht nicht nur kultuelle Vielfalt, sondern auch wachsende soziale Ungleichheit. Sie macht Demokratie schwerer und kulturelle Vielfalt auf Dauer unmöglich. Ohne soziale Gerechtigkeit gibt es keinen dauerhaften Frieden in Deutschland. Der freie Markt fordert und fördert zwar die Eigeninitiative, er kümmert sich aber nicht um diejenigen, die die Kosten tragen müssen.

Ich halte es für die gegebene Aufgabe der großen Kirchen, im Namen dieser Opfer des marktwirtschaftlichen Systems die Kritik am Kapitalismus öffentlich zu vertreten. Das ist zwar nicht opportun, aber die katholische Soziallehre birgt seit der Enzyklika »Rerum Novarum « 1891 und den ihr folgenden Enzykliken bis zu »Laborem exercens « 1981 ein brisantes Potential für diese notwendige Kritik. Nicht geringer ist die Kraft der religiös-sozialen Bewegungen in der evangelischen Christenheit, die soziale und die politische Diakonie: »Der freie Wettbewerb hat sich selbst den Todesstoß versetzt: die freie Marktwirtschaft wurde durch die

Wirtschaftsdiktatur abgelöst.« Dieser Satz stammt nicht von Karl Marx, sondern von Pius XI. (Quadragesimo Anno, 1931, 109.)

Mit dem Zerfall des »real-existierenden Sozialismus« im alten Ostblock ist auch die sogenannte »Zweite Welt« zerfallen. Jetzt gibt es nur noch die Erste und die Dritte Welt, und für die Länder der Dritten Welt besteht nicht mehr die Alternative der Zweiten zur Ersten Welt und auch nicht mehr der Ost-West-Konflikt, von dem sie profitieren konnten. Es wächst verständlicherweise in der Dritten Welt die Angst, zum wirtschaftlichen Opfer eines immer stärker und größer werdenden Europas gemacht zu werden. Der »gemeinsame Markt« ist gut für die, die drinnen sind, aber schlecht für die Ausgeschlossenen. Erstes Opfer der deutschen Vereinigung ist Kuba, für das Bonn die Wirtschaftsverträge und Wirtschaftshilfe der ehemaligen DDR nicht übernommen hat.

Die großen Kirchen werden politisch als »nongovernmental universal organizations« eingestuft. Es ist in ihnen in der Tat das katholische und ökumenische Gemeinschaftsgefühl mit den »Brüdern und Schwestern« in der Dritten Welt so stark gewachsten, daß für viele von uns die ökumenische Solidarität höher steht als die nationale Loyalität: Die Aktion evangelischer Frauen: »Kauft keine Früchte der Apartheid« ist ein Beispiel dafür. Deshalb kommt auf die Kirchen im neuen Europa die Aufgabe zu, zum Anwalt des verarmten Volkes in der Dritten Welt zu werden und dafür einzutreten, daß die »Europäische Gemeinschaft« nicht auf Kosten, sondern zugunsten des Volkes in der Dritten Welt lebt. Ohne Gerechtigkeit zwischen der Ersten und Dritten Welt gibt es keinen Frieden zwischen den Menschen und auch keinen Frieden mit der Natur. Eine gespaltene Menschenwelt zerstört die Erde, auf der sie lebt. Die kirchlichen Entwicklungshilfen haben sich als besonders effektiv erwiesen, weil die Kirche vor Ort selbst und im Volk selbst da ist. Auch hier haben die christlichen Soziallehren Schritt gehalten, von der Enzyklika »Populorum Progressio« 1967 bis zur Enzyklika »Sollicitudo rei socialis« 1987 und im »konziliaren Prozeß« der Ökumene von Vancouver 1988 bis Seoul 1990 für »Gerechtigkeit, Frieden und Bewahrung der Schöpfung«.

Sind die christlichen Kirchen europafähig? Bevor wir diese Frage stellen, müssen wir auf die Geschichte zurückkommen. Die drei großen Kirchen — die orthodoxe Kirche, die römisch-katholische Kirche und die protestantischen Kirchen — haben jede in ihrer Zeit und auf eigene Weise Europa geistig und politisch geprägt.

a) Die christliche Geschichte Europas beginnt mit der konstantinischen Reichsidee. Aus einer verfolgten Minderheit wurde die Kirche durch Kaiser Konstantin ab 312 zu einer zugelassenen Religion und durch den christlichen Kaiser Theodosius zur herrschenden Reichsreligion für das ganze Imperium. Es entstand in Byzanz für 100 Jahre ein christlicher Einheitsstaat: Ein Gott — ein Christus — ein Kaiser — eine Kirche — ein Reich. Viele erblickten darin das »tausendjährige Reich Christi« auf Erden und schlossen darum Ketzer, Juden und Heiden aus ihm aus. Nach dem Tod des Kaisers Theodosius zerfiel zwar das römische Reich, aber die christliche Staatsidee blieb in Byzanz bis zum Fall 1453 erhalten. Dann wanderte sie nach Moskau. Die Autokratie der Zaren war der Schutz der Orthodoxie. Der christliche Zar vertrat Christus auf der Erde und bezog aus dieser Rolle sein messianisches Sendungsbewußtsein. Auch die heilige Sendung des russischen Volkes zur Welterlösung, die Dostojewski leidenschaftlich vertrat, stammt aus der byzantinischen Reichsidee. »Moskau ist das Dritte Rom« und »ein viertes wird es nicht geben«. Orthodoxie, Autokratie und Nationalität war das panslawische Staatsdogma bis 1917. Die orthodoxen Kirchen in Rußland, Bulgarien und Rumänien haben es schwer, sich von dieser christlichen Reichsidee zu lösen. Sie ist zwar vergangen, könnte aber in den kommenden sozialen Unruhen die Massen auch wieder bewegen.

b) Das weströmische christliche Reich erlag im 5. Jahrhundert den Germanenstürmen und machte einer anderen Idee Platz. Im politischen Zerfall wuchs der religiösen Autorität des Papstes politische Bedeutung zu, besonders unter Leo I., 440-461. Die christliche Reichsidee wurde vom Kaiser auf den Papst übertragen, nicht mehr der heilige Kaiser, sondern der Heilige Vater vertritt das Reich Gottes auf Erden, nicht das Heilige Imperium, sondern die Universalkirche bringt das Heil. Die mittelalterlichen Konflikte zwischen Kaiser und Papst haben zu einer Befreiung der Kirche vom christlichen Imperium und zu einer einseitigen Unterscheidung der geistlichen und der politischen Gewalt geführt. Diese Ideen regierten das »christliche Abendland« nach der Kirchenspaltung von 1054. Das christliche Morgenland wurde bis 1917 von der byzantinischen Staatsidee geprägt.

Der Ost-West-Konflikt der Nachkriegszeit deckte sich weithin mit der Spaltung der Christenheit in Ostkirche und Westkirche mit ihren so verschiedenen Staatsideen. Es war darum zwar beschränkt, aber nicht verwunderlich, daß die rheinisch-katholische Europa-Idee Konrad Adenauers den Namen »Das christliche Abendland« trug. Damit war das »christliche Morgenland«, d.h. die orthodoxen Länder Osteuropas, ausgeschlossen. Die abendländische Kirchenspaltung — Rom gegen Byzanz/Moskau — hat viel tiefere Spuren in Kultur und Politik hinterlassen, als wir uns klar machen. Soll es zu einer Vereinigung von ost- und westeuropäischen Ländern kommen, dann muß diese Differenz aufgearbeitet und überwunden werden.

c) Die abendländische Reformation brachte den nächsten großen Konflikt in die Christenheit. Aus ihr entstand die abendländische Kirchenspaltung und aus dieser die Religionskriege des 17. und 18. Jahrhunderts, aus denen der westeuropäische Humanismus, die Säkularisierung der Kultur und der religionstolerante Verfassungsstaat hervorgingen.

In den protestantischen Gebieten, die in Nordeuropa lagen, entstand der moderne europäische Humanismus, der die fundamentalen Freiheiten und individuellen Rechte der Menschen durchsetzte: Glaubensfreiheit, Religionsfreiheit, Gewissensfreiheit und das Recht der Minderheiten. Die Anerkennung der Menschenwürde, der Menschenrechte in England und Nordamerika und die Staatsidee des covenant, der constitution, also der demokratische Verfassungsstaat, sind die Ergebnisse: »Die Krone sitzt nicht auf dem Haupt eines Mannes, sondern auf der Verfassung der freien Bürger« (John Milton). Die protestantischen Kämpfe um das individuelle Recht auf Religionsfreiheit haben zum System der »freiwilligen Religion« geführt, und dieses wurde zur Grundlage der amerikanischen und englischen Demokratie. Kultureller Pluralismus, liberale Demokratie und die individuellen Menschenrechte sind durch den aufgeklärten Protestantismus, vor allem den amerikanischen, in die europäische Welt gekommen. Wir finden also eine orthodoxe, eine römisch-katholische und eine protestantische Europa-Idee in der Geschichte dieses Kontinents.

Nachdem wir die Kulturgeschichte Europas im Längsschnitt betrachtet haben, müssen wir die europäische Gegenwart im synchronen Querschnitt ansehen, denn Gegenwart = Gleichzeitigkeit des Ungleichzeitigen.

Weil die europäische Geschichte eine Vergangenheit von Konflikten und Spaltungen ist, darum präsentiert sich Europa heute in einer Vielzahl verschiedener Traditionen. Doch Europa hat zwar Vergangenheiten im Plural, Zukunft aber nur im Singular. Zukunft gibt es nur in Gemeinschaft, nur in Gemeinschaft kann Europa zum Subjekt seiner eigenen Geschichte werden. Wie aber können Menschen, die auf Grund der genannten Traditionsbrüche in so verschiedenen Zeiten leben, die Gemeinschaft einer einzigen Gegenwart entdecken? Doch nur durch Synchronisierung der verschiedenen europäischen Vergangenheiten. Europa hat seine Konflikte bisher immer durch Spaltungen gelöst. So kam es zu den Sonderentwicklungen der orthodoxen, der katholischen und der protestantischen Kirchen und Kulturen.

Der Weg in die Zukunft kann nur umgekehrt verlaufen: durch die ökumenische Verständigung zwischen Protestanten und Katholiken; durch die ökumenische Verständigung zwischen Westkirchen und Ostkirchen und durch Verständigung mit dem Islam, der zur europäischen Geschichte, wenngleich meistens als »Feind«, gehört. Nicht zuletzt wird Europa seine Wurzeln im Judentum entdecken: Israel, Christentum, Islam haben Europa mit dem Geist messianischer Hoffnung erfüllt und zum Kontinent der permanenten Revolutionen, Reformationen und Renaissancen gemacht.

Dabei kann keine Entwicklung zurückgenommen werden: weder die protestantische, noch die katholische, noch die orthodoxe. Die Kirchen können sich nur in gegenseitiger Anerkennung im neuen Europa vergegenwärtigen. Europa braucht eine neue Formation des Christentums. Darum zuletzt einige selbstkritische Fragen: Papst Johannes Paul II. hat eine große Kampagne zur »Neuevangelisierung Europas« angekündigt. Das wäre eine schlechte Idee, wenn er damit die Rekatholisierung Europas meinte. Der Streit um die Kirchen in der Westukraine zwischen orthodoxen und mit Rom unierten Christen ist ein trauriges Schauspiel. Der Versuch der Rekatholisierung dieser Kirchen hat das Moskauer Patriarchat vor kurzem bewogen, alle ökumenischen Kontakte mit Rom abzubrechen. Die Aufgabe der Kirchen im neuen Europa ist ökumenisch, oder ein neuer Konfessionsstreit wird Säkularisierung und Atheismus hervorrufen wie vor 300 Jahren. Wenn das neue Europa föderalistische und demokratische Formen annehmen wird, dann kann eine zentralistische Kirche kein Vorbild sein und auch nichts zum neuen Leben beitragen. Wenn das neue Europa menschenrechtlich-demokratische Formen annehmen wird, und es gibt dazu keine Alternative, dann stehen ihm Kirchen, die keine demokratieverträglichen Strukturen haben nur im Wege. Auch religiöse Betreuungsdiktaturen entmündigen die Menschen und verbreiten Fürsorge- und Versorgungsmentalität.

Wenn das neue Europa seine menschheitliche Verantwortung entdecken und seine Verhältnisse zu den Ländern der Dritten Welt auf eine gerechtere Basis stellen wird, sind protestantische Kirchen, die in provinzieller und nationaler Enge existieren, keine Hilfe. Die protestantische »Religion der Freiheit« (Hegel) muß in das menschheitliche Zeitalter übersetzt werden, wenn sie relevant werden und nicht nur für einige Völker und für höhere Klassen gelten soll. Der Protestantismus muß seinen inneren Fundamentalismus überwinden und ökumenisch offen und weltzugewandt werden. Er muß seinen Individualismus und seinen Anthropozentrismus überwinden, wenn er die neuen menschheitlichen und ökologischen Horizonte wahrnehmen will. Alle drei christlichen Traditionen, die Europa geprägt haben, müssen sich aus ihrem gemeinsamen christlichen Ursprung heraus erneuern. Dies ist nicht die Stunde des Triumphes über den »gottlosen Kommunismus«. Dies ist die Stunde des Aufbruchs aus der eigenen konfessionellen Enge. Dies ist die Stunde der christlichen und der religiösen Ökumene für das neue Europa, oder die Kirchen werden zu Relikten einer überholten Vergangenheit werden. Wir brauchen keine einseitige »Neuevangelisierung Europas«. Wir brauchen eine allchristliche, ökumenische Versammlung für Europa mit angemessener Beteiligung von Vertretern nicht-christlicher europäischer Religionen, wie dies seit langem auf ökumenischen Konferenzen üblich ist, die den »konziliaren Prozeß« fortführt, der in Basel und Dresden Anfang 1989 so hoffnungsvoll begonnen hat.

Zukunftswerkstatt

Die Zukunftswerkstatt bestand aus vier Arbeitsgruppen, die durch ein oder zwei Referate eingeleitet wurden. Abschließend faßte jeweils ein Teilnehmer die Ergebnisse zusammen. Im folgenden werden Referate und Abschlußberichte dokumentiert.

Arbeitsgruppe 1

Politische und gesellschaftliche Rahmenbedingungen

Ich habe mich bei meinen Thesen im Wesentlichen auf den rechtlichen Aspekt für Rahmenbedingungen einer multikulturellen Gesellschaft konzentriert. Ich würde sagen, rechtliche Rahmenbedingungen, wenn sie vernünftig gesetzt werden, machen es allen einfacher, die sozialen, die kulturellen und die gesellschaftlichen Rahmenbedingungen zu erarbeiten, sie dann aber auch zu leben.

Ein anderer Punkt, den ich ebenfalls bewußt ausgelassen habe, weil ich mich beschränken wollte — obwohl ich weiß, daß er einen ganz wichtigen Eckpunkt für Rahmenbedingungen darstellt —, ist die Frage der Einreisepolitik, d.h. wann und unter welchen Voraussetzungen wieviele neue Leute in ein Staatsgebiet zugelassen werden. Also, Stichwort »Asyl«, der Artikel 16, Stichwort »Artikel 116«, Stichwort »Einwanderungspolitik«, »Kontingentierung« etc..

These 1: Einwanderung, wie sie die Staaten Europas aus Vergangenheit und Gegenwart kennen, war und ist fast ausnahmslos nicht gesteuert von einer Einwanderungspolitik wie die der klassischen Einwanderungsländer. Wie bei der Anwerbung ausländischer Arbeitnehmer bis 1973 in der Bundesrepublik Deutschland, oder auch der seit Ende der siebziger Jahre deutlich gestiegenen Einreise von Flüchtlingen und Asylbewerbern gingen und gehen die Regierungen, aber auch zunächst häufig die Einreisenden, von einem Aufenthalt auf Zeit aus. Für viele ehemalige »Gastarbeiter« und Wanderarbeitnehmer sowie für nicht wenige (ehemalige) Asylbewerber ist das Leben in der Fremde oder der neuen Heimat alternativlos geworden. Einwanderung in die Länder Westeuropas ist nicht ein einmaliger Willensakt, sondern ein Prozeß.

Die Bundesrepublik Deutschland und alle Staaten Westeuropas befinden sich in einer Einwanderungssituation.

Die Einwanderung und Wanderung ist kein neues Phänomen in Europa. Wir haben es immer gehabt, nur wir haben es in fast allen

Staaten Europas in der Vergangenheit nicht reguliert, d. h. zahlen-mäßig reguliert. Wir hatten verschiedene Modi der Einreise, Arbeitnehmeranwerbung, oder das schweizerische Modell, aber konnten auch über den Arbeitnehmerstatus, über die Saisonarbeit zu einem niedergelassenen Arbeitnehmer werden; wir haben das Modell der Arbeitnehmerfreizügigkeit der Europäischen Gemeinschaft. Dieses Modell besagt, wenn ein EG-Bürger sich in einem anderen EG-Land Arbeit sucht und innerhalb von drei Monaten findet, dann bekommt er eine Arbeits- und Aufenthaltserlaubnis. Weiter haben wir das Flüchtlingsrecht, was in den unterschiedlichen Staaten Westeuropas unterschiedlich geregelt ist. Alle Staaten Westeuropas haben ein Flüchtlingsrecht. Fast alle Staaten Westeuropas sind per definitionem keine Einwanderungsländer. Diese Behauptung ist auch insofern richtig, als daß die klassischen Einwanderungsländer ihre Einwanderungspolitik im wesentlichen über Kontingente definieren und laufen lassen. Fast alle westeuropäischen Staaten haben eine in dem Sinne ungeordnete Einreise-, und auch dann im Ergebnis, Einwanderungspolitik gehabt. Wir haben Einwanderer in unseren Gesellschaften und wir haben eine Einwanderungssituation. Wir sind aber keine Einwanderungsstaaten in diesem Sinne.

These 2: Die Staaten Europas haben viele Gemeinsamkeiten in Kultur, Tradition und Geschichte. Trotzdem ist die Vielfalt und Unterschiedlichkeit der Völker und Volksgruppen in Europa ein wesentliches Element, das zwar auch zu verheerenden Kriegen aber nicht zuletzt auch zu großen kulturellen Leistungen geführt hat.

Multikulturelle Prägung der europäischen Gesellschaften von der Makro- bis zur Mikroebene ist keine neue Entwicklung, sondern eine alte europäische Gemeinsamkeit. Auch in den Hochzeiten der Nationalstaaten war die kulturelle Pluralität der Gesellschaften ein Faktum.

These 3: Neu ist, daß heute die Vielfalt der Kulturen in jedem Wohnviertel, in jedem geographisch noch so abgelegenen Dorf unausweichlich im täglichen Leben sichtbar und spürbar ist.

These 4: Ökonomisch und politisch befinden wir uns schon einige Zeit in der post-nationalstaatlichen Phase. Die Innen-, Gesellschafts-, Kultur- und Bildungspolitik haben diese Entwicklung bisher nicht einmal halbherzig mitvollzogen. Wenn die äußeren Bedingungen, die wir uns gesetzt haben, nicht in den verschiedenen Politikbereichen nachvollzogen werden, dann wird die Schere — auch im Bewußtsein — immer weiter auseinanderklaffen. Wir tun hier so, als ob das Rad noch nicht erfunden worden wäre, obwohl es alle Menschen um uns herum gebrauchen und wir selber auch. Wir merken gar nicht, daß auch wir das Rad benutzen.

These 5: Das Grundgesetz der Bundesrepublik Deutschland bietet in seiner jetzigen Fassung fast alle Rechtsgrundlagen für rechtliche Rahmenbedingungen und für ein politisches Instrumentarium für die multikulturelle Gesellschaft, die in Deutschland weniger durch ethnische Minderheiten mit deutscher Staatsangehörigkeit gekennzeichnet ist, als vielmehr durch die Einwanderungssituation mit Menschen fremder Staatsangehörigkeit.

Mit ethnischen Minderheiten meine ich die alten ethnischen Minderheiten, wie z. B. die Dänen in Schleswig-Holstein oder die etwas größere Gruppe der Sorben auf dem Gebiet der ehemaligen DDR. Es gibt vielleicht noch die eine oder andere ganz kleine Gruppe entlang der Staatsgrenzen. Die anderen Staaten Europas — auch Westeuropas — kennen durchaus größere, langansässige, staatsangehörige Minderheiten, z. B. in Südtirol, aber auch Spanien oder Frankreich. Dieses haben wir nicht. Wir haben es allerdings in der BRD nun auch mit einer eigenen Minderheit zu tun, die lange Jahrzehnte und teilweise Jahrhunderte nicht im Bereich Deutschlands gelebt haben, nämlich mit den Aussiedlern, die jetzt wieder in die deutsche Gesellschaft zurückkehren.

These 6: Ein Grundpfeiler politischer und gesellschaftlicher Rahmenbedingungen der multikulturellen Gesellschaft ist eine für Mehrheit und Minderheit plausible Konzeption, die von der Einwanderungssituation ausgeht.

Das bedeutet mit Sicherheit einen langen Diskussionsprozeß in der Gesellschaft. Wenn die Konzeptionen nicht plausibel zu machen sind, dann taugen sie das Papier nicht, auf dem sie stehen. Wir können keine Politik gegen eine Mehrheit machen, oder man kann sie nicht auf Dauer durchhalten.

These 7: Typisch für die Situation ist, daß in den allermeisten Fällen — aus welchen Gründen die Menschen auch immer kommen mögen — nicht geklärt ist, ob sie auf Zeit oder auf Dauer bleiben können und/oder wollen. Die meisten Einwanderungssituationen, d.h. hier die individuellen Fälle, beginnen damit, daß das Individuum, aber auch die Aufnahmegesellschaft sich vorstellt, daß dieser Mensch auf Zeit, auf kurze Zeit kommt. In vielen Fällen ist es dann so, daß dieser Mensch auf Dauer bleibt.

Eine Ausnahme bildet in Deutschland die Gruppe der Aussiedler. Sie kommt mit der Perspektive klassischer Einwanderer und erhält in kurzer Zeit die deutsche Staatsangehörigkeit.

These 8: Nach einem Aufenthalt von fünf bis acht Jahren sollte für ausländische Staatsangehörige ein faires Angebot zur Einbürgerung unter Hinnahme der Doppelstaatsangehörigkeit stehen. Die Risiken, die mit einer doppelten Staatsangehörigkeit verbunden sein können, trägt das Individuum. Gleichzeitig muß es möglich sein, als ausländische/r Staatsangehörige/r mit weitgehend abgesichertem Aufenthaltsstatus (etwa vergleichbar dem von EG-Bürgern in den jeweils anderen Mitgliedsstaaten der Gemeinschaft) im Aufnahmestaat zu leben.

Unter fairem Angebot meine ich ein Angebot, das für den Einwanderer sowohl rechtlich erreichbar, als auch emotional annehmbar ist. Da die Bundesrepublik Deutschland kein, in dem von mir vorher genannten Sinne, Einwanderungsland ist, steht am Anfang weder für die Aufnahmegesellschaft noch für den Einwanderer die Einbürgerung als Ziel.

Gleichzeitig muß es auch eine Perspektive für die Einwanderer geben, die ihre Staatsangehörigkeit — und nur die — behalten wollen, d.h. die als ausländische Staatsangehörige in unseren Gesellschaften leben wollen. Das bedeutet Absicherung des Aufenthaltsstatus, d.h. das Aufzeigen einer Perspektive, wie sicher der Aufenthaltsstatus, z.B. durch Zeitablauf, werden kann. Das ist aber die alte Diskussion um die Sicherheit des Aufenthaltsstatus. Ein gutes Modell dafür könnte das EG-Recht für EG-Bürger in jeweils anderen EG-Staaten sein.

These 9: Auf der Grundlage von Art. 14 Menschenrechtskonvention (für die Bundesrepublik Deutschland z.B. korrespondierend mit 3,3 GG) ist ein rechtliches und institutionelles Instrumentarium zu entwickeln, das die Nichtdiskriminierung von ethnischen Minderheiten (eingebürgerten oder solchen fremder

Staatsangehörigkeit) einfacher sanktionsfähig und durchsetzbar macht (z. B. Antidiskriminierungsgesetz). Wir haben hier Vorläufer, wenn Sie z. B. an Großbritannien und die Niederlande denken.

Die Einbürgerung ändert allerdings weder die Probleme, noch die Menschen, noch die Gesellschaft. Sie schafft nur das Aufenthaltsproblem aus der Welt, alle anderen Probleme bleiben uns erhalten.

These 10: Für den Regelungsbereich der Europäischen Gemeinschaften ist darauf hinzuwirken, daß Staatsangehörige von Drittstaaten nach einem Aufenthalt von drei bis fünf Jahren die Aufenthaltsrechte und Freizügigkeitsrechte von EG-Bürgern erhalten.

These 11: Der Widerspruch zwischen Art. 3,3 GG und den Artikeln des Grundgesetzes, die bestimmte Grundrechte Deutschen vorbehalten, muß aufgelöst werden.

These 12: Aus Art. 14 Menschenrechtskonvention und Art. 3 GG folgen wesentliche Aufgaben für das Bildungssystem im Hinblick sowohl auf die institutionelle Förderung von Kindern ethnischer Minderheiten, als auch auf die Bildungsinhalte. Darüber hinaus muß das Recht auf den Besuch allgemeinbildender Schulen für Kinder von Asylbewerbern verbindlich eingeführt werden.

These 13: Aus Art. 3 GG in Verbindung mit der Menschenrechtskonvention muß — mindestens für länger ansässige ausländische Staatsbürger — folgen, daß ihnen die Versammlungs-, Vereinigungs- und Berufsfreiheit sowie die Freizügigkeit und der Auslieferungsschutz genauso wie Staatsangehörigen gewährt wird.

These 14: Ethnische Minderheiten haben ein Recht auf Wahrung, Pflege und Fortentwicklung ihrer kulturellen Identität. Dies muß sich auch in den Etats der öffentlichen Hand auf allen Ebenen niederschlagen. Ihre Vereinigungen sind gemäß dem allgemein üblichen Förderungssystem zu unterstützen.

These 15: Die gesellschaftliche Mitwirkung ausländischer Staatsbürger unterhalb des Wahlrechts muß in allen Bereichen institutionell abgesichert werden (z.B. kommunale Mitwirkungsmöglichkeiten, Rundfunk- und Fernsehräte, aktives und passives Wahlrecht bei den Sozialversicherungswahlen, Aufnahme von Migrantenverbänden in bestehende Dachverbände).

These 16: Für die Bundesrepublik Deutschland ist weiterhin das Ziel zu verfolgen, den politischen Willen zur Einführung des Wahlrechts für ausländische Staatsangehörige herzustellen. Für die Wahl des Europaparlaments müssen EG-Bürger Abgeordnete für ihren Wohnort wählen können.

These 17: Die mit Migration, Migranten und ethnischen Minderheiten zusammenhängenden Fragestellungen und Probleme müssen selbstverständlicher Bestandteil werden in den Aus-, Fort- und Weiterbildungsprogrammen vor allem im sozialen, Gesundheits- und Pflegebereich sowie für alle Bereiche der öffentlichen Verwaltung.

Gabriele Erpenbeck

★

Ich möchte einleitend kurz etwas zum Begriff der »multikulturellen Gesellschaft« sagen. Im Sinne von Artikel 3 des Grundgesetzes wird von einer multikulturellen Gesellschaft gesprochen, wenn Menschen mit verschiedener Abstammung, Sprache, Herkunft, Religion oder politischer Anschauung so zusammenleben, daß sie deswegen weder benachteiligt noch bevorzugt werden. Der Begriff der multikulturellen Gesellschaft geht davon aus, daß es zwischen verschiedenen kulturellen Prägungen Konflikte gibt, die nicht durch Ausgrenzung und Benachteiligung, sondern durch Dialog miteinander gelöst werden. Voraussetzung für eine multikulturelle Gesellschaft ist daher die Gleichberechtigung.

Darüber hinaus möchte ich ergänzen: Interkulturelles Zusammenleben bezeichnet das Handeln von Menschen, durch das die multikulturelle Gesellschaft entsteht. Auch hierfür ist eine Voraussetzung die gleichberechtigte Partizipation, z.B. durch das Wahlrecht von Zuwanderern.

Neben der Befürwortung kultureller Vielfalt in Europa haben wir künftig der Frage nach der verbindenden Einheit besondere Aufmerksamkeit zu widmen. Was sind die gemeinsamen Werte, damit diese Gesellschaft nicht durch eine Vielheit unvereinbarer Interessen zerissen oder gar zerstört wird. Wie kann auf die Ängste vor der kulturellen Vielfalt in Teilen der Bevölkerung geantwortet werden?

Die Arbeitsgruppe hat sich in der Diskussion ausführlich mit den politischen Rahmenbedingungen für unser multikulturelles Zusammenleben befaßt. Weltweit sind zunehmende Wanderungsbewegungen von Menschen zu beobachten, die aus ökologischen Gründen und wegen der Klimaveränderung nicht mehr in ihrer angestammten Heimat bleiben können. Eine Arbeitsgruppe der Vereinten Nationen sprach von gegenwärtig etwa 500 Millionen Menschen, die deswegen auf der Flucht sind. Für das Jahr 2000 wird mit einer Milliarde Menschen gerechnet. Weltweit ist eine zunehmende Armut zu beobachten. Aus Angst vor dieser Verarmung entsteht ein weltweit wachsender Nationalismus, da jeder meint, allein besser dazustehen. Bürgerkriege können vor allem in Osteuropa zunehmende Wanderungen nach Westeuropa auslösen. Die Regierungen in Europa und in der Bundesrepublik haben sich auf diese zunehmenden Zuwanderungen einzustellen und eine Zuwanderungspolitik zu entwickeln, die auf einem möglichst breiten gesellschaftlichen Konsens aufbaut. Ein Europa der Regionen ist politisch zu gestalten.

Angesichts der demographischen Überalterung in Europa ist eine Zuwanderung grundsätzlich zu befürworten. Kontrovers wurde die Frage einer Kontingentierung erörtert, zumal die Teilnemer einen Konflikt zwischen Kontingenten und einer Beibehaltung von Art. 16 des Grundgesetzes (»Politisch Verfolgte genießen Asylrecht«) sahen.

Auf keinen Fall darf sich Europa oder die Bundesrepublik zu einer Festung gegen Wanderungen und gegen Flüchtlinge entwickeln. Das geistige Konzept dafür ist der »homogene Nationalstaat«, dessen konkrete Auswirkungen eine Hetze gegen Ausländer, eine Assimilierungspolitik und eine Ablehnung des multikulturellen Zusammenlebens ist. Staatsbürgerschaft kann in Europa jedoch nicht mehr ethnisch oder national definiert werden, vielmehr sind den auf einem Territorium lebenden Menschen alle Bürgerrechte und Menschenrechte zu gewähren.

Wir leben in einer post-nationalen Phase, in der die Vielfalt der Kulturen in jedem Wohnviertel und in jedem noch so abgelegenen Dorf sichtbar und spürbar ist.

Das Grundgesetz der Bundesrepublik Deutschland bietet rechtliche Rahmenbedingungen, um ein politisches Instrumentarium für die multikulturelle Gesellschaft zu schaffen. Nun muß eine für die Mehrheit und Minderheiten plausible Konzeption entwickelt werden, die von der Einwanderungssituation ausgeht und soziale Gerechtigkeit anzustreben versucht.

Ausländern sollte nach einem Aufenthalt von mehreren Jahren ein faires Angebot zur Einbürgerung unter Hinnahme der Doppelstaatsangehörigkeit gemacht werden. Ein Antidiskriminierungsgesetz sollte die Benachteiligung von ethnischen Minderheiten mit durchsetzbaren Sanktionen belegen.

Der politische Wille zur Einführung des Wahlrechts für ausländische Staatsangehörige ist herzustellen. Aber auch unterhalb des Wahlrechts sind Mitwirkungsmöglichkeiten, z. B. in Kommunen, bei Rundfunk- und Fernsehräten, zu verbessern. Das passive Wahlrecht bei den Sozialversicherungswahlen muß in der nächsten Legislaturperiode verwirklicht werden. Für Asylsuchende muß das Arbeitsverbot nach einer kurzen Aufenthaltszeit aufgehoben werden. Für Kinder von Asylbewerbern ist das Recht auf den Besuch allgemeinverbindlicher Schulen und auf Ausbildung verbindlich einzuführen. Das Recht von Minderheiten auf Wahrung, Pflege und Fortentwicklung ihrer kulturellen Traditionen muß sich auch in den Etats der öffentlichen Hand niederschlagen.

Ängste in der Bevölkerung

Bei vielen Einheimischen und Zuwanderern sind in den letzten Monaten Ängste gewachsen, was verschiedene Ursachen hat. Es wurde dabei auch darauf hingewiesen, daß die europäische Integration und der oft elitäre Begriff der kulturellen Vielfalt bei Teilen der Bevölkerung Ängste auslösen. Als eine besondere Herausforderung für die Phantasie wurde die Zuwanderung der Roma bezeichnet, die z. B. in Rumänien unter Menschenrechtsverletzungen, nationalistischen Vorurteilen und einer katastrophalen Armut zu leiden haben. Im europäischen Rahmen sind hier dringend Lösungen für dieses geschundene Volk zu suchen, das Überlebenschancen in seiner eigenen Geschichte nur in ständiger Flucht gefunden hat.

Zuwanderungsfragen gehören in Europa und in Deutschland zu den Prioritäten der Politik. Neue Ansätze sind erforderlich, die weltweite Zusammenhänge einbeziehen und Bürgern das Verständnis für die Ursachen der Wanderungen vermitteln. Um den sozialen Frieden im eigenen Lande zu wahren, ist die Gleichbehandlung von allen Bürgern ebenso unverzichtbar wie gemeinsame Erfahrungen der Freude an kultureller Vielfalt in Europa.

Ich darf abschließend noch drei Sätze aus der sehr lebendigen Diskussion zitieren.

Ein Vertreter der Sorben erzählte uns, daß seine Volksgruppe nach der Vereinigung neue Probleme hat. So mußte z. B. bei Bewerbungen für den öffentlichen Dienst die Nationalität eingetragen werden, und die Sorben haben als Nationalität »sorbisch« eingetragen, wie sie es gewöhnt waren, dann als Staatsangehörigkeit »deutsch«. Aber weil sie als Nationalität »sorbisch« eingetragen haben, wurden sie von Aufgaben des öffentlichen Dienstes ausgeschlossen. Das waren sie bisher nicht gewöhnt.

Ein zweiter Punkt, der mir wichtig erscheint: Es wurde darauf hingewiesen, daß 70 % der türkischen Unternehmer in den neuen Bundesländern investieren. Wenn diese Zahl zutrifft, meine ich, daß dies ein erstaunliches multikulturelles Engagement ist.

Und, daß Berlin eine multikulturelle Metropole ist, zeigte der Satz eines Türken in unserer Arbeitsgruppe, der sagte, »in Berlin gibt es keine Ausländer mehr, es gibt nur noch Berliner nichtdeutscher Herkunft«.

Jürgen Miksch

Arbeitsgruppe 2

Interkulturelle Bildung, Soziokultur und Medien

Ich beschränke meine Darstellung auf Erfahrungen in der BRD und in Berlin. Hier lebe ich seit über 20 Jahren als Studentin und Arbeitnehmerin.

Zur Zeit richten sich alle Augen der Welt auf das neue Europa und insbesondere auf das in diesem Jahr vereinigte Deutschland. Im September und Oktober dieses Jahres (1990) besuchte ich meine Heimat Südafrika und den Nachbarstaat Zimbabwe. Viele Menschen zeigten sich über die neue Situation besorgt und verunsichert. Vertreter von Befreiungsbewegungen suchten mich auf, um Fragen zu klären, wie: Wie ist es alles wirklich passiert? Werden die Deutschen Europa dominieren? Die Stellung der Deutschen in Europa, die Gerüchte über die Wiederbelebung des Rassismus, die Stärke der Neonazis, kurzum, die Aussichten des neuen Europas und insbesondere des vereinigten Deutschlands waren Gegenstand des Interesses. Die Menschen in der sogenannten Dritten Welt sind dabei, sich zu reorientieren und untersuchen die Ereignisse in Europa sowie ihre Bedeutung für die Situation in den eigenen Ländern. Das von Gorbatschow entworfene Perestrojka-Konzept des gemeinsamen europäischen Hauses erweckt bei vielen Nicht-EuropäerInnen ein Gefühl der Isoliertheit und des Ausgeklammertwerdens, wenn nicht sogar das Gefühl des kulturellen Machtstrebens des weißen Mannes anderen Kulturen gegenüber. Auf jeden Fall hatte ich, als ich in Afrika war, das Gefühl, daß eine anti-interkulturelle und eine anti-multikulturelle Entwicklung vorausgesagt wird. Tatsächlich sind wir Zeugen und Zeuginnen einer Wiedererweckung des Ethnozentrismus und einer rassischen Ideologie und Verhaltensweise auf diesem Kontinent. Dieses sind Tatsachen, die nicht auf Spekulationen begründet sind. Vor kurzem wurde von der Organisation »Black Unity« (eine Organisation von Menschen afrikanischer Abstammung, inklusive der Afrodeutschen) eine Dokumentation von rassistischen Überfällen seit der Öffnung der Mauer veröffentlicht.

Seit einem Jahr gibt es die Berliner Mauer nicht mehr, aber doch wird eine neue Mauer gebaut. Sie ist anti-multikulturell, anti-interkulturell und sie steht gegen die kulturelle Vielfalt Europas. Wenn keine Anstrengungen unternommen werden, um dieses Phänomen zu beseitigen, wird diese neue Mauer dicker, höher und noch schwerer zu bekämpfen sein, denn sie ist für viele Europäer abstrakt und unsichtbar. Das Nachrichtenmagazin »Der Spiegel« berichtet diese Woche von dem Bevorstehen des sogenannten Rausschmiß' von 60 000 Vietnamesen sowie von mehreren tausend Mosambiquanern aus der ehemaligen DDR. Dies scheint zur Freude eines großen Teils der ostdeutschen Bevölkerung zu geschehen. Es wurde in diesem Artikel u. a. befürchtet, wenn diese Ausländer angesichts der drohenden steigenden Arbeitslosigkeit weiter in DDR-Fabriken arbeiten würden, wäre es wahrscheinlich zu Ausschreitungen gegen die Ausländer gekommen.

Die Berichterstattung in den Medien über die Länder Afrikas, Asiens und Lateinamerikas ist proportional weniger geworden. So wurde mir von einer sachkundigen Person berichtet, daß es z. B. bei der Wochenzeitschrift »Die Zeit« für längere Zeit nach Öffnung der Mauer einen internen Hinweis an die Redaktion gab, die ersten zwölf Seiten seien nur mit der deutsch-deutschen Einheitsproblematik zu füllen. Die meisten Zeitungen und Zeitschriften in der BRD haben seitdem eine Erweiterung des Ressorts »Deutschland« vorgenommen, aber dann manchmal zum Nachteil anderer Ressorts. So wurde eine geplante Afrika-Redaktionsstelle der Tageszeitung »taz« zugunsten einer DDR-Stelle abgesetzt. Ein anderes Beispiel: Die Mitarbeiter der GEW (Gewerkschaft für Erziehung und Wissenschft) finden keine Zeit mehr, sich mit Problemen der Dritten Welt auseinanderzusetzen, weil sie so überlastet damit sind, die Lehrer aus der ehemaligen DDR zu integrieren. So leiden einige gute Kampagnen darunter, die Mitte der achtziger Jahre von der GEW durchgeführt wurden — wie z. B. die Kampagne »Erziehung gegen Apartheid« oder eine Kampagne zur Bildungssituation der Lehrer in der Türkei.

Noch ein weiteres Beispiel aus dem Bereich der Medien. Es ist eine Art Anekdote zur Freilassung von Nelson Mandela. Während dieses Ereignis weltweit live gesendet wurde, wurde es in der BRD — Südafrikas Handelspartner Nr. 1 — nur als kleine Nebennachricht abends gezeigt. An jenem Sonntagnachmittag liefen die gewöhnlichen Familienprogramme. Verzweifelt telefonierte ich in Berlin herum, um Leute mit Kabelfernsehen zu finden, um die erste Rede Mandelas nach seiner Freilassung in Kapstadt zu hören. Eine Gemüseladenbesitzerin in meiner Nachbarschaft, mit der ich wochenlang wegen ihres Verkaufs südafrikanischer Früchte gestritten hatte, empörte sich darüber, daß Mandela in der Nacht zuvor den Schwarzen zu Gewalt geraten hatte. Diese Meldung war an jenem Tag Schlagzeile der Bild-Zeitung. Hätte diese Frau die Rede Mandelas gehört, dann hätte sie wahrscheinlich einen anderen Eindruck gewonnen. So werden Vorurteile auch bestätigt.

Trotzdem sollten wir andererseits die Bemühungen kleiner Kreise, zum Beispiel die der Friedensbewegungen, der entwicklungspolitischen Gruppen oder der ökologischen Bewegung registrieren, die versuchen, das Thema Nord-Süd im Bewußtsein zu halten. Ich denke dabei z.B. an den Bildungskongreß für Lehrer und Lehrerinnen zum Nord-Süd Konflikt vom 29.9.-1.10. 1990 in Köln sowie an das Fernsehprogramm »Eine Welt für alle« und auch, selbstverständlich, an diese Konferenz »Kulturelle Vielfalt Europa«.

Rassismus ist auf dem Vormarsch. Ich habe Verletzungen von rassistischen Überfällen bei zwei schwarzen Freunden von mir gesehen. Neulich wurde ich selber boshaft beschuldigt und beschimpft, ich hätte Fleisch gestohlen. Das ist das erste Mal in 20 Jahren, daß mir soetwas passiert ist. Und das Merkwürdige ist, daß niemand an solchen Situationen interessiert ist. Die Pose von Verachtung und Ablehnung gehört zum Alltag. Das Ergebnis ist, daß sich sehr viele Ausländer, besonders Frauen, nicht mehr auf die Straßen trauen. Wir wissen natürlich, welche Rolle die Geschichtsverdrängung bei dieser Erscheinung gespielt hat. Jedenfalls ist dies die Realität, die wir in Betracht ziehen müssen und sollten, wenn wir von interkultureller Bildung, Soziokultur und Medien reden. Sonst reden wir in einem Elfenbeinturm.

Und was steht im »Spiegel« vom 29.10.90? Gerade in dieser multikulturell geschädigten Atmosphäre? »Der Spiegel«, eine sehr einflußreiche Zeitschrift, die von vielen gebildeten Deutschen gelesen wird, veröffentlichte einen klischeehaften Artikel über türkische Frauen in der Bundesrepublik. In ihm wurden türkische Frauen als unmündig, hilfsbedürftig, das »Allerletzte«, das Opfer der grenzenlosen Gewalt ihrer Männer dargestellt. Es ist in diesem Artikel eine Nebensache, daß türkische Frauen auf dem Arbeitsmarkt sehr stark vertreten sind. Mag sein, daß ein Stückchen Wahrheit darin steckt, vielleicht in der Darstellung eines ausgeprägten Chauvinismus. Jeder kann solche klischeehaften Bilder über andere malen.

Ich will das anhand eines Beispieles erklären, welches, wie ich meine, zeigt, wozu wir alle fähig sind. Ich stelle immer wieder fest, daß Afrikaner, die in Deutschland leben, sagen, sie möchten in dieser Gesellschaft nicht alt werden. Sie möchten sicher sein, daß sie vor dem Alter in ihre Heimat zurückkehren. Dies äußern sie aufgrund der von ihnen beobachteten Isolation der alten Menschen. Sie möchten z.B. nicht in Altenheime abgeschoben werden. Es ist klar, daß nicht alle alten Leute in Altersheimen leben. Es kann sogar sein, daß das eine Minorität ist. Aber was wäre, wenn die Afrikaner, die der Überzeugung sind, daß bei ihnen zu Hause alte Menschen noch Respekt und Anerkennung genießen, was wäre, wenn sie hier einen Artikel über die Gewalt und den Haß der Deutschen alten Menschen gegenüber schreiben würden? So sehe ich diesen »Spiegel«-Artikel: Es wird ein Thema behandelt, wie z. B. das der alten Leute, ohne dabei die Geschichte dieser Gesellschaft und die Zwänge der Industriegesellschaft anzusprechen. Aber mit Türken erlaubt man sich das. Der »Spiegel«-Artikel bestätigt für mich die Diskussion, die wir manchmal als beschämend empfinden: Die Diskussion, in der viele Politiker die Integrationsfähigkeit und die Integrationswilligkeit der Ausländer als Bedingung für ein harmonisches Zusammenleben und für interkulturelle Beziehungen sehen. Dieselben Politiker sind stolz, daß die Deutschen im Ausland eine gewisse kulturelle Identität beibehalten haben. Das ist ein Widerspruch. So gibt es z. B. in Südafrika, in der Mitte der Kap-Provinz eine Siedlung namens »New Germany«, wenn ich mich nicht irre. Die Städtchen bzw. Dörfer in dieser Siedlung haben alle deutsche Namen. Es gibt ein Frankfurt, dann fährt man eine Weile, kommt nach Hannover und Endstation ist Berlin. Dies ist für mich ein Zeichen dafür, daß die Menschen mit ihrer kulturellen Identität so weit gehen, daß sie sogar ein Stückchen Land in Afrika umbenennen. In der GEW-Kampagne »Erziehung gegen Apartheid«, die Mitte der achtziger Jahre lief und bis heute noch theoretisch läuft, wurde z.B. die Finanzierung deutscher Schulen, die vom Staat hier in Südafrika unterstützt wurden, stark angegriffen. Deutsche Lehrer werden oder wurden von hier nach Südafrika geschickt, um dort in deutschen Schulen zu unterrichten. Also: was heißt hier Integrationswilligkeit und Integrationsfähigkeit der Ausländer?

Man macht das an anderen Orten anders, z.B. in Südafrika oder in Namibia, aber zu Hause wird die Assimilationspolitik als Konzept zum multikulturellen Zusammenleben gepredigt. Wir sagen *Nein*!, denn unabhängig davon, was ursprünglich gedacht war, gilt der bundesrepublikanische Teil Deutschlands — ich spreche von dem Teil, in dem ich gelebt habe — seit mehreren Jahrzehnten als Einwanderungsland. Über vier Millionen Menschen sind hierher immigriert und bilden einen unverzichtbaren Bestandteil der gesellschaftlichen Realität. Sie leisten einen wesentlichen Beitrag zum wirtschaftlichen Wohlstand der Bundesrepublik. Nach zehn Jahren wollen viele — und auch mit Recht meine ich — hier bleiben. Jedoch sind Immigranten, besonders aus ehemaligen Kolonialländern oder aus europäischen Ländern, die von der deutschen Bevölkerung als rückständig gesehen werden, Diskriminierung und Rassismus ausgesetzt, was sich in Form einer ungleichen rechtlichen und sozialen Behandlung bemerkbar macht. Hinzu kommen sprachliche Probleme, Mangel an Möglichkeiten für politische Mitbestimmung, Wertkonflikte, Entfernung und Entfremdung von der eigenen Kultur. Alle diese Punkte sind nicht typisch deutsch, man kann sie auch an anderen Orten finden, wohin Menschen emigrieren. Aber wir müssen dies in dieser Form ansprechen.

Ich komme zum Thema der interkulturellen Bildung. Was die Bildungspolitik betrifft, so ist das Ziel bis jetzt die Integration, was für viele Politiker Assimilation bedeutet. In einer Analyse der interkulturellen Bildung bemerkt Prof. Jürgen Zimmer (FU Berlin), daß die offizielle Bildungspolitik keine Zeichen setzt, Immigrierten das politische und soziokulturelle Selbstbestimmungsrecht zu geben. Wenn die Bildungsziele in Curricula auf interkulturellen

Normen basierten, würde das eine Reorientierung auch für deutsche Schulkinder bedeuten. Und warum nicht? Er weist darauf hin, daß sich westdeutsche Schulcurricula auch in ihren internationalen Perspektiven kaum an der aktuellen, multikulturellen Realität in den jeweiligen Bundesländern orientieren, so gilt z.B. das antike Griechenland als interessanter als die heutigen ökonomischen Lebensbedingungen in Griechenland. Ich würde vielleicht zu diesem Beispiel von Zimmer ergänzen, daß die Tiere in Afrika und die zehn kleinen Negerlein mehr Reiz zu haben scheinen, als die Gründe für Armut und Flucht der Afrikaner vom Horn von Afrika, vom südlichen Afrika und Westafrika in die Bundesrepublik.

Der »Spiegel«-Artikel und die Schulerfahrung sind also nicht im Sinne einer gleichberechtigten multikulturellen Erziehung und Bildung. Übrigens: auch die siebenstündige Rias-Sendung »Lange Nacht mit Afrikanerinnen« von 1988, an der ich selbst teilgenommen habe, war aufgrund der gesteuerten oberflächlichen Behandlung ganz wichtiger Themen nicht im Sinne einer interkulturellen Bildung.

Ich möchte zwei Beispiele gegenüberstellen, um zu zeigen, was ich unter multikultureller Bildung verstehe.

Ich habe fünf Jahre in Köln bei Prof. Udo Undeutsch studiert. Prof. Undeutsch hat mich, ich erinnere mich, nicht einmal in den fünf Jahren als Angehörige einer anderen Kultur angesprochen. Ich kann mich nur erinnern, daß er zwischendurch über Neger als Naturmenschen gesprochen hat und daß er am Tag, bzw. kurz vor meiner mündlichen Prüfung erzählte, daß sein Sohn gerade in Südafrika gewesen sei, wo er einen ausgezeichneten Urlaub verbracht habe. Das war alles während der fünf Jahre. Für mich ist diese Haltung nicht im Sinne einer multikulturellen/interkulturellen Bildung. Dann kam ich nach Berlin und habe an der FU unter Prof. Schubenz promoviert. Das ist jetzt das Gegenbeispiel für mich: Ich wollte und habe auch eine Dissertation geschrieben zum Thema »Sozialisierungsbedingungen für die Aufrechterhaltung des Apartheid-Systems«. Schubenz sagte zu mir: »Südafrika ist sehr wichtig; sehr wichtig für uns Deutsche. Schreib Deine Arbeit und schreib sie als eine Aufklärungsarbeit für die Deutschen. Schreib auch von Deinen Erinnerungen«, meinte er, »da es um Sozialisation geht, wenn du nicht in der Lage bist, in Südafrika direkt zu forschen.« Und dann fragte er: »Was heißt Psychologie? Psychologie bedeutet, die Interessen der Menschen zu vertreten.« Für mich entspricht diese Haltung meiner Vorstellung von interkulturellem Austausch.

Ich nenne jetzt einige Forderungen, die zum Thema interkulturelle Bildung und Soziokultur — besonders für den Schulbereich — immer wieder gestellt werden:

Es sollen systematisch Erziehungs- und Bildungskonzepte ausgedacht und entwickelt werden, die die Empfehlungen der UNESCO in einem Rundbrief vom 10. Juli 1981 über Bildung für internationale Verständigung in die Praxis umsetzen. In Anlehnung an neue Forderungen des World-University-Service und in Anlehnung an Forderungen von zahlreichen Arbeitsgruppen und Selbsthilfegruppen ausländischer Bürger in der Bundesrepublik sowie auch in Anlehnung an die Analyse von Zimmer möchte ich weitere Forderungen wiederholen:

a) Notwendig ist hier in Europa eine Befreiungspädagogik. Eine Befreiung von Rassismus, Faschismus, Eurozentrismus und Ethnozentrismus. So können die Europäer von der Bewegung der »educación popular« in Lateinamerika, oder von der Bewegung der »Peoples education« in Südafrika lernen.

Institutionen, die sich mit interkultureller Pädagogik und Erziehung befassen, sollen meiner Meinung nach erweitert werden und mehr offizielle Unterstützung erhalten.

b) Interkulturelle Bildung ist gegen Apartheid als Trennung der Menschengruppen voneinander. Ich meine jetzt Apartheid im allgemeinen, nicht engeren Sinne — wie in Südafrika.

In einer multikulturellen Gesellschaft verflechten sich Kulturen und existieren nicht nebeneinander. Die Vielfältigkeit des Angebots soll nicht etwas sein, womit wir uns abfinden, sondern soll als eine Welt von Reichtum, als eine Bereicherung und Befruchtung eines Erziehungssystems betrachtet werden.

c) Das Leben in multikulturellen Gesellschaften wird durch interkulturelle Situationen gekennzeichnet. Wir erleben sie ständig im Umgang miteinander. Solche interkulturellen Situationen, sollen identifiziert und als relevant für Kinder aller Kulturen in die Reflektion über Curricula einbezogen werden.

d) Das bedeutet aber nicht, die kulturelle *self-reliance* der Kinder zu stören, d.h. in diesem Fall deutscher und ausländischer Kinder.

e) Die Sozialisation der Menschen in einer multikulturellen Vielfalt bedeutet einen fortlaufenden interkulturellen Konflikt, d.h. in diesem Umgang mit verschiedenen Kulturen sind wir ständig in einem interkulturellen Konflikt. Dieser Konflikt soll in Lernprozessen bewußt aufgenommen werden. Voraussetzung dafür ist eine Identifizierung der interkulturellen Schlüssel-Situationen von europäischen sowie aus anderen Erdteilen stammenden Menschen, die hier in Europa leben und arbeiten.

f) Interkulturelle Situationen sollen bewußt aufgegriffen werden, anstatt auf sie mit Verlegenheit zu reagieren. Ich denke an Beispiele wie: Größe der Familie, Zeit als Wert oder Verwandtschaft. Diese Themen werden in der Regel mit Verlegenheit behandelt.

g) Diese Schritt-für-Schritt-Erfahrungen, die wir mit multikultureller Erziehung machen, sollen dokumentiert werden, so daß langfristige Lerninhalte ein Ergebnis der Erfahrungen werden, anstatt ein Ergebnis unserer abstrakten Vorstellungen und Gedanken.

h) Veränderungen in Curricula alleine reichen natürlich nicht aus, sondern das Verhältnis zwischen Bildungsinstitutionen und Nachbarschaft muß erneut berücksichtigt werden. In diesem Sinne würde ich das Beispiel von Erzieherinnen einordnen, die statt mit Kindern Schwimmen zu gehen, an einer türkischen Bäckerei stehenbleiben, wo den Kindern gezeigt wird, wie man türkisches Brot backt. Nebenan werden vielleicht Teppiche und andere Waren hergestellt, die die Kinder dann sehen und erleben. Die Kinder können dabei sehr viel lernen.

i) Notwendig und wichtig ist die Schaffung von mehr Arbeitsplätzen für Ausbilder, Lehrer und Hochschulpersonal aus anderen Kulturen. Was die Einbeziehung von Immigranten im Bildungsbereich betrifft, habe ich manchmal den Eindruck, daß man in Ländern wie Frankreich, Großbritannien und natürlich den Vereinigten Staaten weiter ist als in Deutschland. Diese Kollegen bringen eine Mehrfachqualifikation mit. Damit verbunden wäre natürlich eine mögliche Quotierung, besonders in Bezirken wie Kreuzberg und ebenso eine Erleichterung der Erlangung von

Aufenthalts- und Arbeitserlaubnis, besonders nach Beendigung des Studiums an europäischen Hochschulen.

j) Projekte, die den Inhalt haben, Bereiche wie Faschismus, Ethnozentrismus und Sexismus zu überprüfen, sollen entwickelt werden und mehr Aufmerksamkeit bekommen. Afrodeutsche oder Schweizerdeutsche sind ein Teil der deutschen Gesellschaft und dürfen nicht mehr als eine Erscheinung einer bestimmten Epoche in der Geschichte, d. h. als Besatzungskinder in Erscheinung treten. Das bedeutet, daß mehr Forschung betrieben werden muß.

k) 1929 studierte ein Afrikaner aus Ghana in Halle und schrieb eine Arbeit über das Recht der Mohren: Die Geschichte der Begegnung mit nicht-westlichen Menschen soll umgeschrieben werden, soweit als möglich unter Beteiligung der Betroffenen.

l) Die Arbeit der Organisationen, die Nord-Süd-Konflikte zu einem Bildungsthema machen, sollte mehr Unterstützung und mehr Öffentlichkeit bekommen. Diese Aufgabe ist ein Teil der Anliegen der deutschen Stiftung für Entwicklungsländer in Berlin (EPIZ). Ich habe häufig den Eindruck, daß viele Leute, die in der Ausbildung sind, gar nicht wissen, daß solche Möglichkeiten bestehen. Erfahrungsaustausch über das Thema interkulturelle Erziehung zwischen den Ländern Europas soll gefördert werden.

Peggy Luswazi

*

In bezug auf interkulturelle Bildung gehe ich davon aus, wie interkulturelle Bildung von uns bisher in Deutschland beobachtet, behandelt und verstanden worden ist. Die interkulturelle Bildung ist in der Bundesrepublik als ein Prozeß zu bewerten, der im Bildungsbereich erst in den letzten Jahren zu einem wichtigen Thema geworden zu sein scheint. Sie hat ihren Ursprung in den Integrationsbemühungen der siebziger Jahre im schulpädagogischen Bereich. Damals wurde im Schulbereich festgestellt, daß die reformerischen Maßnahmen, z. B. in bezug auf die türkischen, jugoslawischen und aus anderen Gastarbeiterländern stammenden Kinder dort nicht erfolgreich griffen. Ebenso wurde gesehen, daß diese Kinder im deutschen Schulsystem als Versager abgestempelt wurden und dementsprechend aus einer bestimmten Bildungs-laufbahn ausgeschlossen werden mußten. Auch haben sich in dieser Zeit entwicklungspolitische Überlegungen im Hochschulbereich entwickelt. Man stellte fest, daß ausländische Studierende ihre Ausbildungs- und Studieninteressen und -ziele nicht so erreichten oder erfüllen konnten, wie es im Interesse von Stipendiatenstiftungen oder anderen akademischen Austauschdiensten nötig gewesen wäre.

Im Laufe der letzten Jahre ist dann die interkulturelle Bildung als eine Möglichkeit, die Denkweisen und Lebensformen von Menschen anderer Kulturen in Erfahrung zu bringen, begriffen worden. Man verstand sie als eine Möglichkeit, auffällige, schwer erklärbare oder unbefriedigende Erscheinungen und Ergebnisse im Bildungsbereich mindestens theoretisch anzugehen.

Ein anderer Aspekt der interkulturellen Bildung war z. B. auch ein verbreitertes Angebot, um Sprachen zu erwerben bzw. Sprachen zu vermitteln. Darunter fiel insbesondere Türkisch. Es bestand die Hoffnung, daß, wenn viele deutsche Lehrer Türkisch lernten, diese besser mit den türkischen Kindern und ihren Angehörigen umgehen können würden. Einen weiteren Aspekt bildet die Einrichtung und Erweiterung von Kursen, in denen z. B. die Musik, Tänze oder die Eßkulturen anderer Länder bzw. Kulturen vermittelt werden. Interkulturelle Bildung verwirklicht sich auch in der Durchführung von Studien- oder Urlaubsreisen. Darüberhinaus gibt es neuerdings im Westteil der Stadt auch die Einrichtung von Modellklassen. Sie laufen als interkulturelle Modelle oder Experimente an, worunter z. B. ein Schüleraustausch mit Schülern aus Frankreich verstanden wird. Ein anderer Aspekt interkultureller Bildung ist die Veranstaltung von Kursen (Tanzkurse, Musikkurse usw.) — sowohl auf der Ebene der Hochschulen als auch auf der der Volkshochschulen.

Ebenso als etwas Positives zu erwähnen ist die Entwicklung von Konzepten, in denen deutsche Mitbürger interkulturelle Verständigung erlernen oder einüben können. Antirassismus bzw. nicht-rassistisches Verhalten sollen hier u.a. vermittelt werden. Da gibt es eine Reihe von interkulturellen Spielen und Selbsterfahrungsübungen, die oft auf in den USA entwickelten Konzepten beruhen.

Ich möchte zu den erwähnten Aspekten und zu diesem Verständnis interkultureller Bildung eine Kritik äußern und darstellen, welche Probleme ich darin sehe.

Meiner Meinung nach wird in diesem genannten Angebot versucht, die Anderen — das sind meistens die Vertreter aus anderen Kulturen -, als ein Exotikum, als etwas Mystisches und nicht selten als etwas Angsterregendes, nie Erreichbares, aber sehr gerne doch als etwas Ausstellenswertes zu definieren und zu begreifen. (Dies gilt, obwohl mir in der letzten Zeit auch aufgefallen ist, daß die Definition von »anderem« und »fremden« immer stärker eingegrenzt wird.) Dieses Verhalten ist zu vergleichen mit der Art und Weise, wie sich auch schon Deutsche untereinander als Fremde und Andere — z.B. Sachsen und Bayern — definieren und unter Umständen auch ablehnen. Erfahrungsgemäß führt das dazu, daß die festgefahrenen Bilder über andere Kulturen noch weiter gefestigt werden. So stellt man z.B. die unterdrückten Frauen aus der Türkei oder aus den islamischen Ländern, wenn sie dargestellt werden, mit Tüchern auf dem Kopf dar. Afrikanische Kinder werden immer als verhungernde Skelette, asiatische Frauen immer als erotische, attraktive und sehr leicht handzuhabende Frauen, Italiener als aggressiv, Südamerikaner als besonders drogensüchtige und mit der Mafia kollaborierende Menschen dargestellt. Das geschieht je nachdem, wie es den Interessen der Öffentlichkeit entspricht.

Auf den Exkursionen, von denen ich vorhin sprach, in den Ausstellungen und bestimmten Kursen über die Menschen anderer Kulturen werden die Vertreter dieser anderen Kulturen zu Objekten gemacht. Wir als Vertreter dieser Kulturen fühlen uns in dieser Form von interkultureller Bildung nicht angesprochen. Wir fühlen uns darin sehr selten verstanden oder realistisch dargestellt. Wir sehen meistens gar keine Übereinstimmung mit uns selbst. Wir fühlen uns darin selbst fremd und stehen uns fremd gegenüber. Oftmals wird das auch von deutschen Kollegen oder Freunden festgestellt. Sie sagen dann: »So, wie ich es in der Ausstellung gesehen habe, erlebe ich Dich komischerweise gar nicht.« Dies bezieht sich z.B. darauf, daß man normale Kleidung trägt, und nicht oben und unten mit einem Blatt bedeckt ist. Man scheint manchmal eher zu erwarten, daß wir mit Federn gekleidet herumlaufen. Das klingt sehr übertrieben, aber es ist ein ganz aktuelles Beispiel, wie es mir hier im Ostteil der Stadt widerfahren ist.

Sehr oft machen wir uns zu diesen Defiziten, die ich hier in bezug auf die interkulturelle Bildung dargestellt habe, Gedanken. Es sind Gedanken darüber, woher das eigentlich kommen kann oder wie das eigentlich entstehen kann. Ich möchte hierzu einige Hypothesen formulieren, die vielleicht etwas provokant erscheinen:

a) Ich sehe im Umgang mit interkultureller Bildung einen Ausdruck der Scheu der Deutschen vor der Auseinandersetzung mit ihrer eigenen Kultur, mit ihrer kulturellen Geschichte, mit ihren tradierten kulturellen Werten. Dazu gehört auch der Geist der Herrenrasse, der, meiner Meinung nach, nicht soweit zurück liegt. So erleben wir es bei den Deutschen auch gerade seit der Vereinigung Deutschlands und zwar mit ihrer kulturellen Gegenwart und als Mitglieder eines der reichsten und mächtigsten Länder der Welt.

b) Ich behaupte, daß die Deutschen Scheu davor haben, und das wird deutlich durch den Teil ihrer bisher erfolgreich geleisteten Verdrängungsarbeit, sich mit dem Antisemitismus, dem Faschismus und den 40 Jahren Stasi-Stalinismus auseinanderzusetzen. Indem man sich als Experte zu anderen Kulturen hinwendet, will man den Beweis erbringen, die anderen seien es gewesen. Hierin sehe ich auch die Suche nach einem Alibi. Für diese Expertenhaltung ist dieses Beispiel aus dem »Spiegel«, das Peggy Luswazi das erwähnt hat, sehr bezeichnend. Also, die Anderen sind gewalttätig, sind patriarchalisch, sind brutal und rücksichtslos. Eine vergleichbare Darstellung einer Gesellschaft des Patriarchats, der Gewalt und der Rücksichtslosigkeit habe ich im Spiegel noch nie gelesen. Eine solche Haltung erlaubt es den Forschenden, Lehrenden oder den in anderen Bildungsbereichen tätigen Menschen die anderen Kulturen zu werten, sie zu vergleichen, sie in ein hierarchisches System einzuordnen, sie willkürlich zu würdigen bzw. herabzuwürdigen, ihnen fremdbestimmte Charaktere zuzuschreiben, so z. B. sie als defizitär, primitiv, aufregend oder auch als hochentwickelt zu definieren. Sie erlaubt es darüber hinaus, eine bestimmte Fremdheit gegenüber bestimmten Kulturen, eine Fremdheit unter Kulturen herzustellen, sowie eine Mystifizierung der einen oder anderen Kultur vorzunehmen. Sie zieht Grenzen zwischen Kulturgruppen und damit auch zwischen Menschen. Allein in dem Begriff »interkulturelle Bildung« sehe ich auch schon ein Defizit. In dem Sinne nämlich, als dieser Begriff darauf hinweist, daß die europäischen Gesellschaften bei dem Grad an Zivilisation, den sie erreicht haben, mit der Existenz von Menschen anderer kultureller Denk- und Lebensformen nur dann umgehen können, wenn diese erstens zum Problem erklärt, und zweitens als notwendiges Thema im Bildungsbereich etabliert. Es ist also eine Antwort auf einen gesellschaftlich schwer zu handhabenden Inhalt.

Es scheint mir, daß das, was von mir in den Hypothesen angeführt wurde, wirkliche Be- bzw. Verhinderungen einer interkulturellen Kommunikation darstellt. Für mich ergeben sich für die Ermöglichung von interkultureller Kommunikation folgende Forderungen:

a) Die in der interkulturellen Bildung Tätigen sollten ein Verhältnis zur eigenen Kultur herstellen und es klären;

b) Geschichtliche und aktuelle Machtverhältnisse der eigenen zu den anderen Kulturen und deren Mitgliedern sollten überprüft und dargestellt werden. Zu berücksichtigende Aspekte wären dabei: das Nord-Süd Gefälle; die Geschichte des Kolonialismus; der Erste und Zweite Weltkrieg und das damals herausgebildete Verhältnis zu anderen Kulturen; die Rassentheorie; Tourismus, die Geschichte der Ost-West-Beziehungen und der Osten insgesamt mit seiner langen Abgeschlossenheit durch die Ausreiseverbote, denn auch das ist ein Inhalt, mit dem es sich bei der interkulturellen Bildung auseinanderzusetzen gilt.

c) Die Tradition des bisherigen Stellenwertes anderer Kulturen muß zum Wissenschaftsgegenstand gemacht werden. Erst dann kann man, meiner Meinung nach, in einen interkulturellen Kommunikationsprozeß eintreten.

Meine Erfahrungen zeigen, daß dazu erstens eine große Schmerzensbereitschaft oder, anders ausgedrückt, eine Klärungsbereitschaft notwendig ist; zweitens, daß von diesem Prozeß, seinen Erkenntnissen, Erfahrungen und Entdeckungen neue interkulturelle Bildungsinhalte bestimmt werden sollen; daß drittens die gleichberechtigte Einbeziehung qualifizierter Bildungsvertreter aus anderen Kulturen gewährleistet sein sollte (auch Vertreter europäischer Bildungsbereiche sollten endlich akzeptieren, daß Bildungstätige aus anderen Ländern auch mündig genug sind, für sich selbst zu denken, zu reden und zu handeln.); daß viertens die Wichtigkeit der Meta-Ebene für die interkulturelle Kommunikation berücksichtigt wird (hierzu gehört, daß andere, für Deutsche untypische, fremde Kommunikationsformen, die innerhalb anderer kultureller Gruppen zu einer Selbstverständlichkeit gehören, berücksichtigt werden. So die Körpersprache oder ganz andere Kommunikationsmittel und Ausdrucksformen, die in dieser Gesellschaft gar keine Bedeutung haben, wie Singen, Arbeiten mit Erde und Pflanzen, bildliche Darstellungen usw.. Werden solche anderen Kommunikationsformen nicht miteinbezogen, bedeutet das auch, die Menschen mit anderen Kulturformen auszuschließen.); schließlich muß fünftens, sowohl die Gestaltung und Entwicklung neuer Medieninhalte als auch die Auseinandersetzung mit der jetzigen Medienpolitik, die einen zunehmend kulturrassistischen Charakter angenommen hat, vorgenommen werden. In den Medien, so wie wir sie zum jetzigen Zeitpunkt erleben, werden wir zunehmend verdrängt und diskriminiert. Man scheut sich auch nicht davor, uns als Tiere, Clowns usw. darzustellen. Wenn wir in den Medien erscheinen, erscheinen wir immer als ein Problem. Westliche Gesellschaften gehen mit Problemen so um, daß sie sich überlegen, wie man diese am besten beseitigen bzw. verwalten kann, wenn es schon nicht anders geht. Das aktuellste Beispiel findet sich in dem Umgang mit dem »anti«-Ausländergesetz, das ohne nennenswerte Opposition der politischen Parteien der Bundesrepublik am 1.1.1991 in Kraft tritt.

Lucia Zeller

Vorab sei bemerkt, daß diese Veranstaltung nicht wie die übrigen Arbeitsgruppen mit Empfehlungen endete. Das lag zum einen an der Größe des Themas, zum anderen an dem Ausufern der Diskussion. Beides kann hier somit nur in Grundzügen wiedergegeben werden.

Es wurde auf mehreren Ebenen diskutiert. Zum einen wurden

praktische Erfahrungen mitgeteilt und an Beispielen belegt, die sich im Alltag in Form einer subtilen und auch sehr groben Diskriminierung manifestieren. So äußern sie sich auch in der komplizierten Lebenssituation beispielsweise von ausländischen Schulkindern. Daraus wurde die Notwendigkeit inter- und multikultureller Erziehung abgeleitet, beginnend im Vorschulalter und bis in die Volkshochschulen und Erwachsenenbildung reichend. Dazu sind schulpolitisch verantwortete veränderte Lehrinhalte erforderlich, die die Tatsachen multikulturellen Mit- oder Nebeneinanders aufnehmen.

Mehrfach wurde die Frage nach der Definition des Begriffs »Soziokultur« gestellt. Es wurde hiermit ein weiter Kulturbegriff angesprochen, mit dem z. B. die Alltagserfahrungen zwischen unterschiedlichen Kulturen beschreibbar werden. — Ich verweise darauf, daß dieser Kulturbegriff in den siebziger Jahren in der DDR ausführlich diskutiert wurde.

Diskutiert wurde in der Arbeitsgruppe auch die Frage nach Möglichkeiten und Grenzen der Integration, die entweder als Assimilation oder Tradierung des Eigenen in fremder Umwelt gewertet werden kann. Was geschieht bei Erreichen eines bestimmten Anteils von nicht-Deutschen an der Bevölkerung? Hier fiel einmal die Zahl von 30 %. Die Überlegung war, daß sich dann sehr vieles lösen und nicht mehr die Minoritätensituation hervorgerufen würde. Dagegen stand die Meinung, daß es sich nicht um ein quantitatives, sondern um ein machtpolitsches Gefüge handelt, um die kulturelle Dominanz der »weißen Menschen« und ihrer historisch befestigten Macht, die mit der kolonialen Geschichte auch als Geschichte von Wanderungsbewegungen (zwischen 1780 und 1880 emigrierten zehn Millionen Deutsche in die USA) verbunden ist. Die globalen, durch die westliche Zivilisation geschaffenen Probleme sind Ursache für die in der Wohlstandsgesellschaft auftretenden Irritationen durch Einwanderungen. In Deutschland wie überall müssen dem Recht auf Vielfalt auch das Recht auf widersprüchliche kulturelle Ausdrucksformen entsprechen. Am Beispiel des Projekts »Nozizwe« (Heimat der Kulturen) wurde eine Form feministischer multikultureller Bildungsarbeit vorgestellt, die das Klischee der defizitären Ausländerin durch Handlungen und Gegensatzstrategien auflösen soll.

Wichtig war auch der Hinweis, daß die konkrete politische Situation die Nutzung und Kenntnis des institutionellen Rahmens bedingt; daß finanzielle Hilfen für die Ausländerarbeit an klare Rechtsnormen gebunden werden; daß es Verbündete braucht, um dies zu entwirren und zu Resultaten zu kommen. Das betrifft den Kulturbereich, die Ausländergesetze und die Grundrechte. Elitebildung in den Migrantengruppen wurde dabei als genauso relevant gesehen wie die Zusammenarbeit von Immigranten mit einheimischen Eliten. Das eigentliche Problem betraf aus diesem Blickwinkel die Minoritäten in den Minoritätengruppen, die über keine Plattformen mehr verfügen.

Mehrfach wurde am Kongreß Kritik geäußert. Einmal betraf es die Abwesenheit türkischer Referate und einer Übersetzung der Vorträge ins Türkische, zum anderen die Unterschätzung des deutsch-deutschen interkulturellen Spannungsfelds. Des weiteren wurde das Fehlen des Themas Tourismus im Sinne eines neuen Kulturkolonialismus bemängelt. Der Ortswechsel des Kongresses in den früheren Ostteil der Stadt habe zudem einige Teilnehmer aus der Dritten Welt aus Angst vor Übergriffen zur Absage veranlaßt.

Es wäre aus der Sicht der Berichterstattung zu schlußfolgern, daß die Lebenswirklichkeit zwischen In- und Ausländern dringend ausdifferenziert werden muß, um überhaupt handlungsrelevante Strategien zu finden, daß Emanzipation ein Prozeß ohne Ende ist und die Frage nach der Multikultur die Frage nach dem Respekt vor der Kultur der anderen voraussetzt. Wie eine Kreuzbergerin fragte: Was haben wir von den Türken gelernt? Was von ihrem Ehrbegriff, der Autoritätsstruktur, der Rolle der Alten in der Familie. Die Kritik an einer islamischen Schule in Berlin hieß von rechts: Überfremdung, von links: Indoktrination. Was sie denen, die sie besuchen und wollen, bedeutet, stand dabei nicht zur Debatte.

So wird niemals ein Dialog beginnen!

Irene Runge

Arbeitsgruppe 3

Kultur und ihre Vermittlung

Wenn wir Kulturwissenschaftler an das Ziel unseres Vorhabens kommen wollen, müssen wir bewußt machen, daß die jetzige Situation nicht nur voll positiver soziokultureller Impulse ist, sondern auch mit sehr vielen Gefahren verbunden, die wir mit Fantasie, Einfühlung und Toleranz bewältigen müssen.

Ich möchte zunächst kurz über meine eigenen Erfahrungen sprechen. Ausgehend von meiner ganz persönlichen Situation, als ein in Deutschland lebender Genueser, habe ich im Jahr 1965 ein Manifest der »arte utile«, der nützlichen Kunst, geschrieben, das Möglichkeiten aufzeigte, wie in einer multiethnischen Gesellschaft Kommunikationsfähigkeit herzustellen wäre. Im Mittelpunkt stand dabei, die Menschen mit Hilfe des Köders Kunst zum Gespräch miteinander zu animieren und sie für Kultur zu interessieren. Das gelingt in den etablierten Institutionen der Kultur nur schwer, deshalb bin ich mit meiner »arte utile« auf die Straße gegangen, habe die Menschen mit ihr konfrontiert und sie zum Mitmachen aufgefordert. Diese visuelle und soziale Auseinandersetzung an Kunst-fernen Orten birgt natürlich die Gefahr, daß man, als Kulturvermittler, der sich außerhalb des »Betriebs« bewegt, ins Triviale abgleitet, aber auch die Chance, interessante und positive kulturelle Impulse auszulösen (und selber zu gewinnen). Wieweit es mir gelungen ist, die Leute auf der Straße für Kultur im herkömmlichen Sinn zu sensibilisieren, kann ich nicht nachprüfen, entscheidend scheint mir, daß diese Annäherung an eine soziokulturelle Erziehung potentiell eine Bereicherung für die Kultur in einer multiethnischen Gesellschaft war, der mögliche Anfang eines Prozesses in Richtung auf eine multikulturelle Gesellschaft.

Eine multikulturelle Gesellschaft, also eine »con molta cultura«, mit viel Kultur, bereichert die Wahrnehmungsfähigkeit. Die soziokulturelle Palette wird größer, es wächst das Interesse für Dinge, die vorher unbekannt waren.

Das wäre eine hervorragende konkrete Entwicklung, die uns sogar zu der utopischen Zielvorstellung von »Frieden in der ganzen Welt« bringen könnte. Aber eine multikulturelle Gesellschaft ist zwangsläufig mit einer multiethnischen Gesellschaft verbunden. Und dies bedeutet nichts Gutes in den Augen und Köpfen vieler unserer Mitbürger.

Fremdenfeindlichkeit, Rechtsradikalismus und Intoleranz sind die logischen Folgen dieser Geschehnisse. Eine Vielvölkerwanderung hat begonnen, die wir nicht verkraften können, weil wir den Aufbau der sozialen Infrastruktur zur Bewältigung dieser multiethnischen Probleme versäumt haben.

Wir Kulturschaffenden können auf dieses Problem aufmerksam machen. Unsere Beiträge müssen strategisch gezielt und mutig diese Tatsachen, die uns belasten, benennen. Wir müssen bei jeder Gelegenheit die kulturellen Auffassungen, die wir kennen, vermitteln: In bildender Kunst, Film, Literatur, Theater und Video. Auf all diesen Gebieten muß die multiethnische Gesellschaft, die wir inzwischen geworden sind, in den Vordergrund gerückt werden. Dieses System kann nur funktionieren, wenn es sich öffnet für die Vielfalt der Kulturen. Die heutige Kultur ist aber schon lange keine Monokultur mehr. Kein Festival kann ohne internationales Gastspiel existieren. Im Bereich der Hochkultur wird der Austausch fremder nationaler Eigenschaften und Kulturformen hoch geschätzt. Doch im Bereich der Alltagskultur wollen die reichen Nationen unter sich bleiben! Daß eine multiethnische Mischung, wenn sie akzeptiert wird, nicht unbedingt Gewalt hervorbringen muß, sondern eine Bereicherung für das kulturelle Spektrum eines Landes sein kann, will niemand zugeben. Die fremden Völker kommen zu uns, nicht weil sie sich von unserer Kultur angezogen fühlten, sondern weil sie sich ein besseres Leben erhofften. Hier steht eine sehr schwierige Aufgabe vor uns. Wir müssen den Leuten klarmachen, daß sie den neuen Reichtum nicht einfach übernehmen können, sondern die soziokulturelle Spielregeln erlernen müssen. Wer sich des Eigenen sicher ist, begegnet dem Fremden mit Toleranz. Toleranz heißt nicht nur, den anderen unbehelligt arbeiten zu lassen, Toleranz vertraut auch darauf, daß das eigenverantwortliche Handeln des Anderen sich zum beiderseitigen Nutzen auswirken wird. Deshalb plädiere ich nach wie vor für das Ausländerwahlrecht, zumindest im kommunalen Bereich, und für die Beteiligung von Ausländern an den Entscheidungsgremien, wo sie ihre Erfahrungen — auch und gerade mit dem Gastland — produktiv zur Geltung bringen können. Den ständig in Deutschland lebenden nicht-Deutschen das kommunale Wahlrecht zu verweigern, nimmt ihnen die Möglichkeit, Kraft und Lust, über ihre soziokulturellen Aktivitäten selbst zu bestimmen.

Nach der ablehnenden Entscheidung des Bundesverfassungsgerichts in Karlsruhe wird man nun auf Regelungen der europäischen Gesetzgebung warten müssen. Nur so können wir hoffen, daß die erträumte Kulturvielfalt, die wir uns vorstellen, als reale Möglichkeit am Horizont auftaucht. Es ist wichtig, die eigene kulturelle Identität zu bewahren (es kann keiner aus seiner Haut schlüpfen; jeder Versuch, dies zu tun, gerät zur Maskerade), und es ist ebenso wichtig, eine Symbiose mit der kulturellen Identität des Anderen anzustreben.

Ein wacher Künstler muß stets nicht nur die ästhetischen, sondern auch die allgemeinen Probleme seiner Zeit vor Augen haben. Nur so kann er bewußt die gesamten Perspektiven seiner Gegenwart wahrnehmen und sie aus immer neuen Blickwinkeln für das Publikum beleuchten.

Der Künstler wurzelt in der Gesellschaft.

Der Künstler arbeitet in der Gesellschaft.

Der Künstler kann nur in der Gesellschaft leben, die ihn ernährt. Seine Anlagen entwickeln sich in der Gesellschaft, in der er lebt. Der Künstler muß sich zur Gesellschaft hin öffnen, sich ihr gegenüber ehrlich und aufrichtig verhalten. Umgekehrt könnte man sagen: Auch die Gesellschaft muß sich zur Kultur hin öffnen, sich ihr gegenüber ehrlich und aufrichtig verhalten.

Die Gesellschaft lebt, wo es Kultur gibt; die Gesellschaft stirbt, wo es keine Kultur gibt; die Gesellschaft kann nur existieren, wenn sie Kunst und Kultur ernährt, ihre kreativen Anlagen entwickeln sich in der Kultur, die sie umgibt.

Was bedeuten diese Thesen über Künstler, Kultur und Gesellschaft für die spezifische Situation einer multiethnischen Gesellschaft mit multikulturellen Perspektiven? Die Chancen liegen auf der Hand, ebenso unschwer sind aber auch die Probleme zu erkennen.

Die gegenseitige Herausforderung, der Wettbewerb zwischen verschiedenen Kulturen, die Interaktion mit dem Ziel der Integration der Kulturen — das sind die Chancen. Falls dies gelänge, wäre eine neue Definition der europäischen Kultur als das Übergreifende, die unterschiedlichen nationalen Ausprägungen als das bewahrende Gegengewicht zur Dominanz des Ökonomischen möglich. Diese europäische Kultureinheit, die ja genaugenommen kein Novum ist (sie war zur Zeit Karls des Großen, im Zeitalter des Humanismus und der Aufklärung bereits verwirklicht), ermöglicht auch die selbstbewußte Absage an die durch die Medien vermittelte Vorstellung einer globalen Einheitskultur auf dem Niveau bildgläubiger Analphabeten.

Die Gefahr ist, daß durch gegenseitige Berührungsängste die möglichen Partner nicht fähig sind zur Kommunikation. Die Befürchtung, daß Kultur hierzulande wieder eine Allianz eingeht mit nostalgischen Neigungen zum Nationalen, ist nicht aus der Luft gegriffen — mit der Folge, daß alles Fremde ins Ghetto abgedrängt, ausgegrenzt würde.

In einer Gesellschaft, die sich gegen das Andere abschottet, könnte der kulturelle Selbstbehauptungswillen der nur am Rande Geduldeten zu einem verstärkten Rückzug auf die eigene Tradition führen und damit würde die Kluft nur vergrößert, die Verständigung mangels geeigneter Übersetzer oder Vermittler nur noch schwerer.

»Der Mensch ist so beschäftigt mit der Perfektionierung seiner Umgebung, daß er für seine humane und soziale Vervollständigung keine Energie mehr hat...«

Als Sozialkulturschaffender weiß ich, daß mein Widerstand gegen ungerechte Dinge, in den Augen vieler, nur ein sehr winziges Sandkorn ist. Ich weiß aber auch, daß Sandkörner der Anfang oder das Ende von etwas sehr Wichtigem sein können. Die Zeit wird zeigen, wo sich diese Sandkörner häufen oder wo sie fehlen.

Pino Poggi

★

Thesen

1. Kunst und Kultur aller Stilrichtungen und Spielarten sind hervorragend geeignet, als Medium der Verständigung zwischen den Nationalitäten zu wirken, Begegnungen zu ermöglichen und auf diese Weise das gedeihliche Zusammenleben von Menschen verschiedenen Herkommens und verschiedener Nationalitäten sicherzustellen.

2. Auf die ausländischen Mitbürgerinnen und Mitbürger darf kein Assimilationsdruck ausgeübt werden. Kulturveranstaltungen der heimatlichen Tradition sind durch staatliche Zuschüsse zu fördern, damit u. a. die kulturelle Identität der Ausländer gewahrt wird.

Ergänzend dazu: In der Diskussion wird so häufig darauf hingewiesen, wir seien ja für die soziokulturellen Aktivitäten der Ausländer — bei aller Undifferenziertheit des Begriffs »soziokultureller Aktivität«. Dabei wird dann auch immer gleich eine Hierarchisierung vorgenommen: Kunst, etwas für die Deutschen, Kultur möglicherweise für Deutsche und Ausländer, und Soziokultur für irgendwelche Randgruppen, wozu dann die Ausländer ganz sicher zählen. Deswegen: Keine Hierarchie! Hier geht es nicht um oben und unten, hier geht es nicht um entweder oder, sondern hier geht es um sowohl als auch. Also, eine gleichberechtigte Teilhabe der ausländischen Mitbürgerinnen und Mitbürger am gesamtstaatlichen Kulturangebot, an den gesamtstaatlichen Förderungsmaßnahmen.

3. Kultur und Kunst fördert die spielerische Begegnung der Menschen verschiedener Herkunft. Das Interesse der deutschen Mehrheit an der Beschäftigung mit ausländischen Kulturen und den Trägern dieser Kultur ist zu fördern. Die Gewerkschaften und andere Bildungsträger sind aufgefordert, die durch die gesetzlichen Möglichkeiten des Bildungsurlaubes eröffneten Chancen auch und verstärkt den Begegnungen mit fremden Kulturen zu erschließen.

Ergänzung: Ich halte also sehr wenig davon, die großen Möglichkeiten des beruflichen Bildungsurlaubs nur dazu zu verwenden, getarnte Lustreisen zu unternehmen. So, wie es denjenigen gibt, der dann sagt, er habe gesehen, wie die EG in Brüssel funktioniert, wobei er den meisten Teil der Reise in den zweifellos sehr guten Restaurants der Brüsseler Altstadt verbrachte.

4. Für Kinder, Jugendliche und Studenten soll ein Kulturaustauschprogramm z. B. mit der Türkei eingerichtet werden (vergleichbar dem deutsch-französischen Jugendaustausch), um die heimatliche Lebenswelt der ausländischen Nachbarn kennenzulernen.

5. Die kulturellen Äußerungen und Bedürfnisse der ausländischen Mitbürgerinnen und Mitbürger dürfen nicht als exotische Kolorierung des deutschen Kulturbetriebes mißverstanden werden. Ausländische Kulturaktivitäten sollen vielmehr selbstverständlicher Bestandteil des Kulturprogramms in der Bundesrepublik Deutschland werden. Daher ist zu fordern,

a) daß fremdsprachige Rundfunkveranstaltungen (Hörfunk und Fernsehen) verstärkt gesendet werden. Man müßte überlegen, ob nicht möglicherweise sogar eine eigene Frequenz dafür zur Verfügung gestellt wird. Ob das dann integrativ wirkt oder möglicherweise eine spezifische, im Aether aufbereitete Ghetto-Situation entsteht, müßte diskutiert werden. Aber so, wie es im Moment läuft, fünf Minuten da und fünf Minuten dort, ein bißchen Spanisch, ein bißchen Türkisch, ein bißchen Italienisch — das halte ich für Nonsens. Das wissen ohnehin immer nur die Eingeweihten, und es bringt wenig, um nicht zu sagen nichts.

b) daß die Literatur der Ausländer verstärkt auch Deutschen zugänglich gemacht wird (Förderung qualitätsvoller Übersetzungen, Erweiterung der Verlagsprogramme usw.). Ich denke, daß die Produktion von Literatur in einer eingespielten Art und Weise dem privatwirtschaftlichen Sektor vorbehalten bleiben soll. Damit haben wir in der ehemaligen BRD jedenfalls gute Erfahrungen gemacht. Aber, was das Risiko guter Übersetzungen angeht, auch die Schulung von Übersetzern in Sprachen, die nicht so en vogue sind und die auch von der Marktrezeption nicht so gut verbreitet sind — es hat ja auch etwas mit dem nicht so guten Einkommen zu tun —, das ist etwas, wo der Staat einspringen müßte.

c) daß Kulturprogramme für Deutsche produziert werden, die deren reduzierte Vorstellung über die kulturellen Traditionen der ausländischen Mitbürgerinnen und Mitbürger erweitert (z. B. Konzerte deutscher Orchester oder Solisten mit türkischen Kompositionen). Wir in Berlin legen schon seit einer gewissen Zeit großen Wert darauf, daß türkische Kompositionen im Repertoire der Orchester vertreten sind. Wir fördern das auch mit nicht unerheblichen Summen. Das ist ein sehr mühevoller Weg, aber wir haben uns geschworen, daß wir ihn so lange verfolgen, bis dieses Programm gefällt. Man kann das nicht einfach dem Markt überlassen. Das zeigt sich an einem Beispiel: Wir hatten den Philharmonischen Streichersolisten — ein kammermusikalisches Ensemble des Berliner Philharmonischen Orchesters — angeboten, die Sinfonietta von Erkin aufzuführen. Sie haben das Angebot, das zugleich die Uraufführung dieses Werkes in Deutschland bedeutete, angenommen. Wir haben das im Kammermusiksaal aufführen lassen. Die Philharmonischen Streichersolisten sind mit das Feinste, was auf dem Kammermusik-Sektor in der BRD überhaupt existiert. Sie sind ein hochklassisches Ensemble, so daß, wenn sie auftreten, das Haus gewöhnlich voll ist. Neben dieser Tatsache haben wir die Aufführung der Sinfonietta an einem Ort gebracht, der für Kammermusik hervorragend geeignet ist. Das Ergebnis war, daß in dem Saal, der rund 1000 Personen faßt, nur ca. 100 erschienen sind. Das kann natürlich ein privater Konzertveranstalter in sein normales geschäftliches Risiko gar nicht übernehmen, sonst würde er pleite gehen. Deshalb ist in einem solchen Fall der Staat gefordert.

d) daß ausländische Künstlerinnen und Künstler in der Bundesrepublik gezielt gefördert werden und zwar aus den Ländern, mit denen keine traditionell guten Kulturaustauschbeziehungen und -programme bestehen.

e) daß sich die deutschen Kulturinstitutionen insgesamt verstärkt den Kulturbedürfnissen und Rezeptionswünschen der ausländischen Mitbürgerinnen und Mitbürger öffnen.

6. Durch geeignete Programme wird in der deutschen Bevölkerung die Akzeptanz für die Religionsausübung der Ausländer verbessert. Dies betrifft insbesondere den Islam. Ein Moscheen-Bauprogramm ist zu realisieren. Keine andere Religion hat derartige Akzeptanzschwierigkeiten wie der Islam.

7. Die Vermittlung ausländischer Kulturwerte zur Erhöhung der Akzeptanz dieser Bevölkerungsgruppe in der Bundesrepublik ist eine Aufgabe von gesamtstaatlicher Bedeutung. Die Bundesregie-

rung ist daher aufgefordert, unverzüglich — noch für den Haushalt 1991 — Haushaltsmittel für die einzelnen Bundesländer bereitzustellen, um diese zur Realisierung des dargestellten Programms in die Lage zu versetzen.

Peter Sauerbaum

★

In der dritten Arbeitsgruppe ging es hauptsächlich darum, zunächst einmal zu definieren, was mit Kultur und Vermittlung gemeint ist. Es war eine sehr rege Diskussion. Die Teilnehmer waren der Ansicht, daß sich diese Arbeitsgruppe nicht nur mit der sogenannten Alltagskultur bzw. mit dem breiten Kulturbegriff, sondern auch mit den geistig schönen Künsten und deren Ausführung beschäftigen sollte.

Nach den einleitenden Referaten wurde hauptsächlich Kritik an der Künstlerförderung geübt. Dabei wurde auch die Rolle der Medien diskutiert, indem man feststellte, daß die Medien eigentlich die ausländischen Künstler und ihre Werke links liegen lassen und sie in Besprechungen überhaupt nicht berücksichtigen. Man stimmte darin überein, daß die Schere in den Köpfen der Kunstkritiker abgeschafft werden müsste. Dabei wurde auch sehr viel Kritik an Förderungs- und Geldverteilungspraktiken der offiziellen Stellen geäußert und mehr Transparenz gefordert. Es wurde bemerkt, daß die kulturelle Vielfalt in der DDR, die sich in den letzten 40 Jahren entwickelt hat, nicht den »Bach herunter gehen sollte«. Mit anderen Worten, man sollte auch die Kulturstrukturen in den neuen Bundesländern fördern.

Die Arbeitsgruppe 3 — Kultur und ihre Vermittlung — des Kongresses »Kulturelle Vielfalt Europa« macht sich die Resolution Nr. 1 der VI. Konferenz der europäischen Kultusminister vom 25. — 26. April 1990 in Palermo zu eigen und fordert, folgende Leitlinien zu realisieren:

   1. Veranstaltungen, Einrichtungen und Institutionen zu unterstützen, deren Aufgabe die Förderung spezifischer kultureller Identitäten ist, unabhängig davon, ob es sich um solche lokaler, regionaler, in der Volkskultur wurzelnder oder auch solche ethni-

scher und sprachlicher Minderheiten handelt, und dies mit besonderer Betonung des Dialogs zwischen den Kulturen.

2. Raum und Gelegenheiten für Begegnung und Dialog zu schaffen, damit die Verbindungen und Interaktionen deutlich werden, die zwischen den verschiedenen Kulturen bestehen.

3. Bessere Kenntnis von und Achtung vor alten und neuen Zivilisationen — in denen einige regionale oder andere Gemeinschaften ihre Wurzeln haben — zu fördern, damit die Gesamtbevölkerung den Beitrag, den diese Gemeinschaften zur Kultur der Mehrheit leisten können, aus einem neuen Blickwinkel sehen und positiver beurteilen kann.

4. Den Zugang zum europäischen Kulturerbe sowie die Vertiefung des Verständnisses für seine Bedeutung und damit stärkere Berücksichtigung dieses Bereichs durch diejenigen, die daran teilhaben, zu fördern. Diese werden somit in die Lage versetzt, zur weiteren Bereicherung der Kultur beizutragen und zugleich alle Möglichkeiten zu nutzen, die ihnen Museen, Bibliotheken und andere Kultureinrichtungen sowie die neuen Kommunikationstechniken bieten.

Zur Realisierung wird daher gefordert:

a) Wesentlich für eine erfolgreiche Kulturarbeit ist der unmittelbare Bezug zur Erfahrungswelt. Die Kulturarbeit darf nicht nur in der traditionellen Kultursphäre angeboten, sondern muß auch in der alltäglichen Umgebung geleistet werden. Die Staatsbürgerrechte, wie z.B. das kommunale Wahlrecht, sind einzuräumen, um die soziale Integration zu gewährleisten.

Ferner ist die Aufgeschlossenheit der deutschen Bürger für ausländische Kultur durch gezielte Informationen und Veranstaltungen zu verbessern. Dies betrifft auch die Religionsausübung.

b) Zur Verbesserung der Kenntnisse voneinander ist es notwendig, die in der Bundesrepublik Deutschland lebenden ausländischen Bürgerinnen und Bürger gleichberechtigt an der Gestaltung des Kulturangebots zu beteiligen.

Hörfunk und Fernsehen, die Theater, Konzertveranstalter, Museen, kommunalen Kinos, Kommunikationszentren, Bibliotheken, Einrichtungen der Erwachsenenbildung usw. sind aufgefordert, ihre Angebote und Veranstaltungen für ausländische Bürgerinnen und Bürger in verstärktem Maße ideell und materiell zu öffnen und sie gestaltend zu beteiligen. Die Möglichkeiten des gesetzlich eingeräumten Bildungsurlaubs sind gezielt durch entsprechende Strukturierung des Programmangebots zu nutzen. Für Kinder, Jugendliche und Studenten ist ein internationales Kulturaustauschprogramm einzurichten. Bei der Vergabe von Stipendien, der Erarbeitung von Austauschprogrammen und der Verleihung von Kunstpreisen sind ausländische Künstlerinnen und Künstler verstärkt einzubeziehen.

c) Die Vermittlung ausländischer Kulturwerte ist eine Aufgabe von gesamtstaatlicher und gesamteuropäischer Bedeutung. Die Bundesregierung ist daher als erste europäische Regierung aufgefordert, unverzüglich — noch für den Haushalt 1991 — einen jährlichen Sonderfonds »Kulturelle Vielfalt Europa« von mindestens 100 Millionen DM für gezielte Maßnahmen den Bundesländern bereitzustellen, damit diese in eigener Verantwortung zur Realisierung unter Beteiligung der Betroffenen in die Lage versetzt werden. Es wird erwartet, daß die anderen europäischen Regierungen vergleichbare Beträge bereitstellen.

Mehmet Nyazi Turgay

Planmodell einer multikulturellen Stadt

Ich habe lange überlegt, wie ich diese Arbeitsgruppe einführen sollte, weil die Debatten über die multikulturelle Gesellschaft in der letzten Zeit einerseits von einer nicht ganz ehrlichen Gediegenheit, andererseits von einer sich widersprechenden Verlogenheit getragen sind. Das kann man am besten klar machen, wenn man von dem Thema ausgeht: »Planmodell einer multikulturellen Stadt«. Das heißt, wie sieht eigentlich eine multikulturelle Stadt in unserer Wunschvorstellung aus? Man muß also davon ausgehen, wie eine multikulturelle Stadt faktisch überhaupt aussieht. Dann stellt sich die Frage, ob das überhaupt planbar ist. Da kommen wir zum zentralen Kern des Problems: Nämlich, daß multikulturelle Gesellschaften, und multikulturelle Stadtgesellschaften keine freien Entscheidungen von Menschen sind, die sich gedacht haben, wie kann eine Gesellschaft schöner, besser, angenehmer sein. Es sind vielmehr Zwangslebenszusammenhänge, die sich aus irgendwelchen ökonomischen und sozialen Gründen ergeben haben. Die multikulturellen Städte der BRD und die multikulturelle Stadt Frankfurt/Main und Berlin sind keine freie Entscheidung von Literaten, die sich gedacht haben, wie man die eindimensionale Lebensweise eines Volkes durch das Angebot verschiedener Kulturen erweitern kann, noch ist es die freie Entscheidung von irgendwelchen kirchlichen Gruppen, irgendwelchen gutmeinenden linken Gruppen, oder Gewerkschaftsgruppen — ich weiß nicht, wer es alles gut meint in dieser Welt —, daß man so etwas braucht. Nein, es ist in einer bestimmten Situation eine ökonomische Entscheidung gewesen, Arbeitskräfte zu holen. Diese Arbeitskräfte sind nicht als Arbeitskräfte gekommen, sondern als Menschen mit Familien, und sie haben im Zuge der letzten 20 Jahre die Städte bevölkert und diese geprägt, haben sie sogar wesentlich mitgeprägt.

Wenn man das so sieht, ist die multikulturelle Stadt nicht geplant worden, weder von den politisch Verantwortlichen, noch von den ökonomisch Verantwortlichen, die für diese Entwicklung verantwortlich sind. Denn, weder die, die die Anwerbung von Arbeitskräften initiert haben, noch die, die sie gebraucht haben, haben sich Gedanken darüber gemacht, was das für ein Ergebnis für die BRD, für die Städte der BRD und für die Gesellschaft der BRD hervorbringt.

Heute, 20 bis 25 Jahre später, hat man jetzt Städte mit einem Sack von Problemen. Ich würde sagen, das Kind ist wirklich ins Bad hereingefallen, und jetzt schreien alle, das Kind muß man herausholen, heil herausholen. Da muß man also unheimlich schöne Planmodelle machen, Pläne, wie diese multikulturelle Stadt überhaupt aussehen kann. Man muß in der Lage sein, über die Realität zu sprechen, wie wir sie heute vorfinden, nach 25 Jahren Abstinenz einer multikulturellen Politik. Es hat unheimlich viele Menschen gegeben, die sich dieser Aufgabe mit Hingabe gewidmet haben. Ich will da niemanden angreifen. Es hat Tausende von MitarbeiterInnen in Sozialämtern, in Kirchen, in den verschiedensten Institutionen gegeben, die versucht haben, das Beste aus der Situation zu machen und den Menschen zu helfen. Aber ein Konzept, wie sich eine multikulturelle Stadt entwickeln kann, d.h. wie sich die Menschen, die hierher kommen, in dieser Gesellschaft zurechtfinden können und umgekehrt, wie sich die hier lebenden Menschen mit denen zurechtfinden, die hierher kommen, das ist überhaupt nicht erdacht worden. Und nun haben wir das zusätzliche Problem, daß es unter den Spezialisten der multikulturellen Gesellschaft Denk- und Sprechverbote gibt, über diese Probleme zu reden. Denn dann würde man den Rechten, den Rassisten, dem und dem Argumente liefern. Also immer, wenn man über multikulturelle Gesellschaft redet, erst Lobeshymnen über alles das, was aufgrund der Tatsache, daß wir eine multikulturelle Gesellschaft haben, toll ist. Wir geben ja nicht zu, daß die multikulturelle Stadtgesellschaft, wie sie heute in Frankfurt, Berlin, Paris, New York, London existiert, im Grunde genommen für diejenigen, die sie leben, eine soziale Katastrophe ist. Durch das Denk- und Sprechverbot darf man nicht sagen, daß sich die Menschen darin unheimlich schwer zurechtfinden; daß es um viele Konflikte geht, die zum Teil sehr gewalttätig ausgetragen werden und die viel Elend, viel Leid nach sich ziehen.

Heute ist mir berichtet worden, daß ein Vertreter einer Minderheit mich heftig angegriffen hat, weil ich zu behaupten gewagt hätte, daß Roma und Sinti ein anderes Verhältnis zum Eigentum haben, was gesellschaftliche Probleme schafft: Aber das stimmt! Damit sage ich nicht, daß dieses andere Verhältnis böse oder nicht böse ist. Sondern, wenn wir sagen — das ist nur ein Beispiel —, wir wollen die flüchtenden Romas aus Rumänien aufnehmen, dann muß man auch den Mut haben, der Bevölkerung zu sagen, daß dies am Anfang auch bestimmte Probleme schaffen wird, bis sie sich hier zurechtfinden. Wenn man das nicht sagt, dann fühlen sich die Leute angelogen. Also, man sollte hier nicht hinter dem Ansprechen von Problemen immer einen Hauch von Rassismus und Ablehnung vermuten, sondern das Aufgreifen eines zentralen Phänomens hier in der Stadtgesellschaft. Es ist wahrnehmbar, daß sich nämlich die multikulturelle Stadtgesellschaft in den Köpfen aller Beteiligten durchgesetzt hat. Die, die hierher gewandert sind, kamen eigentlich, um bald wieder zu gehen. Sie wollten ein paar Jahre hier Geld verdienen. Viele haben lange gebraucht, um zu akzeptieren, daß sie nicht mehr zurückgehen würden in ihr Land, sondern daß ihr Lebensmittelpunkt Deutschland ist. So ist es für die Mehrheit der Immigranten, so ist es für die Mehrheit der Deutschen. Die Mehrheit der Deutschen hat wirklich an die Fatamorgana der Gastarbeiter geglaubt. Es seien Gäste, die hierher kommen, um zu arbeiten. Und jetzt, seit einigen Jahren wird es immer klarer, daß das gar nicht stimmt. Die bleiben hier. Und es wird ja noch dicker. Da kommt ein Heiner Geißler und sagt ohne mit der Wimper zu zucken, am Montag im »Spiegel«, tja, wir hätten fünf Millionen Immigranten und es würden in einigen Jahren acht bis neun Millionen werden. Die Öffentlichkeit bzw. die politisch entscheidenden Leute müssen sich darüber klar werden, daß wir eine Zunahme der Immigration in dieser Republik von 60 bis 80% haben werden.

Die Streitfragen, die im Moment in dieser Gesellschaft diskutiert werden, lauten: Wie kann man das Asylrecht zurückdrängen? Wie kann man zurückdrängen, daß die Menschen hierherkommen? und Was können, was müssen wir tun, damit der Zuzug weniger wird (Anreize wieder zurückzugehen usw.)? Das heißt, wir haben aufgrund der Probleme eine in dieser Gesellschaft wirklich existierende Wählerbevölkerung — von welcher Partei auch immer —, die eigentlich glaubt, daß wir einen Prozeß der Reduktion der multikulturellen Gesellschaft eingeleitet haben. Wir wissen, daß sie sich fast verdoppeln wird. Das ist der gesellschaftliche Hintergrund, wenn wir über multikulturelle Gesellschaft reden. Der Punkt ist, daß dann alle gesellschaftlichen, d. h. auch ökonomischen Investitionen, die in einer Stadt notwendig sind, um die multikulturelle Gesellschaft wirklich zu entwickeln, in einer so ungünstigen politischen Situation politisch durchgesetzt werden müssen. Ungünstig ist sie nicht nur wegen der Vereinigung, sondern weil die Probleme der Bevölkerung nicht als Probleme bewußt sind, und dazu gehört unter anderem die Frage, ob man für oder gegen die multikulturelle Gesellschaft ist. Das ist für mich bei der Frage, ob sie überhaupt planbar ist, das Entscheidende.

Es geht bei dem Planspiel »multikulturelle Gesellschaft« nicht darum, zu diskutieren, ob man dafür, oder dagegen ist. Das kann man natürlich auch tun. Die einen sind mehr dafür, sie versprechen sich etwas davon. Die anderen sind mehr dagegen, weil sie Angst davor haben. Aber das ist egal. Es wird sich weiterentwickeln. Das heißt, es wird weiterhin Spannungen in den Stadtteilen geben; es wird weiterhin Spannungen des Sich-zurechtfindens in den Schulen geben; es wird weiterhin Anforderungen an die Gesellschaft geben, diese Menschen zu integrieren. Jetzt kommt das Problem: Wird die zukünftige Stadtgesellschaft eine Gesellschaft sein, die die Immigranten — ob es Flüchtlinge oder Arbeitsimmigranten sind lasse ich erst einmal beiseite — integriert? Die Frage, ob sie eigenständige Lebensformen weiter entwickeln werden, ist im Moment auch eine Auseinandersetzung, die völlig sinnlos ist. Es wird weder eine Integration in dem Maße stattfinden, daß die Immigranten, von woher auch immer, die Werte, Verhaltensweisen und die Lebensformen der heimischen ethnischen Gruppen übernehmen werden, noch werden sie ihre eigenen beibehalten. Vielmehr wird sich etwas Neues entwickeln. Dieses Neue wird sich im Konflikt mit dieser Gesellschaft entwickeln. Das einzige, was man in einer Stadt planen kann, ist, wie sich die Stadt als politische Institution — ich meine nicht die gesellschaftlichen Gruppen darin — Strukturen schafft, wo die Konflikte ausgetragen und ausgestanden werden können, die die multikulturelle Stadtgesellschaft nach sich zieht. Das ist das einzige, was man planen sollte und müßte.

Dann muß man in die Konflikte hereingehen — verschiedene Wertorientierungen, verschiedene Wahrnehmungen von gesellschaftlich-sozialen Institutionen wie Schule, Sozialarbeit und Sport. Das alles in einer Situation, wo z.B. dann die zweite oder dritte Generation zwangsläufig einem Akkulturationsprozeß ausgesetzt sein wird. Dieser besteht darin, sich weder in der heimatlichen Kultur noch in der hiesigen Kultur richtig zurechtfinden zu können. Daneben gibt es — da nichts gemacht wird — auch da ein entstehendes Gewaltpotential. Das heißt, wir leben in einer Gesellschaft, die aus den Fugen gerät und Sub-Gewaltpotentiale produziert. Dies geschieht sowohl bei ethnischen Minderheiten wie bei den ethnischen Mehrheiten. Das kann die Form eines Fußballfanclubs oder die Form einer multikulturell zusammengesetzten Immigrantenbande haben. Das sind andere Ausdrucksformen eines Gewaltproblems, das diese Gesellschaft produziert. Da muß man sich jetzt auch Brücken, Vermittlungs- und Lösungsvorschläge überlegen. Das Planspiel besteht einzig und allein darin, zu überlegen, was die Stadt oder das Land oder die ganze BRD an Institutionen schaffen muß, um die Konflikte verwalten zu können.

Daniel-Cohn Bendit

★

Die Arbeitsgruppe bestand aus ca. 90 bis 120 Teilnehmern, von denen sich ca. 20 zu Wort gemeldet haben, animiert von Daniel Cohn-Bendit, moderiert von Christian Petry. Drei Stunden des Gedankenaustausches, des Sich-von-der-Seele-Redens, der Vorschläge von und Anregungen zu diversen Themen zum Umfeld »multikulturelle Stadt«. Wenn die Arbeitsgruppe drei weitere Stunden zur Verfügung gehabt hätte, wäre vielleicht eine Annäherung an ein »Planmodell« zustande gekommen.

Das Ergebnis der Arbeitsgruppe lautet:
1. Eine kritische Betrachtung des Begriffes »Planmodell«: Multikulturelle Städte kann man nicht planen, sondern sie sind eine gewachsene, nicht freiwillig herbeigeführte, aus bestimmten Umständen resultierende Realität.

2. Ein unvollständiger Katalog der aktuellen Lage in Großstädten (vornehmlich Frankfurt/Main) hinsichtlich a) des politischen Status quo, b) der sozialen Situation von Ausländern, c) der administrativen Instrumente und Arbeitsweisen.

3. Eine Reihe von Schlußfolgerungen, die sich aus dieser aktuellen Lage ergeben.

4. Ein paar konkrete Forderungen, die dazu geeignet sind, unsere Städte für eine Zukunft bereit zu machen, die ihnen mit großer Wahrscheinlichkeit bestimmt ist.

Ich beginne mit der aktuellen Lage: Wir sind mit der sozialen Katastrophe unserer Großstädte konfrontiert, mit Elend, Gewalt, Leid und mit der Konzeptlosigkeit, Sprachlosigkeit, ja Abstinenz einer planenden Politik.

Es war eine rein ökonomische Entscheidung, Arbeitskräfte auf Zeit zu holen. Bis heute wird nicht offen zugegeben, daß Menschen gekommen sind. Gekommen nicht als kurzfristige Fatamorgana »Gastarbeiter«, sondern als Mitbürger auf Dauer, als Familien und mit den Nachkommen dieser Familien.

Wir sind konfrontiert mit dem Akkulturationsprozeß der zweiten und folgenden Generationen der Migranten, mit deren Lage zwischen allen Stühlen.

Wir haben es inzwischen mit einer sehr differenzierten Lage zu tun: Mit unterschiedlichen kulturellen und/oder aus ihrer Notlage geborenen Verhaltensformen verschiedener ethnischer Gruppen; mit ganz unterschiedlichen Zeitpunkten der Zuwanderung ausländischer Arbeitnehmer, Asylanten und Aussiedler; ergo mit diversen Stufen der kulturellen Identität, Integration und Assimilation im Verhältnis zur Bevölkerungsmehrheit; mit verschiedenen Konfliktsituationen der ethnischen Minderheiten im eigenen Kontext, untereinander und gegenüber der deutschen Bevölkerung; und mit diversen Fehlinterpretationen, Vorurteilen und Pauschalierungen auf deutscher Seite. In Berlin kommen zu allem Überfluß die deutsch-deutsche Fremdheit und daraus entstehende Konflikte hinzu.

In diesem Zusammenhang war kontrovers von dem uns fremden Eigentumsverständnis der Sinti und Roma die Rede. Auch sprach man von der populären Verallgemeinerung im heutigen

Frankfurt, alle Juden seien Spekulanten, weil 20 von 2000 es vielleicht tatsächlich sind. Es gab darüber hinaus einen Blick auf Frankreich, wo die Lage der Fremden vergleichbar ist. Ich erinnere an Frau Amiris Begriff des »tiers-monde-isme« und der entgegengesetzten Forderungen junger Ausländer, ihrem eigenen Willen entsprechend würdig und ohne Diskriminierung im Land ihrer Wahl oder Geburt zu leben.

Wir haben es schließlich mit der von der öffentlichen Meinung in unserem Land gestützten Illusion der Bevölkerungsmehrheit zu tun, sie lebe in einer homogenen Gesellschaft. Dieser unehrliche Diskurs vorgeblicher Monokulturalität findet seine Entsprechung in einem falschen Demokratieverständnis: wir enthalten den meisten bei uns lebenden ethnischen Minoritäten Freiheiten vor, deren Verweigerung wir gleichzeitig autoritären Regimes vorzuhalten pflegen.

In diesem Land leben heute ca. fünf Millionen Zuwanderer unterschiedlicher ethnischer Herkunft und man darf prophezeien, daß diese Zahl in wenigen Jahren um 50 bis 80 % auf ca. acht bis neun Millionen Menschen zunehmen wird; daß alle politischen und gesetzgeberischen Maßnahmen zur Abschottung des Landes gegen die Migration, daß alle Maßnahmen zur Stärkung der Festung Europa (wie das Schengener Abkommen) wie in der Vergangenheit so in der Zukunft ungeeignet sind, die Flüchtlingsströme aufzuhalten. Was ist zu tun? Das Planmodell einer multikulturellen Stadt kann nur der Versuch sein, einer ungewollten und ungeplanten Realität ein Korrektiv entgegenzusetzen.

Einiges ist schon getan worden. Hier war einigermaßen ausführlich von dem Frankfurter »Amt für multikulturelle Angelegenheiten« die Rede: von seiner 50:50 Besetzung mit deutschen und nicht-deutschen Mitarbeitern, denn für beide Gruppen ist es vermittelnd, ratgebend und vorschlagend tätig; von seiner Tätigkeit quer zu den verschiedenen Ressorts für Stadtentwicklung, Schulen, Soziales, Kultur etc.; von seinem Auftrag zur Vermittlung in allen interethnischen Konfliktfällen — auf sanfte Weise — Stichwort: Pädagogik der interkulturellen Vermittlung; es war die Rede von seinem Ombudsmann-Charakter: ein Amt ohne Exekutivkompetenz, aber mit der Autorität eines städtischen Amtes, dessen Vorschläge öffentliche Wirkung haben.

Daß diese Frankfurter Einrichtung keine ideale Lösung, aber doch das Beste aller bisher bestehenden Ämter ist, zeigte der Vergleich mit dem »Haut Commissariat« für Ausländerfragen in Frankreich, mit der Praxis in Köln, Berlin-Ost, Mainz, Düsseldorf und Bremen. Zu Bremen sei das Stichwort »Ausländerbeiräte« genannt, die immerhin eine Möglichkeit einer demokratischen Interessenvertretung ethnischer Minoritäten sind — jedoch mit lückenhafter Präsenz in wichtigen Dezernaten. Dieses gilt auch analog für andere Städte. In Bremen gibt es darüber hinaus einen Dachverband der diversen Gruppen und Vereine von Ausländern, sowie eine Zeitung für Deutsche und nicht-Deutsche, als auch die weise Entscheidung der Ausländerselbstverwaltung. Folgende Forderungen sind daraus abzuleiten:

1. Der Auftrag zur Mentalitätsveränderung hin zu echter Partnerschaft und Chancengleichheit, ergo ein neues Selbstverständnis unserer Städte.

2. Die Schaffung von Strukturen, die geeignet sind für die Austragung der notwendigen Konflikte.

3. Die Überwindung des Paternalismus gegenüber Migranten, der alles für sie, nichts mit ihnen tun will, und die Verwirklichung von Selbstorganisation und Partizipation.

4. Ein konkretes Beispiel: der muttersprachliche Unterricht soll in den Regelunterricht der Schulen integriert werden.

5. Aus eigener Überzeugung füge ich hinzu: Die Bundesrepublik soll sich anderen Ländern mit der Einführung der Doppelstaatsbürgerschaft anschließen.

All diesem muß endlich ein ehrliches öffentliches Bekenntnis zu unserer seit jeher multikulturellen Realität vorausgehen. Darauf wiederum sind drei konkrete Beschlüsse zu gründen:

a) Die Änderung unserer Verfassung: nicht das ius sangui darf die Basis, das multikulturelle Zusammenleben muß ihr Ziel sein.

b) Die Bundesrepublik muß sich als Einwanderungsland begreifen und aus dieser Anerkennung ihrer sozialen Wirklichkeit Investitionen ableiten zugunsten adäquater Strukturen in allen Ländern, in Schulen, an Arbeitsplätzen, Ämtern etc.

c) Die Entwicklung eines allgemeinen Bewußtseins von der Vielfalt der Kulturen auch in unserem Land, ihrer heterogenen

Komposition und Herkunft. Mit Cohn-Bendits Worten: die Entwicklung einer multikulturellen Emotionalität.

Michael Haerdter

Schlußdiskussion

Die multikulturelle Stadt

Olaf Schwencke: Wir haben uns, als wir den Kongreß planten, gesagt, daß sich in der Großstadt die Problematik unserer Fragestellung am deutlichsten zeigt. Wir haben darüber auch in einer Arbeitsgruppe diskutiert. Aber jetzt am Schluß dachten wir, daß hier möglicherweise nicht nur eine neue Ist-Beschreibung formuliert wird — »es ist so und so in Berlin, Marseille, Birmingham, Frankfurt« — sondern, daß wir in dieser letzten Runde vielleicht auch einen Schuß Utopie in dieses Gespräch hereinbekommen. Jedenfalls wäre das unser Ziel und unsere Erwartung.

Die Diskussion sollte nicht neue Probleme aufwerfen, sondern zwei Dinge in den jeweiligen Beiträgen leisten: Erstens, von dem Ist-Zustand der jeweiligen Stadt ausgehen, zweitens, Wünsche und Überlegungen formulieren, wie aus dieser multikulturellen Stadtgesellschaft eine Realität des Miteinanderzusammenlebens werden kann.

Ich möchte lediglich drei kurze Vorbemerkungen machen:

1) Wir leben hier in einer multikulturellen Gesellschaft. Alle Europäer leben in multikulturellen Gesellschaften.

2) Politisch ist dieses Faktum noch keine Realität. Dieser Kongreß fand bzw. findet deswegen statt, um aus diesem Faktum Schritt für Schritt politische Realitäten abzuleiten. Ich fand die Formulierung »Wir alle sind Berliner, wir alle sind nur Berliner nicht-deutscher Herkunft« sehr gelungen.

Wir haben hier auf dem Podium vier, modellhafte Städte vertreten: Amsterdam, Birmingham, Marseille, Frankfurt und die gastgebende Stadt Berlin. Mit den beiden Ausländerbeauftragten aus Ost und West dieser Stadt möchten wir auch anfangen.

Barbara John, Ausländerbeauftragte des Senats von Westberlin: Ich möchte zunächst etwas zur Stadtgeschichte und zur jetzigen Situation sagen, zum zweiten etwas zum Begriff des Schmelztiegels.

Ich denke, daß »multikulturell« in Berlin nie eine Norm war, die es zu erfüllen galt, sozusagen, wir nehmen uns einen Plan vor und arbeiten darauf hin, sondern es war immer eine Wirklichkeit, die es zu gestalten galt und die auch mehr oder weniger gelungen gestaltet worden ist. Berlin war historisch gesehen eine multikulturelle Stadt. Ja, es ist geradezu erst Berlin geworden wegen der Buntheit und Vielfalt, die es zu ertragen, aber auch zu gestalten wußte. Zwischen dem ausgehenden 17. Jahrhundert und dem Ende des 18. Jahrhunderts gab es etwa 30 Zuwanderungsverfügungen. Die bekanntesten Gruppen, die sich hier in Berlin ansiedeln konnten, waren die Hugenotten und auch, etwa 1671, jüdische Familien. Aber wir hatten auch Zuwanderer aus der Pfalz, aus Salzburg und aus Böhmen. Es waren ausschließlich religiöse Flüchtlinge, die in das damals liberalere Brandenburg-Preußen kamen und die ganz entschieden und ganz entscheidend zum wirtschaftlichen Wohlstand dieser Region beigetragen haben. Es mag auch erstaunen, daß 1913 mehr türkische Staatsbürger in der Stadt lebten als 1960. Wir hatten 1913 1300 Türken in der Stadt. Das war damals auch Ausfluß dieser besonderen Verbindungen zwischen dem deutschen und dem osmanischen Reich. Wir hatten 1960 lediglich 250 türkische Bürger in dieser Stadt. Das zeigt, daß Berlin historisch auf multikulturelle Wurzeln zurückblicken kann. 1919 wurde in Berlin die türkische Bauern- und Arbeiterpartei gegründet. Auch das ist ein Faktum, das darauf hinweist, daß Berlin damals schon international in die Zuwanderer-Geschichte eingebunden war. Im Nachkriegs-Berlin setzte sich diese Entwicklung fort. Sie begann eigentlich mit dem Mauerbau. 1965 trafen größere Zahlen türkischer Arbeitnehmer in Berlin ein. Wir hatten 1961 in Berlin 22 000 ausländische Arbeitnehmer. Darunter waren natürlich auch einige Studenten und Diplomaten. Dennoch ist dieser Zeitpunkt als Beginn des Arbeitnehmerzuzugs anzusehen. Wir haben jetzt, 1990, in Gesamt-Berlin 320 000 nicht-Deutsche. Diese Zahl setzt sich in bezug auf den West- und Ostteil der Stadt so zusammen, daß ca. 305 000 Menschen davon in den Westbezirken und ca. 15 000 in den Ostbezirken leben. Was die Ostbezirke betrifft, so ist diese Zahl etwas ungenau, weil hundertprozentige Zahlen nicht vorliegen.

Ich denke, es kann keinen Zweifel daran gaben, daß diese Stadt in Geschichte und Gegenwart aus Buntheit und Vielfalt gerade auch ihrer Bevölkerung lebt. Es gibt viele Arbeiten und Studien über die Zuwanderergruppen. Bei allen Studien hat sich herausgestellt — und niemand hat das je in Zweifel gezogen — daß diese Zuwanderung immer ein Gewinn war — ein Gewinn in kultureller und wirtschaftlicher Hinsicht und natürlich auch in bezug auf die Initiative der Bevölkerung.

Ich will mich jetzt in einer letzten Bemerkung ausdrücklich kritisch zu der Schmelztiegelvorstellung äußern, weil ich sie für politisch fragwürdig und für gesellschaftspolitisch irreführend halte. Ich halte diesen Begriff deshalb für politisch fragwürdig, weil damit Gleichschaltung, Einebnung und Vereinheitlichung nahegelegt wird. Aber das passiert ja gerade nicht. Es ist auch gar nicht erwünscht, sondern es ist eben der Eigensinn und das Neue, das mit den Zuwanderern in die Stadt kommt und das dann gerade die Buntheit zu einem Wert macht.

Ein zweiter Punkt: Die Schmelztiegelvorstellung ist auch deswegen irreführend, weil sie überspielt. Wenn man es genau nimmt, ist ja Schmelztiegel keine angenehme Vorstellung. Dennoch wird überspielt, mit welchen Brüchen und Verlusten die Zuwanderer in ihrer kollektiven Gruppenidentität und oft auch in ihrem persönlichen Schicksal rechnen müssen. Auch überspielt er, welche Mühen mit der Eingliederung in die neuen Lebensverhältnisse verbunden sind.

Schmelztiegel legt nahe, daß es sich hierbei um einen nahezu industriellen Ablauf handelt. Aber es geschieht natürlich sehr viel. Vor allem sind es Schwierigkeiten, die der politischen Intervention bedürfen. Ich bevorzuge daher auch als Metapher für unsere Städte eher den Begriff der Mosaik-Gesellschaft oder aber den des Flickenteppichs, wie es ihn im Amerikanischen gibt. Das heißt, wie setzen uns aus Buntheit und Vielfalt zusammen, und wir erkennen, daß Buntheit ein entscheidender Wert des Humanen ist. Ein Wert, der vor allem die Städte zu einer lebensfreundlichen Gesellschaft macht.

Anetta Kahane: Ich habe in den ganzen Diskussionen bemerkt, daß das Thema des Kongresses »Kulturelle Vielfalt in Europa« an unserer Ost-Realität vorbeigeht. Wir hatten vor etwa zehn Tagen einen Kongreß, »Deutschland, eine geschlossene Gesellschaft«, der unser Problem viel besser beschrieb. Die Gesellschaft ist sehr abgeschlossen. Es wird sehr lange brauchen, um diese Gesellschaft in jeder einzelnen Zelle aufzuschließen. Wir haben in Ost-Berlin keine multikulturelle Gesellschaft, weder eine gewachsene, noch eine verordnete, noch eine gestaltete, noch eine nicht gestaltete. Sie ist schlicht nicht da.

Die Anzahl von 15 000 bis 20 000 Ausländern in Ost-Berlin zeigt etwa im Verhältnis zur einheimischen Bevölkerung von 1,5 Millionen, daß es eigentlich überhaupt keine andere Kultur gibt als eine Kultur, die — wenn ich höre, was Frau John über die Traditionen einer multikulturellen Geschichte Berlins sagt — mit dem Nationalsozialismus sehr blutig und brutal abgeschnitten wurde. Es ist einfach ein Faktum. Entweder man nimmt das ernst, daß man nach der Gründung der BRD eine neue Gesellschaftsform angefangen hat, daß eine demokratische Entwicklung eingesetzt und eine neue Gestaltung begonnen hat, oder man nimmt es nicht ernst. Mir tut es irgendwie leid, weil ich hier oft gehört habe, daß die Errungenschaften der Erziehungs- und Umgestaltungsarbeiten der letzten 40 Jahre in der BRD so nicht mehr gesehen werden. Wenn ich sehe, was bei uns los ist, und vor welchen Problemen wir stehen, dann muß ich sagen, dann müssen wir einfach durch bestimmte Dinge und Phasen noch einmal durch. Das heißt nicht, daß wir in multikulturellen Sachen eine Art Entwicklungsland wären. Dennoch, entweder man nimmt es zur Kenntnis, daß so etwas wie Faschismus noch sehr tief drin steckt und über eineinhalb Generationen in den Menschen noch weiter funktioniert hat, worüber sich dann noch der Stalinismus gelegt hat, oder man leugnet das einfach. Wenn man das leugnet, dann, muß ich sagen, werden irgendwann noch einmal alle von dieser Erkenntnis eingeholt werden. Wir haben es mit einem richtigen deutschen Drama zu tun. Das Gestein, aus dem die DDR-Gesellschaft zusammengesetzt ist, ist wirklich an manchen Stellen sehr ursprünglich. Es fällt mir sehr schwer, das zu sagen, denn es wird nie gehört. Wir haben an manchen Stellen mit Problemen zu tun, die sich überhaupt keiner vorstellen kann. Wir müssen an dieser Stelle ansetzen. Wir wollen versuchen, bestimmte Fehler zu vermeiden und bestimmte Anregungen, die auch kommen, oder Erfahrungen, die gemacht wurden, zu benutzen.

Es sind relativ wenige Leute in der DDR gewesen, die begonnen haben, über das Problem der Ausländer, die in der DDR leben, und über das Zusammenleben von Ausländern und Inländern nachzudenken und zu arbeiten. Wir haben uns dann am Runden Tisch versammelt. Es waren Leute aus den Kirchen, besonders aus dem ökumenischen missionarischen Zentrum. Diese Gruppe repräsentierend, wurden Frau Berger, die zu der Zeit Pastorin in der Bartholomäusgemeinde war, und ich, Staatssekretärinnen. Es waren natürlich noch eine ganze Reihe anderer aus den Bürgerbewegungen dabei. Wir haben uns dann überlegt, wie wir die Ausländerarbeit strukturieren können. Wir wußten, was auf uns zukommt, zumindest haben wir es ganz deutlich gefühlt. Wir sind dann herumgegangen und haben verschiedene Leute gefragt, was würdet ihr denn, wenn ihr es noch einmal neu aufbauen könntet, anders machen? Wir bekamen eine ganze Menge von Anregungen. Das haben wir dann am Runden Tisch zu Leitlinien zusammengefaßt und das Amt des Ausländerbeauftragten strukturiert. Es ist sehr schade, daß jetzt — und das sehe ich gerade an der Geschichte des Amts von Frau Berger — die Dinge auch wieder verschwinden. Es gab eine ganze Reihe von sehr guten strukturellen Bedingungen, die wir miteingebracht haben. Wir hatten z. B. das Ausländerwahlrecht; wir hatten ein tolles Konzept, wie man Ämter der Ausländerbeauftragten aufbauen kann; wir haben uns den Luxus genommen, noch schnell ein neues Ausländergesetz zu machen und noch ein eigenes Asylgesetz. Das hat leider nie richtig geklappt, aber wir haben es wenigstens versucht. Wir haben es versucht, mit der Kraft unseres Willens und auch mit der Abschreckung durch das, was die SED-Herrschaft uns da hinterlassen hat an Ausländer- und Inländer-Zusammenleben oder nicht-Zusammenleben. Wir haben also versucht, mit sehr viel Idealismus da eine Bresche zu schlagen. Wir müssen sehen, daß wir jetzt an einer Stelle sind, wo wir nochmal an einem ganz anderen Ort anfangen müssen, also über Projekte, über Basisgruppen. Dieses mit dem Kopf gegen schon vorhandene Strukturen rennen, die wir im Westen vorgefunden haben, das sehe ich jetzt auch. Es ist irgendwie nicht möglich gewesen, da einen Durchbruch zu erreichen. Ich habe auch gelernt, daß es offenbar sehr schwierig ist, gegen so eine festgefahrene Struktur anzugehen und zu denken, wenn wir jetzt kommen, wir aus dem Osten, dann kann das alles noch einmal neu gemacht werden. Das ist eben wahrscheinlich auch eine Illusion gewesen. Im Ost-Teil der Stadt Berlin müssen wir demzufolge unsere Arbeit jetzt völlig neu aufbauen und versuchen, schon prophylaktisch einige Sachen vorzubereiten, z.B. im ganzen Erziehungsbereich, die ganze interkulturelle Arbeit oder die Beratungsarbeit. Wir dürfen nicht warten, bis sozusagen die Katastrophe eingetreten ist. Das ist im Moment erst einmal das wichtigste.

Daniel Carrière: Marseille und die Region Provence, Alpes, Côte d'Azur sind von der Geschichte und vom Territorium her durch Zuwanderungsströme vorwiegend aus dem Mittelmeerraum und aus Afrika gekennzeichnet. In Marseille leben heute bei einer Einwohnerzahl von 800 000 Menschen 100 000 Ausländer. Mehr als 70 % von ihnen sind Algerier (54 %), Tunesier und Marokkaner (17 %). Man kann davon ausgehen, daß mehr als die Hälfte der Marseiller Bevölkerung ausländischer Herkunft ist, ob sie nun ihre Nationalität behalten, direkt die französischen Nationalität angenommen oder sie von ihren Eltern und Großeltern übernommen haben.

Die wichtigsten Migrationsbewegungen, von denen Marseille in unserer Zeit betroffen war, sind ganz unterschiedlicher Art: die Ereignisse am Bosporus, die Vernichtungsangriffe gegen die Armenier, der italienische Faschismus, die Auswanderungswelle im Zweiten Weltkrieg und die Entkolonialisierung. Jeder Flüchtlingsstrom hat Erschütterungen ausgelöst, zu den stärksten Erschütterungen kam es jedoch nach der Entkolonialisierung Nordafrikas vor 30 Jahren.

Zu welcher Feststellung führt uns das, welche Lehre kann man heute daraus ziehen?

Den Hafen von Marseille haben in weniger als einem Jahr, vor allem 1962, mehr als eine Million französische Heimkehrer aus Nordafrika passiert. Gleichzeitig haben sich in Frankreich lebende Franzosen moslemischer Herkunft für die Nationalität ihres nunmehr unabhängig gewordenen Landes entschieden oder haben die doppelte Staatsangehörigkeit angenommen. Zu diesen Bewegungen kamen noch die Einwanderungsströme hinzu, die aus dem Bedarf der französischen und europäischen Industrie an unqualifizierten Arbeitskräften resultierten. Das Ergebnis war, daß die Marseiller Wohnbevölkerung von 680 000 Einwohnern im Jahre 1960 auf 980 000 Einwohner im Jahre 1975 anstieg. Dieser Zustrom brachte für die örtlichen Behörden die Notwendigkeit mit sich, schnell die entsprechende Infrastruktur zu schaffen, also Wohnungen zu bauen, soziale und Bildungseinrichtungen zu schaffen und das Verkehrsnetz auszubauen.

Die wirtschaftliche Entwicklung der Stadt hat jedoch mit dem Tempo der städtischen Entwicklung nicht Schritt halten können. Der Rückgang in der Hafen- und Seewirtschaft sowie eine Industrie und ein Handel, die auf die Kolonien ausgerichtet waren, konnten durch neue Aktivitäten oder Ersatzproduktionen nicht ausreichend kompensiert werden. Unter diesen Bedingungen sind die mittleren Bevölkerungsschichten an den Stadtrand von Marseille gezogen, um dort zu arbeiten und zu leben. So hat Marseille zwischen 1975 und 1990 etwa 200 000 Einwohner verloren. Die in der Stadt gebliebenen Menschen, vor allem aus Nordafrika gekommene Einwanderer, sind arm und anfällig. Mit der Zeit wurde es unabdingbar, gegen diese Situation auf sozialer und städtischer Ebene anzugehen. Dies ist insbesondere dadurch möglich geworden, daß in Frankreich in den achtziger Jahren wichtige Maßnahmen zur Bekämpfung jeder Art von Ausgrenzung durch städtebauliche Aktivitäten, Armut, Berufsausbildung, Wohnung und Bildung ergriffen worden sind. Vor kurzem erst hat die französische Regierung Vorschläge zur Integration der ausländischen Bevölkerungsgruppen in das Leben und die soziale Entwicklung in der Stadt unterbreitet und zu einer stärkeren Koordinierung der diesbezüglichen politischen Maßnahmen aufgefordert. Seit Anfang 1990 wird die Integrationspolitik von einem Ministerialkomitee geleitet, dessen Generalsekretär Hubert Prevost ist. Außerdem ist ein Hoher Rat für Integration gebildet worden. Ihm gehören neun Berater an, die die Aufgabe haben, der Regierung Vorschläge zu unterbreiten. Hinzu kommt der Fonds d'Action Social pour les Travailleurs Immigrés et leurs Familles (F. A. S.; Sozialfonds für Gastarbeiter und ihre Familien), eine paritätisch geleitete staatliche Einrichtung, deren wichtigste Aufgabe darin besteht, durch finanzielle Maßnahmen eine stärkere Einbeziehung der eingewanderten Bevölkerung in die gemeinrechtliche Sozialpolitik zu ermöglichen.

Die F. A. S. verfügt über ein Budget von über 1 Milliarde 300 Millionen Francs. Davon werden etwa 50 % für Wohnzuschüsse zur Unterbringung von ca. 140 000 Einwanderern verwendet. Der Rest verteilt sich auf kulturelle und soziale Bildungsaktivitäten, die im wesentlichen von den Verbänden organisiert werden.

Ich bin Regionaldelegierter der F. A. S für die Region Provence, Alpes, Côte d'Azur und wohne selbst in Marseille. In dieser Region stellt die F. A. S. außerhalb der Wohnzuschüsse etwa 80 Millionen Francs pro Jahr zur Verfügung, von denen die Hälfte auf Marseille entfällt. Diese regionalen Aktivitäten werden im wesentlichen von ungefähr 400 Verbänden durchgeführt, von denen etwa ein Viertel von Einwanderern gebildet worden ist. Den juristischen Rahmen für die Entstehung derartiger Verbände bildet das in Frankreich im Oktober 1981 den Ausländern zuerkannte Organisationsrecht; sie genießen besondere Aufmerksamkeit sowohl hinsichtlich der Subventionen als auch im Zusammenhang mit den sie unterstützenden Maßnahmen. Für sie geht es jetzt darum, ihre rechtliche Anerkennung durch eine tatsächliche Anerkennung zu untermauern.

In diesem Kontext haben in den Mittelmeerregionen wie auch in anderen Regionen Frankreichs die Franzosen den rechtsradikalen Thesen der Front National und Jean-Marie Le Pens in zunehmendem Maße Gehör geschenkt. Der Stimmenzuwachs für diese populistische Partei zeigt sich besonders in den sozial vernachlässigten Stadtvierteln als eine Art politische Sanktion. In anderen Vierteln kommt ein Gefühl der Verunsicherung durch ein von außen kommendes Kulturmodell den menschenverachtenden und rassistischen Thesen zugute. So erklärt es sich, daß in Marseille die Front National einen Stimmenanteil von 25 % erzielte. Doch zu Kettenreaktionen, wie sie diese Situation befürchten ließ, ist es nicht gekommen. Obwohl es noch zu früh für die Feststellung ist, daß bestimmte Auswirkungen dieses Stimmenzuwachses gebannt sind, kann man doch die ersten Schlußfolgerungen ziehen:

a) Seit 1986 ist es zu keinem neuen Ereignis gekommen, das diese Situation verschlimmert hätte.

b) Die jungen Leute identifizieren sich, unabhängig von ihrer Herkunft, stärker mit ihrem Viertel als mit ihrer Stadt und ihrer Nationalität.

c) Die aus der Einwanderungsgeneration hervorgegangenen Kinder ergreifen im wirtschaftlichen und sozialen Bereich überall dort, wo es an Einrichtungen fehlt, zahlreiche Initiativen und Aktivitäten.

d) Es entstehen vielfältige Formen der individuellen und kollektiven Verantwortung und Vermittlung.

e) Die verschiedenen staatlichen und örtlichen Verwaltungen sehen sich veranlaßt, ihre Arbeit besser zu koordinieren und mit den Verbänden einen gemeinsamen Bereich zur Bekämpfung der verschiedenen Formen der Ausgrenzung abzustimmen.

f) Es entstehen neue Wirkungsmöglichkeiten, die dazu beitragen, gegen Versagensängste und das Gefühl der Bedrohung anzugehen.

g) Die Öffnung hin zu Europa und zum Mittelmeerraum erfolgt in ständiger Besinnung auf die eigene Geschichte mit ihren von außen kommenden Bereicherungen und ihrer Vielfalt.

30 Jahre danach hat Marseille wie auch andere Städte Frankreichs die Auswirkungen des Schocks der Entkolonialisierung noch nicht ganz überwunden. Die Zukunft dieser Städte hängt mehr noch als von ihrer kulturellen Vielfalt davon ab, inwieweit sie in der Lage sein werden, ihre ökonomische Situation zu meistern. Inzwischen müssen starke Impulse zur Durchsetzung einer sozialen Integrationspolitik in Abstimmung mit den betroffenen Bevölkerungsgruppen gegeben werden.

Die gegenwärtige Situation in Berlin und in Deutschland erinnert in vielerlei Hinsicht an die Umwälzungen, die in Frankreich und in Marseille vor 30 Jahren im Zusammenhang mit der Entkolonialisierung Nordafrikas stattgefunden haben. Heute sind wir durch den Aufbau und die Vereinigung Europas aufgefordert, gemeinsam nach den am besten geeigneten Wegen zu suchen, die in der kulturellen Vielfalt zum sozialen Frieden führen.

Deshalb möchte ich abschließend drei Wünsche formulieren: Tauschen wir insbesondere über den Aufschwung der staatlichen Aktivitäten in Richtung auf die Ausländer und die Menschen ausländischer Herkunft unsere Erfahrungen aus! Fördern wir den Dialog zwischen den jungen Menschen Europas und den jungen Menschen aus den Mittelmeerländern! Entwickeln wir die Mittel zur Kommunikation zwischen den Städten und den Regionen

Europas über die verschiedenen städtischen, sozialen und kulturellen Lösungsmöglichkeiten!

Steve Austen: Es wurde gesagt, wir sollen hier unsere eigenen Träume öffentlich machen. Man kann davon ausgehen, daß auch so ein relativ kleiner Ort wie Amsterdam Probleme hat. Das sind keine unnormalen, sondern normale Probleme, die zum europäischen Zusammenleben gehören. Darüber werde ich jetzt keine neuen Berichte erstatten. Ich gehe auch nicht davon aus, daß unsere Lösungen bessere Lösungen sind. Ich gehe davon aus, daß jeder den Versuch macht, die Definition seiner eigenen Probleme zu finden, und dann — vielleicht in Zusammenarbeit mit anderen Menschen, die es auch nicht wissen — eine Lösung finden kann, die wie eine Lösung aussieht und die vielleicht für zwei Minuten gültig ist.

Zuerst einmal zu dem Begriff der multikulturellen Stadt. Meiner Meinung nach darf sich eine Stadt nur dann Stadt nennen, wenn man über Multikulturalität keine Fragen mehr zu stellen hat. Der Ort, an dem ich wohne und teilweise auch lebe, entspricht dieser Vorstellung jetzt noch nicht oder vielleicht doch ein bißchen. Wenigstens ist er »multicoloured«, also vielfarbig. Aber ist das nicht eine romantische, oberflächliche Wahrnehmung? Gerade weil es sich so schön anhört, kommen selbstverständlich viele Deutsche seit Jahrzehnten nach Amsterdam. Ich bin etwas kritisch gegenüber dem Nachholbedarf an Exotik, den es selbstverständlich gibt. Eine Stadt soll und kann doch keine Erfindung sein. So etwas wächst, so etwas existiert. Die menschlichen Planungen — wenigstens die Planungen, die man in einem Kongreß diskutiert — werden niemals dazu führen, daß etwas danach mehr Stadt ist als vorher. Das heißt also, daß die Stadt ein Prozeß in sich ist. Es gibt da multikulturelles Zusammenleben. Das sogenannte Zusammenleben gibt es auch in den Siedlungen überall in Europa. Aber auch die Definition von Leben sollte man dann noch einmal sehr genau ansehen. Ich gehe davon aus, daß das Zusammenleben — wie schön es auch aussieht und wie gut es auch geregelt ist — ein Status quo in sich ist, der nicht dazu führt, daß aus diesen multikulturellen Siedlungen eine Stadt wachsen wird. Das finde ich eigentlich das wichtigste. Die Stadt sollte das geistige Klima bieten, wo jedes Individuum sich anstrengen muß, seine eigenen Bilder zu überprüfen. Diese Einflüsse unterschiedlichster Herkunft müssen eigentlich das Stadtleben prägen. Das heißt, jeder Einfluß muß ohne weiteres jederzeit in diesen Prozeß einfließen können, und zwar ohne daß eine Mehrheit darüber bestimmen kann, welcher Einfluß nun den Ausschlag geben soll. Es gibt nämlich solche Mehrheiten eigentlich nicht, da sie sich jeden Tag, jede Sekunde verändern, weil jedesmal wieder ein neuer Einfluß kommt. Das ist wahrscheinlich schon utopisch. Aber dieser Prozeß ist wahrnehmbar, man kann ihn an verschiedenen Orten sehen. Was man dann realisieren muß, ist, daß es in jedem sich jetzt Stadt nennenden Ort diese Trennungsmechanismen gibt, denn man will ja alles organisieren. Diese Trennungsmechanismen gehen im Grunde von dem guten Willen aus, alles regeln zu wollen — auch für die neuen Mitbürger. Das sind formelle Strukturen.

In einer Stadt muß daneben und darunter eine informelle Struktur liegen, die eigentlich ständig die formelle Struktur erodiert. Alles, was nicht verboten ist, ist gestattet. Alles, was man jetzt regelt, ist morgen veraltet. Eine gute Stadtkultur geht davon aus, daß man in informellen Verbindungen Lösungen sucht. Diesem Prozeß kann eine Stadtregierung eigentlich nur folgen. Sie hat im Grunde wenig Einfluß auf diesen Prozeß.

Multikulturell in diesen Städten meint dann auch nicht nur horizontal — wie es hier besprochen wird —, sondern auch vertikal. Wenn Sie einmal in Amsterdam gewesen sind, dann wissen Sie, daß das alles so schön aussieht mit diesen jungen Leuten überall. Aber das ist auch so, weil die alten Leute nicht mehr da sind. Das hat seinen Grund: Wir haben in den sechziger Jahren diese phantastischen sozialen Lösungen gefunden und jetzt haben wir die Ergebnisse. Für so einen Prozeß, wie ich ihn gerade beschrieben habe, braucht man alle Altersstufen, auch vertikal. Die werden dann bestimmt auch die horizontalen mit beeinflussen. So ist es jetzt schon positiv zu sehen, daß in Schulen die Kinder unter zehn Jahren absolut nicht mehr unterschieden werden. Nicht mehr zu wissen, wer eigentlich Ausländer ist, bin ich es vielleicht? — Das finde ich gut. Verwaltungsprogramme kann man da nicht machen, man muß wissen, daß die Möglichkeiten beschränkt sind.

Kann Berlin so etwas sein? — Vielleicht. Vielleicht kann es so etwas als einzige deutsche Stadt werden. Die ersten Spuren sind ja da. Glücklicherweise ist alles etwas schmutziger geworden, weniger sauber, weniger geregelt. Ich gehe auch davon aus, daß man kein Geld mehr hat. Das ist auch ein Glück, denn dann kann z. B. diese Straßenbaupraxis mit separaten Spuren für Fahrzeuge, Fahrräder und Fußgänger nicht mehr fortgeführt werden. Man muß damit rechnen, daß man seine eigene Geschwindigkeit nicht mehr von zu Hause aus von vornherein festlegen kann. Was sich völlig ändern muß, ist das Kommunikationsmittel. Auch in Berlin habe ich gespürt, daß man sich auf die deutsche Sprache als Kommunikationsmittel geeinigt hat. Dahinter liegt eine grundsätzliche deutsche Haltung: In dem Sinne halte ich Deutschland eigentlich für eine Monokultur, für eine monokulturelle Gesellschaft. Ein Beispiel, das mir immer wieder auffällt und mich irritiert, ist, daß das Fernsehen, das doch das Kommunikationsmittel für jedermann ist, davon ausgeht, daß alle Cowboys Deutsch sprechen. Das Schlimmste ist, daß die Leute dann dahin fahren und davon ausgehen, daß die Cowboys auch auf deutsch antworten. Was mich daran irritiert, ist nicht, daß man in der Erziehung der Kinder diese »feindlichen« Einflüsse vorläufig fernhält, sondern, daß man akzeptiert, daß in Deutschland sehr viele Leute wohnen, die genau die Sprache derjenigen sprechen, die sich in den Filmen und Dokumentarfilmen äußern und sich auch öfter literarisch äußern: Da die Sprache etwas ist, was man kaum übersetzen kann, ist das im Grunde reine Diskriminierung. Es ist gegen die Menschenrechte, wenn ein französischer Schauspieler von Franzosen, die in Berlin wohnen, einfach nicht verstanden werden kann, weil er verdeutscht wird. Das muß unbedingt geändert werden.

Amsterdam ist ein kosmopolitisches Dorf. Das sagt man, wenn man ein bißchen romantisch wird. Die multikulturelle Stadt ist erst die erste Stufe zu einer kosmopolitischen Stadt, einem kosmopolitischen Dorf oder Leben. Wir stehen hier erst am Anfang. Ich gehe davon aus, daß eine Stadt, die sich selbst respektiert, eine kosmopolitische Stadt sein müßte. Die Multikulturalität ist eines von vielen Kennzeichen einer solchen Kultur.

Es gibt dann die Frage, ob so etwas in dem neuen Europa von 1992 überhaupt möglich sein wird. Ich muß Ihnen ehrlich sagen, das ist die eigentliche Frage. Wir wissen ja alle, daß 1992 alle, die drin sind, das mitgestalten können, und alle, die dann draußen sind, werden es viel schwerer haben als jetzt. Was können wir da noch machen? Kaum etwas! Aber wenigstens können wir — und die BRD ist, wie ich vernommen habe, bereit, das zu tun — diese rein wirtschaftlichen Römischen-Verträge um einen Kulturparagraphen erweitern. Ich bin nicht dafür, daß wieder etwas geregelt wird, sondern daß in diesem Paragraph ein Freiraum definiert wird, der davon ausgeht, daß die europäische Kultur nicht auf die Mitglieder der Wirtschaftsgemeinschaft beschränkt ist. Auch bin ich dafür, daß alles, was sich auf städtischer und Länderebene als geeignet erweist, nicht von einer höheren Macht, von der multinationalen Macht der EG, der wir alle unterstellt werden, verboten wird. Ich sehe darin eine große Gefahr. Glücklicherweise ist es dem Föderalismus der BRD zu verdanken, daß sich dort mehr Stimmen als nur die der kleinen Länder zusammenfinden und daß da vielleicht etwas zu machen ist. Das heißt also auch, daß sich die deutsche auswärtige Kulturpolitik ändern muß, denn das Bild der deutschen Kultur im Ausland sollte dann viel mehr als bisher so erscheinen, daß sie Verbindungen herstellt zwischen Einzelpersonen, daß sie Freiräume ermöglicht, und daß die Versuche, die in Deutschland in bezug auf multikulturelles Zusammenleben gemacht werden, im Ausland eine Diskussion und einen Dialog ermöglichen.

Als letztes ein Planmodell? Nein, das gibt es nicht! Was muß man da politisch tun? Glücklicherweise beginnt das jetzt in den Niederlanden: Jedem Stadtbürger wird ein Wahlrecht für Kommunalwahlen gegeben und damit die Möglichkeit, wenigstens an der in den Stadtbezirken gemachten Politik aktiv teilzunehmen. Da haben wir einen kleinen Anfang gemacht.

John Rex, Birmingham: Die ersten beiden Punkte, die ich ansprechen möchte, sind die Wanderarbeit und der Rassismus. Hier beziehen wir uns nicht auf erfreuliche, multikulturelle Begegnungen verschiedener Gruppen, sondern wir sprechen von einem ungleichen Aufeinanderprallen, das daraus resultiert, daß in den sechziger Jahren in Europa, besonders aber in Großbritannien, Gastarbeiter angeworben wurden, um ihre Arbeitskraft zu nutzen und sie zu gegebener Zeit wieder abzuschieben. Vor diesem Hintergrund ist auch der kulturelle Austausch zu sehen. Viele der Immigranten in Großbritannien stammen aus der Karibik oder aus Südasien. Sie sind dunkelhäutig und bekommen den Rassismus am eigenen Leibe zu spüren. Eine Diskussion über Kultur kann nur dann erfolgreich geführt werden, wenn berücksichtigt wird, daß Rassismus überall vorhanden ist. Wenn ich etwas über die Kultur der größten Gruppen von ethnischen Minderheiten sagen kann, so ist sie für mich nicht verständlich, solange man sie nicht teilweise als Widerstandskultur sieht, als Versuche, in unserer heutigen Welt die eigene Identität zu bewahren. Diese Kulturen, diese Versuche der Bewahrung der Identität beginnen nicht dann, wenn man am Nullpunkt angelangt ist, wenn man Gastarbeiter wird. Sie beginnen vielmehr bereits mit den Elementen der Widerstandskultur, die sich der Gastarbeiter aufgrund seiner Erfahrungen mit dem Kolonialismus zu eigen gemacht hat.

Der erste, wichtige kulturelle Austausch in Birmingham fand in den sechziger Jahren statt, als ungewöhnlich viele schwarze Gesichter — inzwischen beträgt der Anteil der Schwarzen ungefähr ein Fünftel der Einwohner — auftauchten. Der erste kulturelle Zusammenstoß wurde durch die Bestellung eines Verbindungsbeamten für Farbige deutlich, der durch den von der Arbeiterpartei beherrschten Stadtrat eingesetzt wurde. Bezeichnenderweise hatte der Mann, der für diese Tätigkeit vorgesehen war, eine frühere Karriere bei der Polizei in Palästina und Kenia hinter sich. Sie sehen, daß das Problem zu diesem Zeitpunkt grundsätzlich als Teil des fortwährenden Kampfes gegen den Mau-Mau-Terrorismus verstanden wurde. Als sich die Stadt dann in den sechziger Jahren weiterentwickelte, diskriminierte ihre Wohnungspolitik systematisch die Ausländer, die sich hier niederlassen wollten. Es war aber bezeichnenderweise nicht nur der freie Wohnungsmarkt, der Diskriminierung nach sich zog, sondern es war vielmehr das sozialistische, von der Arbeiterpartei eingesetzte System der Mietwohnungsvergabe im sozialen Wohnungsbau, das die Gastarbeiter ausschloß. Auf die eine oder andere Art fanden die einwandernden Minderheiten selbst oder manchmal auch die Wohnungsgesellschaften alternative Wohnmöglichkeiten, allerdings in den am schlechtesten erhaltenen der noch verfügbaren Wohnungen in der

Innenstadt. In den sechziger Jahren entwickelte sich deshalb die Innenstadt zu einem Gastarbeiter-Ghetto. Betrachtet man die Zahlen der neuesten Statistik für die innerstädtischen Bezirke von Birmingham, wird man einen Bezirk finden, in dem 71 % der Bevölkerung afro-karibischen oder asiatischen Ursprungs sind. Die Art der Zählung mag in Frage gestellt werden, aber es scheint richtig zu sein, daß 71 % der Bevölkerung in diesem Bezirk aus einer dieser Bevölkerungsgruppen stammen. Es gibt ungefähr sechs weitere Bezirke, in denen im Jahre 1981 der tatsächliche Anteil der sogenannten »Schwarzen« ungefähr 50 Prozent betrug. Andere, diesmal inoffizielle Zahlen — soweit sie überhaupt verfügbar sind —, deuten darauf hin, daß diese Prozentzahlen steigen. Wenn Sie mich in der Universität Warwick besuchen und mit mir im Auto von Coventry nach Birmingham fahren, sehen Sie, was ich meine. Wenn wir, von Osten kommend, nach Birmingham hineinfahren, passieren wir vorstädtische »weiße« Häuschen, einige ziemlich heruntergekommen, aber dennoch »weiße« Häuschen und »weiße« Geschäfte. Durch ein straßenbautechnisches Gebilde ist es möglich, weiße Freunde zu besuchen, ohne die Gastarbeiterviertel überhaupt wahrzunehmen — die Straßen führen einfach darüber hinweg. Aber wenn Sie nicht vorbeiflitzen, sondern die Birmingham-Mauer passieren, die wir erst erbaut haben, als die Mauer in Berlin abgerissen wurde, läßt Sie das Straßenbild vermuten, Sie wären in Karatschi oder Kingston. Es sind »schwarze« Geschäfte, durch die die Bevölkerung versorgt wird. Doch nicht alles ist auf Diskriminierung zurückzuführen. Natürlich brauchen ethnische Minderheiten ihre Dienstleistungen, Geschäfte, Tempel und Moscheen, um den sozialen Zusammenhalt zu pflegen. Aber die Tatsache der Ausgrenzung ist augenfällig.

Die Zahlen, die ich nannte, treffen nicht den Kern des Gesamtproblems, denn die verbleibenden Weißen, die in diesen Gebieten leben, sind entweder alte Menschen, deren Kinder und Enkelkinder in die Vorstädte abgewandert sind, oder sie sind Iren. Und wenn sie Iren sind, schicken sie höchstwahrscheinlich ihre Kinder in römisch-katholische Schulen. Daher ist es üblich, daß es in diesen Ghetto-Bezirken Schulen gibt, deren Schüler zu 80 % schwarz sind. Und ich drücke mich vorsichtig aus, denn aus eigener Erfahrung und Forschungen weiß ich von mindestens einer Schule, an der tatsächlich 99,9 % der Schüler schwarz sind. Es gibt dort ein einziges weißes Kind, ungefähr 75 % sind Asiaten, davon die meisten Sikhs, und ungefähr 25 % stammen aus der Karibik — Menschen mit verschiedenen Problemen, die sich in der Ausgrenzung zusammenfinden.

Der wichtigste Ort zur Auseinandersetzung mit der Vielfalt der Kulturen ist die Schule. In England ist ein Regierungsbericht über Kinder ethnischer Minderheiten an den Schulen erstellt worden. Dieser Bericht enthielt die liberale Schlußfolgerung, daß es dem System insgesamt förderlich wäre, allen Kindern, besonders weißen, englischen Kindern Verständnis für die Kulturen der Minderheiten zu vermitteln, um den Rassismus zu verringern. Der Bericht ist eine wichtige Arbeitsgrundlage, aber man kann sich kaum vorzustellen, wie Versuche, eine Haltungsänderung bei weißen Kindern herbeizuführen, aussehen sollten, wenn es an diesen Schulen überhaupt keine weißen Kinder gibt. Für die jungen Sikhs bzw. die Schüler aus der Karibik stellt sich die problematische Frage, wie sie eine ordentliche Ausbildung an solchen Schulen erlangen können. Es handelt sich um Schulen im Innenstadtbereich, und weil es Schulen im Innenstadtbereich sind, sind sie unterprivilegiert und ihr Standard ist niedrig. Diese jungen Menschen sind nicht besonders an der »Vielfalt der Kulturen« interessiert, obwohl dies ein wichtiges Verlangen ist — sie lernen an diesen »ausgegrenzten« Schulen und wünschen sich lediglich eine ordentliche Ausbildung. Sie haben im Unterricht überwiegend weiße Lehrkräfte. Außerhalb der Schulen, d. h. im Ghetto, entwickeln sich die vielfältigen Kulturen der Minderheiten und die Widerstandskultur. Tatsächlich weiß ich nicht viel über Inder, speziell über Hindus, denn sie treten nicht stark in Erscheinung. Sie üben ihre Religion oft zu Hause aus und ordnen sich sehr schnell in die Gesellschaft ein. Die Sikhs jedoch treten durch ihre Kopfbedeckung, Bärte und Armbänder sehr augenfällig in Erscheinung, sie sind aber ebenso außerordentlich anpassungsfähig. Ich habe mich schließlich daran gewöhnt, daß sogar bei uns, in einer Vorstadt von Birmingham, meine Kinder mit Sikh-Kindern zur Schule gehen, die dort genausogut vorankommen.

Weiter gibt es ein sehr wichtiges kulturelles Phänomen, das in den siebziger Jahren mit dem Auftauchen der Rastafari-Religion und -Kultur ziemlich stark zutage trat. Obwohl die Rasta-Bewegung in dieser ausgeprägten Form heutzutage kaum noch auftritt, ist der kulturelle Einfluß auf verschiedene Weise spürbar. Die Hauptidee, die sogar in einem Lied der deutschen Pop-Gruppe Boney M. — allerdings in versüßter Form — besungen wurde, besagt, daß wir in Babylon leben. Dies drückt ein starkes Element der Kultur des Widerstandes aus, aus dem andere Gedanken hervorgehen. Diese kulturelle Ideologie findet ihren Ausdruck in Schriften, der Malerei oder der Reggae-Musik und bietet jungen, oft nicht sehr gebildeten Menschen aus der Karibik eine Möglichkeit, auf den Rassismus zu reagieren.

Etwas anderes ist der Islam. Ich hoffe, daß jemand mir eine Frage über den Islam stellt, da ich von einer Stadt berichte, in der es vermutlich etwa 25 Moscheen und 30 weitere Gebetsplätze gibt. Ich habe viel Zeit damit verbracht, Moscheen zu besuchen und mit absolut bescheidenen Imams aus Pakistan zu sprechen. Durch meine Gesprächen mit den Imams habe ich gelernt, daß ihr Hauptanliegen darin besteht, die Moral ihrer Menschen und deren Familienleben gegen Korruption, gegen den ungebändigten Egoismus einer profanen, kapitalistischen Gesellschaft zu schützen, deren oberste Symbole in den Augen meiner Imam-Freunde Porno-Zeitschriften und Sexläden sind. Tatsächlich gibt es in Europa eine große Islam-Feindlichkeit, die — wie ich bemerkt habe — sogar hier zu spüren ist. Sie findet ihren Ausdruck darin, daß ein Betender sofort die Bezeichnung Fundamentalist erhält. Dieses Wort birgt in sich viele irrationalen Empfindungen. Zwischen unserer Gesellschaft und dem Islam findet so gut wie kein Dialog statt. Durch Gespräche mit Moslems weiß ich jedoch, daß Möglichkeiten zum Dialog unbestreitbar vorhanden sind.

Zur Frage, ob es überhaupt Grund zur Hoffnung gibt, muß ich sagen, daß ich Ihnen ein Bild einer Stadt gezeigt habe, deren multirassische, multikulturelle Strukturen in den sechziger Jahren festgelegt wurden. Natürlich haben sich Änderungen ergeben, natürlich gibt es auch liberal denkende Menschen, die versuchen, Veränderungen herbeizuführen, wir haben inzwischen Antidiskriminierungsgesetze, und es gibt in England einige sehr wichtige institutionelle Modelle, deren Inhalt andere Teile Europas zum Nachdenken anregen sollte. Die Kommission für Rassengleichheit hat lokale Stadträte ermächtigt, Maßnahmen zur Unterstützung der Chancengleichheit sowie zur Förderung des Zusammenlebens zu treffen. Einiges wurde bereits erreicht. Jedoch würde ich sagen, daß dieser etwas paternalistisch geprägte Apparat einige Defekte aufzuweisen hat. Zum Beispiel vereinnahmt er die potentielle politische Führerschaft der ethnischen Minderheiten, um sie in den Staatsdienst zu stellen. Trotzdem sind auch hier Fortschritte zu verzeichnen, so daß die Diskriminierung z. B. bei der Wohnungs- und Arbeitssuche, die ich erwähnt habe, unter Beschuß geraten ist. Aber am wichtigsten ist die politische Tatkraft der ethnischen Minderheiten. Natürlich findet diese gelegentlich Ausdruck in städtischen Unruhen, ebenfalls in der gekränkten Reaktion der muslimischen Gemeinschaft aufgrund des Rushdie-Skandals. Vor dem Hintergrund der Ausgrenzung, gekoppelt mit dem Wahlrecht, das allen ethnischen Minderheiten in England zugestanden wird, drückt sie sich paradoxerweise auch in der politischen Repräsentation aus: Als Folge davon sind heute von den etwa 100 Abgeordneten Birminghams 17 aus ethnischen Minderheiten; von diesen 17 Abgeordneten sind wiederum 12 muslimischen Glaubens. Unter diesen Umständen hat die regierende Labour-Party gelernt — allerdings erst in Ansätzen —, die ethnischen Minderheiten nicht als Teil des gefährlichen Mau-Mau-Terrorismus zu sehen, sondern eher als Bestandteil der Arbeiterklasse, die zur Bereicherung der kulturellen Vielfalt beitragen.

Olaf Schwencke: Herr Herterich, Sie leben in Babylon — ist Frankfurt am Main Babylon?

Frank Herterich, Frankfurt: Nein, Frankfurt ist ganz sicher kein Babylon, sondern eher ein Zürich. Dabei bleibt allerdings die Frage, ob Zürich ein Babylon werden könnte, denn Frankfurt ist sehr klein und reich. Aber ich soll aus der Sicht von Frankfurt sprechen. Gestatten Sie mir dennoch, daß ich Sie für einen Moment gedanklich auf eine jener reizvollen Adria-Inseln, die Dubrovnik vorgelagert sind, entführe. Dort kann man während relativ intensiver geistiger Kongresse — ich war dort zu einem Kongreß über Identität und rational choice — erholsame Spaziergänge machen. Bei dieser Gelegenheit fragte mich einmal ein Philosoph aus Boston »Did you do much of congressioning lately?« Womit ich nicht eine Meta-Diskussion über diesen Kongreß eröffnen will, sondern das dient mir eigentlich nur als Hinweis darauf, daß es eine Verfassung des weltläufigen Intellektuellen gibt, geben kann, der gewissermaßen die ganzen Sets von Werten des Liberalismus, des Humanismus und des Kosmopolitismus in sehr kultivierter Weise zu vertreten weiß, der aber doch immer wieder sehr stark die Nähe derer sucht, die sich über die gleichen Themen Gedanken machen, die den Stil des Denkens sehr stark kultivieren, in ähnlicher Weise wie er selbst. Kurzum, man sucht die Nähe von Leuten, die so denken, so handeln, wie man selbst, egal an welche Orte der Welt man beispielsweise zu Kongressen reist.

Dieser Hinweis führt mich zu der Erfahrung, die ich als Frankfurter und auch als jemand, der früher längere Zeit in Berlin gelebt hat, während einiger Tage Berlin nebenbei gemacht habe. Ich habe meine Freunde, die ich hier noch habe, alle gefragt »Wie ist das nun eigentlich seit dem Fall der Mauer, lebt ihr eigentlich in beiden Teilen der Stadt, macht ihr eigentlich von der ganzen Stadt Gebrauch?« Ich habe festgestellt, daß fast alle im Grunde nach wie vor — ich war früher in West-Berlin — im Westen leben. Ihr ganzes Milieu, Cliquen und familiäre Beziehungen — ich meine die familiären Beziehungen auch im geistigen und nicht nur im gesetzlichen Sinne — haben sie nach wie vor im Westen. Der Punkt, der mir zu denken gegeben hat und über den ich zu denken geben will, ist, daß sich hinter einem kultivierten Set von geistigen Werten, die wir hier wahrscheinlich alle teilen — und das meine ich ernsthaft — und die wir auch hegen und pflegen und hochhalten sollten, dennoch Elemente einer sozialen Distanz, einer Abwehr des Fremden verbergen und entwickeln können. Es kann z. B. der Fall sein, daß man Elemente des demokratischen Verhaltens zum Vorwand nimmt, um die, die jetzt aus dem Osten kommen oder in Berlin da sind, mangelnder Zivilisiertheit bzw. einer gewissen vulgären Verhaltensweise zu zeihen. Ebenso kann es geschehen, daß sozusagen im Namen derjenigen Werte, die wir hier alle kultivieren, eine Distanz und eine Abwehr gegenüber dem Fremden aufgebaut wird. Ich denke mir, daß das nicht nur eine Frage zwischen West und Ost, sondern auch eine ist, die auf den östlichen Teil Europas bezogen werden muß, d. h. auf die Menschen, die im

Falle eines Zusammenbruchs der Sowjetunion etwa aus den europäischen Teilen der Sowjetunion kommen werden. Konservative Schätzungen gehen dort von zehn Millionen aus. An dieser Stelle ist die Frage nach einem geistigen Milieu von außerordentlicher Bedeutung, denn eine Stadt ist keine wirkliche Stadt und vor allem keine Großstadt, wenn sie nicht über eine gute städtische Öffentlichkeit verfügt. In diesem Sinne denke ich, es gibt Schwierigkeiten bei der Bewältigung des Übergangs vom Schaufenster des Westens zum Vestibül des Ostens. Ich denke — und das ist mein Appell zu diesem Punkt —, daß mir im Moment die Neugier auf das Andere, das sich Einlassen darauf wichtiger ist als das Wohlverhalten des Denkens.

Der zweite Punkt, auf den ich zu sprechen kommen will, ist die Frage nach der multikulturellen Politik. Die Durchsetzung des Multikulturellen ist nicht etwas, wofür der Teil der Gesellschaft verantwortlich ist, der gewissermaßen für das Wahre, Schöne und Gute zuständig ist und der ebenso für die immateriellen Werte zu bürgen hat. Es wäre einseitig, dieses Anliegen auf seine Fahnen zu schreiben, so, als ob dem Teil der Gesellschaft, der für die materiellen Werte zuständig gemacht wird oder sich zuständig fühlt, dieses multikulturelle Anliegen abzutrotzen sei. Ich möchte darauf hinweisen, daß wir z. B. — und das machen wir in Frankfurt etwa bei Neubauvorhaben, die die Stadt in der Hand hat, fordern, daß nicht zu 100 % Sozialwohnungen gebaut werden, sondern zu einem Drittel frei finanzierte, zu einem Drittel Wohnungen des Frankfurter Programms und zu einem Drittel Sozialwohnungen. Dann ist man nicht so sklavisch an die Grundrisse des sozialen Wohnungsbaus gebunden. Dennoch kollidiert das mit den sozialen Zielen. Aufgrund der rasenden Wohnungsnot möchte man dort, wo die Stadt den Zugriff hat, am liebsten 100 % Sozialwohnungen bauen. Aber wir sagen »nein«, macht das nicht so!

Wenn wir etwa in einer der Trabantenstädte versuchen, Programme zu entwickeln, Arbeit dorthin zu bringen — Arbeit, die von den dort wohnenden Menschen auch ausgeführt werden kann, weil das Problem der Monofunktionalität neben der Multikulturalität dieser Stadtteile gewissermaßen diese zu einem Brennpunkt macht — dann müssen wir beispielweise Wohnungen zu Büroarbeitsplätzen zweckentfremden. Das kollidert auch wieder mit dem sozialen Ziel billiger Wohnungen für viele Menschen. Auch wenn wir sagen »hört auf, an ehemalige Dörfer, die jetzt eingemeindet sind, riesige Wohnkomplexe dranzuklatschen«, die zudem in keiner Weise einem komplexen Stadtteil entsprechen, in dem sich nicht nur verschiedene soziale, kulturelle und nationale Milieus begegnen, sondern in dem sich auch die verschiedenen Elemente des Lebens, nämlich Arbeiten, Wohnen, Kultur und Freizeit finden. Wenn wir solche Komplexe brauchen, ist es unter Umständen besser, auf die grüne Wiese zu gehen, zwischen vorgelagerte dörfliche Einheiten, und einen komplexen neuen Stadtteil zu bauen, der alle diese Elemente enthält.

Die ganze Debatte über Städtebau kollidiert dann mit der Ökologie, genauso wie etwa die Debatte um städtisches Wachstum bei der Wanderungsbewegung, die auf uns zu kommt. Angesichts der Tatsache, daß die Menschen, wenn der Reichtum nicht zu ihnen kommt, selber zum Reichtum kommen, werden wir es mit einer Wanderungsbewegung zu tun haben, die die Frage des Wachstums der Städte ganz neu stellt. Wir müssen dafür sorgen, daß sie im multikulturellen Sinne wächst!

Der letzte Punkt zu diesem Komplex: Das Multikulturelle muß, wie ich es gerade beispielhaft ausgeführt habe, nicht nur im Konflikt mit sozialen und ökologischen Anliegen überhaupt erst einmal etabliert und durchgesetzt werden — keine dieser Optionen und Werte kann hundertprozentig eingelöst werden — sondern das Multikulturelle muß als Zukunftsinvestition — um in der Sprache der Politiker und Technokraten zu sprechen — erkannt werden. Die multikulturelle Gesellschaft ist kein Sozialfall! Das deutlich zu machen, ist der propagandistische Teil unserer Politik in Frankfurt.

Gerade am Beispiel von reichen Städten wie Frankfurt, kann man deutlich machen, daß ihr Reichtum nicht zuletzt eben gerade durch die jahrhundertelang vorhandene Multikulturalität existiert. Es ist nicht nur ein sozialer und humanistischer Appell, den man an die Menschen richten muß. Zweitens verliert, wie Makler es bereits heute sagen, Frankfurt an Standortqualität, wenn nicht Wohnungen gebaut werden. Denn sonst haben die besseren Angestellten zwar ihre Büros, aber keine Wohnungen. Ich denke wenn man eine gute multikulturelle Politik macht — und das ist der Optimismus und das Normative unserer Politik —, daß dann vielleicht in zehn Jahren die Qualitäten einer Stadt als multikulturelle Stadt ebenso wie in den vergangenen zehn Jahren ihre Qualitäten als kulturell reiche Stadt zu einem Standortfaktor und gewissermaßen das Markenzeichen moderner, prosperierender Städte werden. Ich glaube, daß dies ein Element ist, das einen Sog ausüben kann — auch auf die Gestaltung einer multikulturellen Politik in anderen Bereichen.

Das Stichwort »Europa der Regionen« ist gefallen. Ich möchte das Stichwort »Europa der Städte« hinzufügen, vielleicht werden wir im Verlauf dieser Diskussion noch darüber sprechen.

Nach diesen Beiträgen wurde die Diskussion für das Publikum eröffnet.

Frage 1: Ich habe auf dieser Konferenz die Auseinandersetzung mit der Frage vermißt, was man tun kann, um in der BRD und in Europa die rechtlichen Rahmenbedingungen für eine multikulturelle Gesellschaft zu schaffen. Rechtliche, kulturelle und soziale Gleichstellung von Immigranten und Deutschen ist dabei das Ziel. Das heißt, daß die Kulturen gleichgestellt werden. Das heißt, daß muttersprachlicher Unterricht mit multikulturellem Ansatz durchgeführt wird, damit die Immigrantenkinder in den Schulen, in den vorschulischen Einrichtungen und auch im Freizeitbereich gleichgestellt und nicht diskriminiert und nicht assimiliert werden. Daniel Carrière sprach über den Begriff der Integration. Wir haben seit langen Jahren über Integration in der BRD diskutiert. Endlich haben wir gesehen, daß es nicht der Weg ist, die Minderheiten in dieser Gesellschaft zu assimilieren. Deswegen ist es in dieser Gesellschaft für Immigranten wichtig, erstens, ihnen zumindest auf kommunaler Ebene Wahlrecht zu gewähren, zweitens, ihnen die deutsche Staatsangehörigkeit zu gewähren und drittens, ein Antidiskriminierungsgesetz gegen Rassismus und Ausländerfeindlichkeit zu verabschieden.

Mein zweiter Kritikpunkt ist, warum die Betroffenen als Redner auf diesem Kongreß nicht eingeladen wurden. Es gibt über 3000 Organisationen von Türken, es gibt daneben auch sehr viele Organisationen anderer Minderheiten. Sie sind auf diesem Kongreß immer noch nur Zuhörer.

Olaf Schwencke: Wir haben so breit wie überhaupt nur möglich eingeladen. Dies geschah nicht immer gezielt, sogar durch Zeitungsanzeigen. Ich denke, wenn ich die Masse von 3000 sehe, von der Sie sprachen, dann ist selbst das Kongreßzentrum ICC im Westteil der Stadt zu klein.

Frage 2: Gestern wurde in der Arbeitsgruppe 3 von 100 Millionen DM gesprochen, die nicht zur Verfügung stehen. Wir werden also möglicherweise keine Moscheen bauen.

Man muß da an Karl V. denken, der ja in Córdoba die Mezquita etwas verändert hat. Das hat wirklich eine Kultur, die ja in der Liberalität etwas getan hat, beendet. Aus dem Grund möchte ich Sie bitten, eine Empfehlung an den Kongreß zu geben, die unabhängig vom Rahmen der zu erwartenden Gelder dem Kongreß heute vielleicht eine Möglichkeit gibt, etwas zu bewirken.

Wenn wir uns an Karl V. und die Veränderung der Mezquita erinnern, so soll die Empfehlung dahingehend verstanden werden, den Bischöfen der christlichen Konfessionen in Berlin eine Note des Kongresses zukommen zu lassen, in der der Kongreß den Bischöfen empfiehlt, den Mitbürgern islamischer Konfession eine leerstehende Kirche zu überlassen. Schließlich könnte vom Apartment-Bau in Kirchen Abstand genommen werden, da Kirchen nicht leerstehende Eigentumswohnungen der Konfessionen sein müssen.

Beitrag 3: Als alteingesessene Berlinerin, die vor 23 Jahren aus Jugoslawien gekommen ist und die sich hier sehr wohl fühlt, möchte ich einen Gruß nach Frankfurt schicken. Sie haben in Berlin ziemlich provinzielle Leute, weil nämlich die Mauer nicht nur den Strom von Osten nach Westen, sondern auch umgekehrt, von Westen nach Osten gebremst hat. Nach dem Mauerfall ist Ostberlin von Westberlinern und Westdeutschen richtig überflutet worden. Wenn Sie zum Müggelsee fahren, finden Sie alles in westdeutscher Hand. Die Stadt ist total verstopft. Es ist also nicht so, daß wir uns an die alte Mauer halten. Und noch etwas dazu: West- und Ost-Berlin haben auch mit der Mauer schon Kontakte gehabt und gefunden, insbesondere im kulturellen Bereich. Westberliner Schickeria war in der Ost-Berliner Oper immer anzutreffen. Es müßte jetzt einmal die Zeit kommen, in der die kleinen Leute, die die anders und nicht auf so einem abgehobenen Niveau leben, zueinanderkommen und sich nicht wegen der vollen Geschäfte auf Kudamm und Karl-Marx-Straße gegenseitig beschimpfen.

Provinziell ist Berlin nicht. Das klappt schon besser, als es vielleicht für jemanden aussieht, der aus Frankfurt kommt.

Beitrag 4: Ich bin derjenige, der in der Arbeitsgruppe 3 den Begriff »Berliner mit nicht-deutscher Herkunft« in die Diskussion gebracht hat. Ich möchte noch einmal wiederholen, daß die rechtliche Gleichstellung von Immigranten und Deutschen auf dem Weg zur multikulturellen Gesellschaft einer der wichtigsten Punkte ist. Die doppelte Staatsbürgerschaft, die wir uns als Immigranten-Organisation zum Ziel gesetzt haben, muß weiterhin viel diskutiert werden. Das soll nicht partei-politisch gesehen werden, sondern überparteilich. Das heißt, daß Frau Schmalz-Jacobsen von der FDP, Herr Geißler von der CDU und Frau Däubler-Gmelin von der SPD zusammenkommen und über die Parteigrenzen hinweg etwas machen können. Vorausgesetzt, sie wollen etwas für uns tun. Das ist ein Appell an alle Politiker, die diese Sache wirklich ernst meinen. Daran werde ich die Glaubwürdigkeit der Politiker auch messen.

Zur kulturellen Vielfalt in Deutschland und Europa kann ich für uns in Berlin ein Beispiel geben, das wir selbst unter Immigranten-Organisationen praktiziert haben. Es sind in Berlin gegen das Ausländergesetz 30 türkische Organisationen zusammengekommen, von muslimischen, zu sozialistischen bis hin zu rechten Organisationen. Dieses Bündnis existiert noch immer. Es ist interessant, daß man auch mit Leuten verschiedener Weltsichten an einem Punkt zusammenkommen kann. Diese Vielfalt in der Einheit haben wir selbst erlebt und praktiziert. Ich hoffe, daß jetzt wir dieses auch mit und unter Deutschen erleben können.

Beitrag 5: Ich möchte etwas zur Frage der Distanz bzw. fehlenden Distanz zwischen Ost- und West-Berlin sagen.

Als vor 15 Jahren aus Westdeutschland Zugereiste habe ich einige Jahre gebraucht, um mir West-Berlin oder Teile davon als

Terrain zu erobern. Das gleiche wird mir jetzt noch einmal passieren, wenn ich versuche, Ost-Berlin zu erobern. Es werden Jahre darüber vergehen. Es ist ganz klar, daß ich zu Ost-Berlin eine Distanz habe, denn die Mauer steht in meinem Kopf immer noch hinter der Kirche am Mariannen-Platz. Ehe die auch im Kopf abgebröckelt ist, vergeht eine weitere Zeit. Was aber in dieser Zeit vorhanden ist und was die Distanz schafft und noch nicht dieses Gemeinschaftsgefühl aufkommen läßt, ist schlichtweg Angst.

Ich denke und so sehe ich auch diesen Kongreß, daß hier eigentlich Hilfestellungen zur Offenlegung dieser Angst und zu ihrer Bewältigung bereitgestellt werden müssen bzw. auf sie aufmerksam gemacht werden muß. Wenn wir diese Hilfestellung nicht haben, sehen wir auch die Probleme nicht, die nicht nur diese Stadt, sondern später auch das ganze Land, in einem noch weiteren Zeitraum Europa und am Ende die Welt haben werden. Deshalb denke ich, wie Steve Austen es bereits gesagt hat, die Angst vor Fremdem, die gibt es, solange es die Menschen gibt. Sie ist nicht wegzudiskutieren. Vielmehr muß sie erkannt werden, und an entscheidenden Punkten müssen zu ihrer Bewältigung Ansätze gezeigt werden.

Deshalb finde ich das Bild von der Utopie einer Stadt, die sich von einer multikulturellen zu einer kosmopolitischen Stadt entwickelt, sehr wichtig. Ich kann deshalb nur bedauern, was in der Wahlkampagne passiert, wo auf Sicherheit und Gesetze hingearbeitet wird, und nach der alles so weiter gehen soll wie bisher, nur nichts verändern! Das ist es, was die Angst nur noch weiter schürt.

Beitrag 6: Ich finde es erfreulich, daß so etwas wie dieser Kongreß überhaupt stattfindet. Er gibt eine Reihe wichtiger Anregungen, die man mit nach Hause nehmen kann. Andererseits gibt es auch Kritik: Es wurde vorhin schon einmal etwas zu dem gesagt, was auch ich vermißt habe. Wenn wir von Multikulturalität sprechen, dann, denke ich, muß man das hier in der BRD und eben in einer Stadt wie Berlin, wenn dort solch ein Kongreß stattfindet, auch leben. Das heißt, es hätte hier auch ein türkischer Referent auf das Podium gehört, um Stellung zu nehmen zu der Realität der türkischen Menschen in der BRD.

Was ich weiterhin vermißt habe ist, daß es auch keinen Vertreter von einem Kontinent gegeben hat, der von all dem, was hier besprochen wurde, betroffen ist, nämlich dem afrikanischen Kontinent. Das hätte ich mir auch sehr gewünscht. Was übrig bleibt, ist sicher die Frage, wieweit wird das, was hier an Anregungen gekommen ist, auch in Forderungen Eingang finden, dort wo es notwendig ist.

Beitrag 7: Ich bin Mitarbeiter einer Kulturbehörde. Es ist hier, wie auch in der Arbeitsgruppe 4, viel gesagt worden. Ich bedauere, daß die Dinge, nach so vielen Jahren angesprochen werden und dabei noch nicht einmal festgestellt wird, daß diese aus verschiedenen Kulturen stammenden Menschen, die hier zusammenleben, sich gegenseitig sehr bereichern und viel humaner, viel menschlicher und viel vielfältiger miteinander leben könnten. Daher kommt mir inzwischen der Gedanke, solange man über die Multikulturen, d.h. über mehrere Kulturen, die zusammenleben, spricht, heißt das, daß es noch nicht Wirklichkeit ist.

Wie auch von Steve Austen gesagt wurde, meine ich, daß eine multikulturelle Stadt dann existiert, wenn man nicht darüber spricht, sondern wenn man sie lebt. Daher denke ich weiter, daß man, wenn die Extremität »Ausländer versus Inländer« aufgehoben wird, nicht weiß, daß die Menschen hier etwa 40 Jahre lang an einer Bereicherung gehindert worden sind. Das heißt, wenn die Menschen ohne Ängste — mit den Ängsten ist Politik gemacht worden — hätten zusammenleben können, dann hätten sie viel vielfältiger, viel humaner gelebt und wären nicht dort, wo sie jetzt stehen. Daher wäre mein Wunsch, daß nicht mehr über die Menschen und ihre Kulturen gesprochen würde, sondern mit ihnen zusammen gelebt wird. Aus diesem Leben und Ausleben könnte dann ein Gefühl von einem Europa entstehen, das nicht begrenzt ist. Ein Europa, das nicht in den Köpfen begrenzt ist, das nicht durch die Mauern, die neu gebaut werden, begrenzt wird, sondern in dem sich eine Welt der Kulturen ausdrückt.

Beitrag 8: Meine Frage bzw. Anmerkung richtet sich an Steve Austen. Sie haben gesagt, daß eine multikulturelle Stadt oder eine multikulturelle Gesellschaft mehr oder weniger polyglott sein und mehrere Sprachen sprechen müßte. Es gibt einen Satz von Karl Kraus: »Herr X beherrscht fünf Sprachen, ich bin froh daß mich eine Sprache beherrscht.« Will sagen, die Tatsache, daß man von einer Sprache »beherrscht« wird, daß man eine Identität hat und sich darin wiederfindet und zuhause fühlt, ist ein ganz wichtiges Faktum, damit ein Mensch zu sich kommt und Mensch werden kann. Das Dilemma — es ist das Dilemma einer multikulturellen Stadt — ist, daß diese Identität dadurch, daß sie mit vielen anderen Lebensformen konfrontiert wird, in der Gefahr ist, aufgeweicht zu werden und nicht zu einer neuen Identität, sondern zu einer verkümmerten Identität zu werden.

Beitrag 9: Wir haben die ganze Zeit über die Zukunft der ethnischen Minderheiten auf dem Gebiet der ehemaligen BRD und DDR gesprochen. Dabei haben wir langfristige Projekte ins Auge gefaßt und Empfehlungen in dieser Hinsicht getroffen. Wir haben aber vergessen, daß es in diesen gegenwärtigen Moment in beiden Teilen Deutschlands Menschen gibt, nämlich Asylbewerber und Gastarbeiter, die abgeschoben werden. Ich denke, wenn die ganzen Prozesse, Maßnahmen und Empfehlungen, die auf diesem Kongreß diskutiert worden sind, irgend einen Sinn haben sollen, dann müßte man Sofortmaßnahmen treffen. Man muß dazu beitragen, daß dieser Prozeß überhaupt in einem Klima der Entspannung und Nicht-Agressivität zwischen den ethnischen Gruppen ausgetragen werden kann. Ich empfehle diesem Kongreß, sich für einen sofortigen Abschiebestop für alle ausländischen Mitbürger, die sich derzeitig auf dem Territorium der BRD aufhalten, einzusetzen.

Barbara John: Ich möchte auf drei Fragen eingehen, als erstes auf das Thema der deutschen Sprachenpolitik: Es ist richtig, daß die bisherige Sprachenpolitik viel zu wenig europäisch ist und viel zu wenig zukunftsweisend. Unter den Ländern, die auch hier am Tisch vertreten sind, sind wir sicher diejenigen, die der Mehrsprachigkeit — auch der frühen Mehrsprachigkeit — den geringsten Raum einräumen. Wenn ich jetzt sage wir, meine ich die Deutschen, also die BRD. Sicher war das auch in der ehemaligen DDR nicht besser. Es sieht in West-Berlin etwas besser aus. Sie kennen die Programme zur zweisprachigen Alphabetisierung, die zwar nicht flächendeckend sind, aber hier und da praktiziert werden und auch ihre Erfolge haben. Natürlich müssen wir uns zukünftig darauf einlassen, daß das, was die Kinder mitbringen — es ist ja ein Schatz an Sprachen in der Gesellschaft da — daß dieser Schatz gepflegt und weiterentwickelt wird. Diese Idee, so glaube ich, können die meisten Menschen in unserer Gesellschaft teilen. Mehrsprachigkeit ist ja ein erstrebenswertes bildungspolitisches Ziel. Es ist nur leider so, daß wir Hierarchien zwischen den Sprachen errichtet haben, was sicher unsinnig ist.

Auf der anderen Seite muß man sich — auch was Bildungsgänge allgemein angeht — auf einige Sprachen einigen. Aber ich glaube, daß die erste Grenze die finanzielle Grenze ist. Es ist sicher eine Diskussion wert, ob man nicht bildungspolitisch bei der frühen Mehrsprachigkeit künftig neue Prioritäten setzen sollte. Die Deutschen sind unter den Europäern — ich sage jetzt einmal nichts über die Engländer, weil das ein Sonderfall ist — verglichen mit Belgien, Dänemark, mit Schweden und den Niederlanden diejenigen, die am wenigsten polyglott sind. Wir können zwar Deutsch und Englisch, aber vielmehr kommt da nicht über unsere Lippen. Also hier müßte insgesamt in der Sprachenpolitik — eine Aufgabe der Bildungspolitik — eine Neuorientierung erfolgen.

Eine zweite Sache. Wir haben tatsächlich einen Nachholbedarf an rechtlicher Gleichstellungspolitik. Es geht um eine Erleichterung der Einbürgerung. Wir wissen, daß Berlin — was die Einbürgerungszahlen betrifft — zwar besser dasteht als viele andere Bundesländer, daß es aber viel zu langsam geht. Wenn dieses Tempo bei der Einbürgerung beibehalten wird, dann sprechen wir noch im Jahre 2050 von Ausländern der 27. Generation. Natürlich ist das ein Widerspruch in sich. Ich denke aber, daß die Forderung nach Erweiterung der doppelten Staatsbürgerschaft — der Einstieg ist da, leider ist es ein sehr zaghafter Einstieg, der auch im neuen, jetzt Ausländer-Gesetz genannten Gesetz vorhanden ist — sehr wichtig ist. Dieses Gesetz ist im Grunde eine Weiterführung des Status quo. Es ist keine Öffnung, die Tür ist nicht offener geworden, der kleine Spalt ist derselbe. Warum diskutieren wir nicht auch mehr das Territorialrecht? Warum sollen nicht Kinder, die hier geboren sind und deren Eltern ebenfalls hier geboren sind, warum sollen sie nicht die landeseigene Staatsbürgerschaft von Geburt an erwerben? Ich halte das nicht nur für einen bequemen Weg der rechtlichen Gleichstellung, sondern ich halte das auch für eine grundlegend erforderliche Änderung unseres Denkens, das sich noch viel zu sehr am Abstammungsdenken orientiert. Ich halte es für wichtig, daß gerade Kinder weder im Kindergarten, noch in der Schule, noch in den Sportvereinen lernen, daß sie ausländische Kinder sind. Wir dressieren es diesen Kindern ja richtig an, indem wir diesen Status unterschieben und aufrechterhalten. Deshalb sollte diese Forderung nach der Einführung eines bedingten Territorialrechts mindestens die doppelte Staatsbürgerschaft ergänzen. Was zu den Anti-Diskriminierungsgesetzen gesagt wurde, ist für unsere europäischen Nachbarländer eine Selbstverständlichkeit. Wir sind weit davon entfernt. Es gibt nichts oder so gut wie nichts an Schutzgesetzen, die Minderheiten vor Ausgrenzung und Diskriminierung in der Öffentlichkeit schützen. Ich glaube, das beste Beispiel ist immer noch dieser menschenverachtende Wahlkampfspot von vor zwei Jahren, der jetzt in der Stadt wiederholt wird. Die Staatsanwaltschaft sagt, daß dies keine Volksverhetzung sei. Es ist zwar ausländerfeindlich, aber wir haben keine Gesetze, um dagegen vorzugehen. Warum haben wir diese Gesetze noch nicht?

Ich möchte eine letzte Bemerkung machen — und da befinde ich mich etwas im Gegensatz zu Steve Austen. Ich bin nicht der Meinung, daß multikulturelle Städte sich dadurch auszeichnen sollten, daß sie schmutziger sind, — das ist sicher nicht so gesagt oder gemeint worden — im Gegenteil: Ich denke, daß unser Problem in den Städten auch das Gefühl der Menschen ist, daß Geborgenheit und Sicherheit fehlt. Es ist das Gefühl, daß wir zerfasern, daß wir auch in einzelne Gruppen zersplittern und daß sich der einzelne mehr und mehr bedroht glaubt — übrigens natürlich auch von einer Umwelt, von einer Lebensqualität, von dem Zustand seiner Straße, der ihm nicht behagt. Insofern dürfen wir in Zukunft, wenn wir die Städte in dieser Buntheit, in dieser Vielfalt — und anders sind sie ja gar nicht lebenswert — erhalten wollen, eben nicht nur auf das Bruttosozialprodukt und auf die Industrieansiedlungen der Städte sehen. Wir müssen viel mehr auch kleinteilig und kleinräumig denken. Das Problem auch Berlins in den nächsten Jahren wird sein, daß sich die Politiker getrieben sehen werden, mehr Häuser, mehr Wohnungen, mehr Arbeitsplätze, also mehr Industrieansiedlungen zu schaffen. Und was geschieht mit den Menschen?

Von daher glaube ich, daß die Lebensqualität als ein konstitutives Element in multikulturellen Städten beibehalten werden muß. Hier muß viel Geld fließen.

Anetta Kahane: Ich hätte das Publikum wahnsinnig gerne einmal eingeladen, zu sehen, wie die kulturelle Minderheit, also die Ausländer, in Ost-Berlin lebt. Um sich ein wenig ein Bild zu machen von der Realität, mit der wir es zu tun haben, würde ich Ihnen gerne einmal einen solchen Wohnheimkomplex zeigen, in dem Vietnamesen, Mosambikaner und Angolaner leben. Um Ihnen zu zeigen, in welcher Form wir es eben nicht mit ausländischen, fremden Kulturen die ganzen Jahre über zu tun hatten.

Was das Problem der Gleichstellung anbelangt, das sehe ich genauso. Es ist ganz wichtig, daß man eine rechtliche Gleichstellung schafft, damit die Menschen lernen, woran ich auch immer wieder in meiner Arbeit appelliere, daß bestimmte Dinge nicht gehen. Ein Anti-Diskriminierungsgesetz wäre in diesem Land sicher sehr nötig. Ich denke, es geht gar nicht so sehr darum, daß die Kinder ein Verständnis dafür andressiert bekommen, daß sie Ausländer sind, sondern daß man es den Inländern abdressiert, daß es da eine Hierarchie von unten gibt.

Steve Austen: Selbstverständlich soll nicht ein Planmodell erarbeitet werden, damit Berlin eine schmutzige Stadt wird. Das habe ich nicht gemeint. Für mich ist es nur ein Beispiel, ein kleiner Satz, womit ich eigentlich etwas andeute, was — und da sind wir uns einig — mit diesen Ängsten zu tun hat. Es ist die Frage der Akzeptanz. Ich gehe davon aus, daß die Situation in ganz Europa, in ganz Westeuropa jetzt völlig verändert ist — auch in England, den Niederlanden und in Belgien. Sie ist verändert in dem Sinne, daß diese propagierten, festen Werte überhaupt nicht mehr da sind. Ich hätte auch ein anderes Beispiel nehmen können. Zum Beispiel, daß die Polizei in keinem europäischen Land so viele Anzeigen bekommt über Klagen von Nachbarn wie in der BRD. Das habe ich auch damit gemeint: Akzeptanz und Toleranz, das kann man mit einem Planmodell nicht bekommen. Das hat mit dem eigenem Verhalten und auch mit einer bestimmten Auffassung über die Entwicklung einer parlamentarischen Praxis zu tun.

Nun komme ich zu der Frage nach der Polyglottisierung. Für mich ist Identität selbstverständlich sehr wichtig. Ich gehe davon aus, daß die kulturelle Identität oder die Identität einer Person, die es ein ganzes Leben in Europa aushalten muß, daß diese Identität darin besteht, daß man sich ausdrücken kann, daß man seine eigenen Erfahrungen auf eine Weise und mit dem Kommunikationsmittel, welches man selber am besten beherrscht, mit denen teilen kann, die das auch wollen. Das heißt also, daß nach meiner Auffassung eine Identität nicht mit einer Person anfängt und daß sie nicht begrenzt werden kann durch eine Dorf-, Stadt- oder eine Nationalstaatsgrenze. Vielmehr reden wir hier über Netzwerke zwischen Personen, die sich auseinandersetzen. Diese Personen können in bestimmten Vertikalen, in verschiedenen Netzwerken tätig sein. Das geht allerdings nur, wenn die Basisvoraussetzungen da sind. Es wundert mich selbstverständlich auch, daß die BRD noch immer kein Anti-Diskriminierungsgesetz hat. Das wußte ich nicht. Ich dachte immer, die BRD ist anständig und auch ein bißchen zivilisiert. Neben den Voraussetzungen darf man auch nicht die Möglichkeiten begrenzen. So kann es z. B. sein, daß in einer Stadt die Sprache, die alle lernen, so wie in Amsterdam das Niederländische, auf der Straße eigentlich nicht zu finden ist, da dort eine ganz andere Sprache herrscht.

Die neue Sprache Europas ist das *broken english*. Das bedeutet überhaupt nicht, daß man seine Identität verliert. Man hat damit ein Hilfsmittel, ein Transportmittel mehr. All diese Extras bereichern. Die Wahlmöglichkeit – nicht nur für die Regierung – sondern die eigene Wahlmöglichkeit, die Selbstbestimmung, ist das wichtigste. Von daher sollte die Identität eigentlich definiert werden.

Daniel Carrière: Für alle kulturellen Gemeinschaften innerhalb einer Nation muß ein rechtlicher Rahmen für die Gleichberechtigung angewandt werden. Dazu braucht es Zeit und eine politische Mehrheit, die diesen Rahmen bestimmt. Die Mechanismen der Anerkennung des Rechts werden jedoch selten durch eine tatsächliche Anerkennung unterstützt. Das Organisationsrecht für Ausländer z. B., das 1981 in Frankreich eingeführt worden ist, wurde durch keine finanziellen oder praktischen Maßnahmen unterstützt. So konnten viele der in diesem rechtlichen Rahmen gebildeten Organisationen in Ermangelung der notwendigen Mittel ihrer Rolle nicht gerecht werden. Mit dem Wahlrecht für Ausländer scheint es ebenso zu stehen. Solange die Aufgabe und die Fähigkeit einer Gruppe nicht anerkannt werden, ihre relative Stärke konkret auszudrücken, um sich verteidigen und in die Gesellschaft einbringen zu können, reicht die formale Anerkennung nicht aus.

Meine zweite Bemerkung bezieht sich auf den französischen Sprachgebrauch in bezug auf die Ausländer, der sich von »Assimilierung« über »Eingliederung« bis hin zu »Integration« erstreckt. Ich neige zu der Annahme, daß das auf viele nationale Politiken zutrifft, die alle mehr oder weniger unfähig sind, entwicklungsfähige Begriffe herauszubilden und ihnen konkrete Gestalt zu geben. Es wäre interessant, eine diesbezügliche semantische Analyse vorzunehmen; sie würde bestimmte Veränderungen der Positionen erklären. Doch das ist nicht unser Anliegen.

Wichtiger scheint mir, daß wir uns Klarheit darüber verschaffen, wie man von Kulturen des Widerstands zu Kulturen der Neugier aufeinander, des Dialogs und des gegenseitigen Verstehens gelangen kann. Dies scheint mir der beste Weg zu sein, um in die Mauer des Populismus und der Angst, die ganz Europa erfaßt haben, eine Bresche zu schlagen. Man wird sich dem primitiven Populismus der Ideen und weniger noch ihrer Ansteckungsgefahr in Frankreich und Europa widersetzen können, wenn man sich den 25% der Stimmen für die Front National in Marseille beugt.

Eine letzte Bemerkung noch zu den Umwälzungen, die gegenwärtig in Deutschland und in Europa stattfinden. Sie ziehen einen Rückstrom der Einwanderer aus der Dritten Welt nach sich. Diese Rückführungen sind Ausweisungen vergleichbar, nur daß man sie nicht so nennt. Für die Europäer ergibt sich daraus die Notwendigkeit, noch größere Aufmerksamkeit darauf zu verwenden, daß die Bewegungsfreiheit der Menschen im europäischen Raum geplant und garantiert wird. Geschieht das nicht, könnten Zwistigkeiten zwischen den Mitgliedern der Europäischen Wirtschaftsgemeinschaft die Folge sein. Wir müssen in bezug auf die Bewältigung der Migrationsströme die Verantwortung Europas für die Vergangenheit wie für die Gegenwart wahrnehmen. So wäre es z. B. wenig vernünftig, würde man zulassen, daß gegenüber den seit langem bestehenden Einwanderergemeinschaften aus Südeuropa, Afrika und Asien Ablehnung und Zurückweisung entstehen, wodurch diese Menschen erneut entwurzelt würden. Auch die Probleme, die das soziale Gleichgewicht in der EG in bestimmten Bereichen stören könnten, gilt es zu verhindern. Der »Ziehharmonikaeffekt«, der das Ergebnis der demographischen Entwicklung und der Bewegungsfreiheit der Menschen ist, muß in Europa und in der ganzen Welt besser erfaßt und berücksichtigt werden. Die gegenwärtig im Mittelmeerraum, in der Golfregion und in Afrika herrschende Situation macht uns diese Notwendigkeit ein erneutes Mal bewußt.

Frank Herterich: In Frankfurt wird seitens des multikulturellen Ressorts versucht, an relativ prägnanter Stelle einen Platz zu finden und dort eine Moschee zu bauen; das ist natürlich aus vielerlei Gründen eine delikate Sache, aber das Ziel ist, daß der Islam aus den Hinterhöfen und Gewerbeetagen herauskommt und in die städtische Öffentlichkeit rückt. Stichpunkt »Städtische Öffentlichkeit«: Ich wollte vorhin nicht den Zeigefinger wetzen, weder von Mensch zu Mensch noch von Frankfurt nach Berlin. Es wäre vollkommen absurd, aus Frankfurter Sicht Berlin des Provinzialismus zu schelten. Ich wollte mit diesem Beispiel nur auf die Verpuppung deuten, die sich in Teilen des kulturellen, geistigen und intellektuellen Milieus abspielt, was ja selbst Resultat von Angst und von Abwehr ist. Diese Verpuppung spielt sich hinter dem Vorhang der Werte ab, die wir hier gewissermaßen kultiviert haben. Ich wollte darauf hinweisen, daß beispielsweise in New York, dessen liberales Klima als Weltstadt ja schon zum Mythos geworden ist, dieses liberale Klima nicht zuletzt geprägt worden ist durch ein kulturelles Milieu und durch Intellektuelle, die eben nicht in geschlossenen Zirkeln, seien es intellektuelle oder andere, lebten, sondern die gewissermaßen die Stadt als Ganzes mit all ihren Facetten zum Ausgangspunkt ihres Denkens und Handelns gemacht haben. Seit einigen Jahren ist in New York ein Rückzug in Cliquen, Familien usw. aus Angst wahrzunehmen, und das liberale Klima leidet merklich darunter.

Noch eine letzte Bemerkung zum Stichpunkt »Europa der Städte«: Nationen sind ja Gebiete der Abgrenzung. Städte sind traditionell Orte der Verbindung, sie leben davon, daß Menschen zu ihnen kommen, daß sie Verbindungen herstellen. Es gibt, finde ich, noch Klärungsbedarf bei dem sozusagen allenthalben angeführten Konzept des »Europas der Regionen«. Klärungsbedarf beispielsweise: sollen diese Regionen eigentlich monoethnisch oder monokulturell, oder sollen sie ihrerseits multikulturell oder multiethnisch sein? Es gibt auch Konzepte des »Europas der Regionen«, die sehr stark diesen Anklang der Homogenität haben, im positiven Sinne sozusagen der Vertretung des Einzelnen, Besonderen und des Spezifischen. Städte hingegen sind ihrem ganzen Charakter nach eben nicht monokulturell, eben nicht monoethnisch. Sie können es gar nicht sein. Andererseits sind sie sozusagen die Prosperitätsschrittmacher, und ich denke, daß die Frage nach der Multikulturalität an die Prosperitat geknüpft werden muß, im einen wie im anderen Sinne.

Wir müssen dafür sorgen, daß Städte in Europa, zumal die führenden Städte in Europa — um es einmal vorsichtig zu sagen — nicht hinter gewisse Standards in demokratischer, in multikultureller Hinsicht zurückfallen. Deshalb würde ich mir wünschen, daß beispielsweise Städtepartnerschaften einen neuen, erweiterten Inhalt erhalten, daß man sich von einem bißchen Politikerreisen, einem bißchen Wirtschaftsfunktionärs- und Folkloreaustausch löst, und statt dessen beispielsweise dazu kommt, ein Konzept einer europäischen Bürgerstadt — in ihrem umfassenden Sinne — zu formulieren. Das ist nicht das Planmodell der Stadt, sondern das heißt nur, daß diese Städte sich Standards zu eigen machen, wie etwa, daß sie sagen, eine im Rahmen des gesetzlich Möglichen maximale Beteiligung aller Bewohner dieser Stadt am politischen Prozeß. Oder auch der Einsatz für entsprechende gesetzliche Regelungen, das heißt, daß sie sich verpflichten, praktische Schritte zur Aufnahme von Fremden vorzubereiten und nicht eine Politik zu verfolgen, die sagt: »Die Fremden und ihre Anwesenheit hier sind eigentlich das Ungewöhnliche. Wir müssen sie loswerden« und keine praktische Aktivität für die Beantwortung dieser Fragen einbringen. So könnte man einige wenige Standards formulieren, die einen ideellen Wert haben, aber auch praktisch überprüfbar sind. Ich glaube, wenn sich führende Städte Europas zu einem solchen politisch-ideellen Verbund zusammenfinden, daß dann einiges gewonnen werden kann, auch eine Dynamik im Sinne einer Bürgergesellschaft für Europa einzubringen.

Olaf Schwencke: Drei Dinge möchte ich abschließend feststellen:

1. Da wir ja auf eine Bundestagswahl zugehen, sollten wir in der verbleibenden Zeit durchaus unsere Kandidaten und Kandidatinnen auf die Frage des kommunalen Wahlrechts der ausländischen Mitbürger hinweisen. Ich denke, daß diese Frage nicht vornehm zurückhaltend, sondern durchaus deutlich angegangen werden sollte. Wieso kann da keiner einen konkreten Vorschlag machen, beispielsweise, Artikel 28 zu ergänzen und zwar so: »Ausländische Staatsangehörige und Staatenlose mit dem ständigen Wohnsitz im Geltungsbereich des Grundgesetzes haben Wahlrecht zu den kommunalen Vertretungskörperschaften.«

2. Auch das angesprochene Anti-Diskriminierungsgesetz steht dringend an. Es müßte durch Öffentlichkeit eingeklagt werden.

3. Ich meine, es ist ganz wichtig, daß in dieser Schlußrunde noch einmal die Regionalisierung angesprochen wurde. Ich kann mir auch gerade in diesem Zusammenhang viel größere Fortschritte und sehr viel größere Möglichkeiten für die Realität einer multikulturellen Gesellschaft vorstellen.

Ich glaube, daß dies Fragen sind, die uns noch intensiv beschäftigen werden. Es liegt ja auch schon für den Bereich der EG eine Anregung vor, einen neuen Paragraphen 188a einzuführen, der einen Rat der Regionen institutionalisiert und zwar im Zusammenhang mit den Römischen Verträgen, die ja in den nächsten Jahren auf jeden Fall noch verändert werden. Vielleicht ist das eine Hilfe.

Was wir konkret tun können, ist ja immer das Naheliegende. Ich habe ein schönes Wort bei Jean Genet gefunden, das heißt: »Was ist eigentlich ein Schwarzer und welche Farbe hat er?« Darüber könnte man nachdenken. Die Empfehlungen dieses Kongresses werden von uns gebündelt an die entsprechenden Adressen weitergeleitet. Ich hoffe mit den Ergebnissen wird weiter zu arbeiten sein, möglichst in allen Parteien.

Nachwort

Seit dem Berliner Kongreß »Kulturelle Vielfalt Europa« ist bis heute mehr als ein Jahr voller Ereignisse vergangen, die unser Thema berühren. Diese Ereignisse sind zugleich ein gewichtiger Beweis dafür, daß es sich bei den Fragen über das Zusammenleben der Nationen und Stämme Europas nicht um akademische Aspekte eines bereits geklärten Problems handelt.

Wir erleben in Europa völlig gegensätzliche Entwicklungen. Auf der einen Seite steht die Europäische Gemeinschaft mit zwölf Staaten, die sich immer intensiver zusammenschließen und ihr politisches Handeln aufeinander abstimmen. Die Attraktivität dieser westeuropäischen Staatengemeinschaft ist ungebrochen groß. Sie wächst in dem Maße weiter, wie sich die wirtschaftlichen und sonstigen Politikfaktoren in Osteuropa und den Nachfolgestaaten der untergegangenen Sowjetunion nicht im gewünschten Maße stabilisieren. Wir erleben ferner, wie in Europa und in den Staaten Osteurasiens längst verloschen geglaubte Nationalitätenkonflikte erneut aufbrechen und Tod und Verderben entfalten. Und ist es nicht so, daß die agressive Ausländerfeindlichkeit und brutale Intoleranz in Deutschland ein böses Gravamen darstellt, das den Antisemitismusbefund von 13 % der deutschen Bevölkerung (EMNID-Umfrage Januar 1992) nicht mehr unlogisch erscheinen läßt? In dieser Situation stellt sich die Frage, ob wir heute tatsächlich vor dem Beginn einer neuen glücklichen Zukunft Europas stehen, oder nur wenige Schritte vor dem gähnenden Abgrund, der in den vergangenen Jahrzehnten und Jahrhunderten so häufig die Nationen und Stämme Europas verschlungen hat?

Die friedensstiftende Wirkung der kulturellen Aktion zur Erhaltung der Identität des Individuums ist gefordert. Unter keinem Gesichtspunkt, sei er politischer, religiöser oder sonst irgendeiner Natur, ist kulturelle Vorherrschaft gerechtfertigt. Diese beeinhaltet das Wort Herrschaft und damit nicht nur die Frage des Subjekts, sondern auch des Objekts dieser Herrschaft: Vorherrschaft meint Unterwerfung. Dies ist kein Widerspruch zum Streben nach kultureller Identität und Eigenständigkeit. Das Streben nach kultureller Identität hilft der Stärkung des Selbstbewußtseins, das in der Lage ist, Brücken zueinander zu finden. Der Stolz auf die eigene kulturelle Identität kann nicht einhergehen mit der Mißachtung der Leistungen des Anderen; ein solcher Stolz wäre chauvinistisch und für das friedliche Miteinander absolut ungeeignet.

Wie bisher wird sich Berlin dafür einsetzen, daß Kultur auch ein Medium der Verständigung zwischen den Nationalitäten sein kann, intern wie auch extern. Daher messe ich dem kulturellen Kontakt mit den Staaten östlich und südöstlich von Berlin gelegen hohe Bedeutung und Priorität bei. Nur auf diesem Wege wird es möglich sein, die kulturelle Vielfalt Europas nicht zur Last, sondern zur gemeinsamen Chance werden zu lassen.

Ulrich Roloff-Momin
Senator für kulturelle Angelegenheiten
Berlin, im Januar 1992

Referenten und Diskussionsteilnehmer

Nadia Amiri, Paris, ist Mitarbeiterin von »France Plus«, einer französischen Bürgerrechtsbewegung, die sich für die Gleichberechtigung der Immigranten und ihrer Integration in die französische Gesellschaft einsetzt.

Steve Austen, Amsterdam, Direktor des Niederländischen Theaterinstituts, entwickelte seit 1966 viele neue Initiativen im niederländischen Kulturleben, wie die Stiftung für Untersuchung und Beratung kultureller Einrichtungen, das Shaffy-Theater, das Festival of Fools. Erarbeitete zusammen mit dem Holland-Festival das Programm für »Amsterdam — Kulturhauptstadt Europas«.

Daniel Carrière, Marseille, Wirtschafts- und Entwicklungsexperte, Regionalbeauftragter der Sozialinitiative für Arbeitsemigranten und ihre Familien (FAS) der Regionen Provence, Alpes, Côte-d'Azur, Marseille; Autor zahlreicher Studien über Migrationsprobleme.

Ewa Apolonia Chylinski, geboren in Warschau, lehrt und forscht an der Universität von Süd-Jütland/Dänemark im Bereich Islamwissenschaften und multikulturelle Erziehung, führt in der UdSSR Forschungsprojekte durch, über islamische Minderheiten, Vielsprachigkeit und Multikulturalität, Referentin auf zahlreichen Kongressen zum Themenkreis interkulturelle Erziehung von Minderheiten.

Daniel Cohn-Bendit, Frankfurt/Main, Publizist, ehrenamtlicher Stadtrat und Dezernent für Multikulturelle Angelegenheiten, aufgewachsen als Kind deutsch-jüdischer Emigranten in Paris, aus Frankreich ausgewiesen als einer der Hauptakteure des Pariser Maiaufstands 1968, Buchhändler, Autor und Herausgeber des »Pflasterstrand« und zahlreicher Bücher.

Myriam Diaz-Diocaretz, Amsterdam, ist eine chilenische Autorin baskischer Herkunft. Sie bezeichnet sich selbst als »Ausländerin, aber keine Fremde«, als »jemand, der zwischen den Sprachen, den Nationalitäten und Kulturen lebt«.

Gabriele Erpenbeck, Hannover, Diplom-Volkswirtin, 1972–1987 Referentin im Kommissariat der Deutschen Bischöfe, Bonn, u. a. in den Bereichen Ausländerpolitik, Menschenrechte, Europa. Seit 1987 Ausländerbeauftragte des Landes Niedersachsen.

Liselotte Funcke, Bonn, bis 1991 Beauftragte der Bundesregierung für die Integration der ausländischen Arbeitnehmer und ihrer Familienangehörigen; Staatsministerin a.D.

Michael Haerdter, Berlin, Leiter des Künstlerhauses Bethanien, 1965-68 Dramaturg am Schiller- und Schloßparktheater Berlin, 1969-71 Präsidialsekretär der Akademie der Künste, Berlin. Veröffentlichung über Samuel Beckett.

Frank Herterich, Frankfurt/Main, freier Planungsberater und Publizist, bearbeitet u. a. für das Amt für multikulturelle Angelegenheiten Fragen und Probleme des Urbanismus, zahlreiche Veröffentlichungen zu Fragen der Stadtplanung und des Urbanismus.

Gavin Jantjes, London, Maler und Grafiker, geboren in Kapstadt, Südafrika, Mitglied des Arts Council of Great Britain, Berater des Visiting Arts Unit, Mit-Initiator des »Ethnic Minority Action Plan«.

Stefi Jersch-Wenzel, Berlin, Sektionsleiterin für deutsch-jüdische Geschichte in der Historischen Kommission zu Berlin, apl. Professorin für Neuere Geschichte an der TU Berlin. Forschungs- und Lehrtätigkeit in Warschau, Paris, Tel Aviv und Jerusalem. Zahlreiche Veröffentlichungen zur Vergleichenden historischen Minderheitenforschung.

Barbara John, Berlin, seit Dezember 1981 Ausländerbeauftragte des Berliner Senats, Autorin zahlreicher Publikationen zu sprachdidaktischen und ausländerpolitischen Themen. Referentin auf vielen Kongressen zur Integrations- und Minderheitenpolitik in den USA und verschiedenen europäischen Ländern.

Dusan Jovanovic, Ljubljana, Autor und Theaterregisseur, Professor an der Schauspielakademie der Universität Ljubljana, Initiator und Mitherausgeber von »Euromaske — The European Theater Quarterly«.

Danielle Juteau, Montreal, Professorin der Soziologie an der Universität Montreal. Ihre Forschungsgebiete umfassen die Probleme einer nationalen Identität Quebecs, die Beziehungen zwischen Quebec und Kanada sowie Unternehmensgründungen von Einwanderern in Montreal.

Anetta Kahane, Ausländerbeauftragte des Magistrats von Berlin, Übersetzerin spanisch- und portugiesischsprachiger Literatur, Aufenthalte in verschiedenen afrikanischen Ländern.

Vishnu Khare, New Dehli, Redakteur der »Sunday Hindi Times of India«, Lyriker. Teilnehmer an der Interlit 1982 in Köln und an der Frankfurter Buchmesse 1986. Zusammen mit Lothar Lutze Herausgeber der Lyrik-Anthologie »Der Ochsenkarren« mit Übersetzungen aus dem Hindi.

György Konrád, Budapest, Schriftsteller, Präsident des internationalen PEN-Clubs, veröffentlichte neben vielen Romanen 1987 zusammen mit Iván Szelényi die soziologische Studie »Die Intelligenz auf dem Weg zur Klassenmacht«. Setzt sich für die Ost-West-Beziehungen, Friedenspolitik und Menschenrechte ein. Veröffentlicht regelmäßig Artikel und Essays in verschiedenen europäischen Zeitungen und Zeitschriften.

Jöran Löfdahl, Stockholm, Direktor des Staatlichen Kulturrats, von 1975–1977 Pressechef des Europarates in Straßburg, dann Direktor des Schwedischen Instituts für Kulturaustausch, Vorsitzender der Schwedischen UNESCO-Kommission, Vorsitzender des Nationalen Tournee-Theaters.

Peggy Luswazi, geboren in Kokstadt/Südafrika, studierte Psychologie in Köln und Berlin, promovierte über »Die Sozialisationsbedingungen zur Aufrechterhaltung der Apartheidgesellschaft in Südafrika« (1989 als Buch erschienen). Mitarbeiterin der Multikurellen Frauengruppe Berlin. Veröffentlichte Artikel in verschiedenen Zeitungen und Zeitschriften.

Anke Martiny, Berlin, 1989–1991 Senatorin für Kulturelle Angelegenheiten. Studierte Musikwissenschaft, Germanistik und Soziologie in Berlin, Wien und Göttingen. Tätigkeit als Musikkritikerin und freiberufliche Journalistin. Seit 1967 Engagement in der SPD, seit 1986 Mitglied des Parteivorstandes.

Jürgen Moltmann, Professor für Systematische Theologie an der Universität Tübingen. Zu seinen wichtigsten Veröffentlichungen gehören: »Theologie der Hoffnung«, »Politische Theologie — Politische Ethik«, »Gott in der Schöpfung. Ökologische Schöpfungslehre«.

José-Maria Pérez Gay, Mexiko, Professor für Soziologie und Politische Wissenschaften an der Universidad Nacional Autónoma de México, Chefredakteur der Zeitschrift »Naxos« und Leitartikler der »Jornada«, Übersetzer, Romancier, schreibt gegenwärtig an einem Roman über das Leben Rudi Dutschkes und das Berlin der sechziger Jahre, in dem er studierte und promovierte.

Pino Poggi, Mitterfecking, Slovenj Gradec und Genua, Kulturwissenschaftler, begreift Kultur als ein Mittel, Probleme der moderenen Gesellschaft zu verstehen und zu lösen und setzt ein entsprechendes Kunstkonzept — Arte Utile — in die Praxis um.

John Rex, emeritierter Professor an der Universität von Warwick, vorher Gründungsvorsitzender des Bereiches Soziologie an der Universität Warwick, Direktor des Forschungsverbandes über ethnische Beziehungen und Präsident des Forschungskomitees zu Rassen und ethnischen Beziehungen der International Sociological Association. Zahlreiche Buchveröffentlichungen zur soziologischen Theorie und theoretischen und empirischen Themen in der Soziologie der Rassen und ethnischen Beziehungen.

Irene Runge, Berlin, Ethnologin, wissenschaftliche Oberassistentin an der Humboldt-Universität, Autorin zahlreicher Bücher und Zeitschriftenbeiträge zum Thema Ausländerfeindlichkeit.

Peter Sauerbaum, Referatsleiter bei der Senatsverwaltung für Kulturelle Angelegenheiten, Berlin.

Olaf Schwencke, Studienleiter der Evangelischen Akademie Loccum und Präsident der Kulturpolitischen Gesellschaft, Hagen. 1972-80 Mitglied des Bundestages. 1973-79 Mitglied der Parlamentarischen Versammlung des Europarates. 1979-84 Mitglied des Europäischen Parlaments. U. a. Herausgeber von »Ansichten einer künftigen Futurologie« und »Plädoyer für eine neue Kulturpolitik«. Seit 1992 Präsident der Hochschule der Künste, Berlin.

Mehmet Niyazi Turgay, geb. 1943 in Gercüs, Türkei. Nach dem Abitur 1960 Umzug in die Bundesrepublik, Studium an der Technischen Universität Berlin. Leiter des Fachbereichs »Bildungsprogramm für Ausländer« an der Volkshochschule Kreuzberg. Gründungsmitglied bzw. Vorsitzender vieler Selbsthilfevereine im sozialen und kulturellen Bereich.

Beate Winkler, Bonn, Referentin im Arbeitsstab der Beauftragten der Bundesregierung für die Integration der ausländischen Arbeitnehmer und ihrer Familienangehörigen. Mitautorin zahlreicher Publikationen zu den Themenbereichen Migration und Integration.

Lucia Zeller, geboren in Ecuador, studierte Psychologie in Berlin. Mitarbeiterin in NOZIZWE, Projekt für multikulturelle feministische Bildungsarbeit, arbeitet seit drei Jahren im Bereich interkulturelle Kommunikation und Rassismusforschung, speziell über die psychologischen Folgen des alltäglichen Rassismus.